Если к загадке добавить любовь и все это обильно присыпать юмором, а затем хорошо перемешать, то получатся иронические детективы Галины Куликовой:

ИРОНИЧЕСКИЙ
ДЕТЕКТИВ

Галина Куликова

Дырка от бублика

Москва

ЭКСМО

2003

ИРОНИЧЕСКИЙ ДЕТЕКТИВ

УДК 882
ББК 84(2Рос-Рус)6-4
К 90

Разработка серийного оформления
художника *В. Щербакова*

Ранее повесть «Рога в изобилии» выходила под названием
«У жертвы мое лицо»

Куликова Г. М.

К 90   Дырка от бублика. Рога в изобилии: Повести. — М.:
Изд-во Эксмо, 2003. — 384 с. (Серия «Иронический
детектив»).

ISBN 5-699-02509-X

Воскресным вечером Элла Астапова приехала в гости к родным,
которые собрались у экрана телевизора за просмотром популярного ток-
шоу «Затруднительное положение». Именно из этого шоу Элла узнала, что
ее муж Игорек бессовестно изменял ей весь год замужества. Его дама
сердца появилась на экране и рассказала всей стране о том, как они вдвоем
обманывали наивную бедняжку. Всю ночь Элла в шоке блуждала по
городу, а наутро ей сообщили, что неверный супруг убит, а ее разыскивает
милиция, как главную кандидатку на роль преступницы. Начальник
неожиданно повел себя как добрый папочка и предложил Элле спрятаться — под чужим именем устроиться секретарем к частному детективу,
которому поручено... отыскать скрывающуюся убийцу Эллу Астапову!..

УДК 882
ББК 84(2Рос-Рус)6-4

ИРОНИЧЕСКИЙ ДЕТЕКТИВ

— Даже Коле? — простодушно спросила та.

— Если хочешь испортить Коле настроение, то скажи.

— А где ты находишься?

— В лесу, — ответила Элла. — В избушке лесника. Здесь есть тулуп, ружье и тушенка.

— Надеюсь, ты шутишь, — совершенно нормальным тоном сказала Лариса. — Если хочешь, я открою для тебя свою дачу. Там есть «буржуйка» и картошка в погребе.

— Спасибо за предложение, но мне и тут хорошо.

Она не лукавила, если иметь в виду чисто бытовую сторону дела. Что касается морального состояния, то оно было далеко не блестящим. Найти истинного убийцу! Легче сказать, чем сделать. Как можно его найти, если ты не имеешь права ходить по улицам! «Даже если бы я вышла, — думала Элла, — с чего бы я начала? Кого бы стала расспрашивать — соседей? А дальше что?» Она представления не имела, как ведутся настоящие расследования.

Раз дверь после убийства оказалась закрытой на ключ, значит, туда ворвался не бандит с улицы. Тем более из квартиры ничего не пропало. По крайней мере, так Римка говорит. Что же, выходит, Игоря убил кто-то знакомый? Дикость. Кто мог это сделать и зачем? Может быть, у его любовницы Нади был ключ? Что, если Астапову кто-то рассказал про шоу Григорчука? Не исключено, что она сама и рассказала. Приехала и рассказала. Астапов рассвирепел — он мгновенно свирепел, когда ему что-то не нравилось. Надя тоже разозлилась и шарахнула его по голове сковородкой. Может, она не хотела его убивать, а просто погорячилась? Потом заперла дверь своим ключом, который у нее вполне мог быть, и отчалила восвояси. А что? Это версия!

Впрочем, чтобы доказать эту версию, необходимо, по крайней мере, встретиться с Надей лицом к лицу. Потребовать, чтобы она предъявила алиби. А потом тщательно его проверить. Но как выйти на улицу, если вся Москва, словно южноамериканское болото крокодилами, кишит бдительными милиционерами? А бдительные милиционеры в первую очередь отлавливают вот таких вот невезучих девиц!

Впрочем, покинуть нынешнее убежище вскоре все-таки

придется. Дима Шведов совершенно точно почувствовал что-то неладное. Иногда он совершенно неожиданно останавливался посреди офиса и, вперив глаза в стену, замирал, прислушиваясь, словно солдат во вьетнамском лесу. Он стал задумчивым и рассеянным, будто его тревожило что-то такое, о чем он не мог рассказать вслух. Но самым паршивым было то, что Дима стал задерживаться в офисе дольше всех остальных. Кате, которая особенно усердно пыталась выпроводить его домой, он слабым голосом говорил: «Идите, идите! Я еще посижу», — и вяло махал рукой.

— Слушай, Эля, что он делает тут один? — интересовались ребята.

— Понятия не имею, — честно призналась та. — Когда вы расходитесь, он сидит тихо-тихо, как двоечник на контрольной. Вообще это ужас — я не могу ни покашлять, ни подвигаться!

— Но в комнату к тебе он не рвется? — уточнила Катя.

— Подергался пару раз, и все.

— Надо что-то делать, — озаботился Андрей Калугин. — Нельзя ему давать тут засиживаться. Иначе он догадается.

— А как, как не давать засиживаться? — вслух подумала Катя.

Никто ничего придумать не смог, но тут шеф сам нашел ответ на сложный вопрос. Как-то, проходя мимо Катиного стола, он неожиданно остановился и, низко наклонившись, спросил вполголоса:

— Катерина, тебе не кажется, что у нас в офисе как-то неспокойно?

— В каком смысле? — вскинула голову та.

— В смысле — будто кто-то вздыхает иногда. Так тяжело, с надрывом... А потом как будто хрустит чем-то...

— Чем хрустит?

— Суставами! — шепотом заявил Шведов. — Хрум-хрум...

— А! Это! — легкомысленно ответила Катя, мгновенно сообразив, как решить возникшую проблему. — Так это местный призрак! Странно только, что он забрался так высоко — обычно он в подвале бесчинствует.

Шведов выпрямился и, сделав обиженную физиономию, уже в полный голос спросил:

— Какой призрак? Что за детский сад?

— Да ерунда, конечно! — подал голос Андрей Калугин, рассеянно перекладывая бумаги на столе. — Уборщицы выдумывают, чтобы в ночную смену не выходить.

— А что конкретно они... выдумывают? — натужным голосом спросил Шведов, притворяясь, что спрашивает из чистого любопытства.

— Говорят, будто на месте этого здания, — подключился к разговору серьезный, как учитель химии, Никита, — стоял дом, принадлежавший внебрачному сыну графа Дракулы. Известно, что граф был не только вампир, но и бабник. И одна русская княжна якобы родила ему сына. Когда юноша вырос, то захотел встретиться с папашей. При встрече тот его, ясное дело, укусил, и сын тоже стал вампиром. Вернулся, гад, в Москву и начал по ночам высасывать кровь из хорошеньких девушек. Тогда жених одной из них его выследил и прикончил.

— И что? — с деланно равнодушным видом спросил Шведов.

— Ну... Что-что? — переспросил Никита. — Вампиру, как известно, надо или воткнуть в сердце кол, или отрезать голову.

— А этому что — не отрезали?

— Кто ж его знает? — Никита сунул в точилку карандаш и стал аккуратно ввинчивать его внутрь.

— Не слушай его, Дима, — вмешалась Катя. — Даже если призрак в самом деле существует, ему до журнала «Все о банках» никакого дела нет. Вряд ли он интересуется процентными ставками.

Шведов хмыкнул, гордо вышел и заперся в своем кабинете. Андрей выразительно постучал себя пальцем по лбу, а Катя уткнулась носом в сложенные ладошки.

— Ш-ш-ш! — прошипел Никита и сделал страшные глаза.

Во время обеденного перерыва, когда Шведов отправился заправляться, они, перебивая друг друга, рассказали Элле про сына графа Дракулы.

— И он поверил? — с сомнением спросила та.

— Он не то чтобы поверил, — усмехнулся Никита, — но маленькая противная мыслишка все-таки угнездилась в его подсознании. Надеюсь, с этого момента у него пропадет желание задерживаться в кабинете допоздна.

Шведов и в самом деле убежал в этот вечер домой раньше всех и трусливо попросил Катю Бурцеву запереть офис.

— Однажды он тебя все равно обнаружит, — испортил всеобщее ликование Никита. — Рано или поздно, девочка, тебе придется легализоваться. Не можешь же ты и в самом деле стать штатным призраком редакции!

Элла понимала, что он прав. Существовать вне закона оказалось очень тяжело — она толком не спала и не ела, умывалась холодной водой, а уж настроение у нее было хуже некуда.

— Но я ведь ни в чем не виновата! — воскликнула она гневно.

— Никита прав, — серьезно сказала Катя. — Сейчас ты у милиции — главная подозреваемая. Тебя она и будет искать. Надо вернуться домой и отстаивать свою невиновность в открытую.

— Потерпите еще немножко, а? — жалобно попросила Элла. — Мне нужно с духом собраться. Четко решить, как действовать.

Весь следующий день она честно пыталась придумать, как же ей действовать. После шоу Григорчука Элла поняла, что, пожалуй, ничего не знает о настоящей жизни своего мужа. Возможно, если она узнает больше, то поймет, кто мог его убить. И за что. С одной стороны, Надя Степанец идеально подходит на роль убийцы — у нее мог иметься ключ от квартиры и у нее был повод выйти из себя. Орудие убийства тоже вписывалось в образ — именно женщина способна использовать в момент нападения кухонную утварь. С другой стороны, Астапов был отцом Шурика и, как поняла Элла, содержал Надю и ребенка. Даже разъярившись, практичная Надя должна была учитывать это обстоятельство. Хотя...

«Нет, безусловно, эту Надю необходимо проверить на вшивость, — решила Элла. — Поговорить с ней самой и с кем-то из ее окружения. Послушать, что она скажет и что скажут о ней и ее отношениях с Астаповым друзья и знакомые. Интересно, как она среагирует, если я появлюсь перед ней? Со стыда, конечно, не сгорит, поскольку считает меня дурой, но все-таки!»

Глава 1

— В этом есть нечто противоестественное, — с кислой физиономией сказала Римма. — Она является на воскресный ужин в шерстяном костюмчике а-ля баба Дуня, у нее растрепанные волосы, жуткие очки — и она счастлива!

— Римма, не будь злой! — шепотом одернул ее Юрий. — Все-таки она твоя сестра.

— Я не говорю, что желаю ей плохого, — отмахнулась та. — Я говорю, что это противоестественно. Больше года она замужем, и до сих пор ничего не случилось! С Элкой всегда что-нибудь случается — она жуткая неудачница. У нее такие гены, и с этим ничего не поделаешь.

— Римма, прекрати! — Юрий был полным, румяным и представительным. Очки сидели на коротком носу важно, словно несли государственную службу.

— Юрочка, ты не понимаешь. Когда у Элки очередная катастрофа, я знаю, что все путем, жизнь идет как надо. Но это странное затишье... Да, конечно, она постоянно обливается чаем и теряет вещи, однако это все мелочи, все не то.

— Ты драматизируешь ситуацию.

— Да ладно! У тебя просто комплекс вины. Ты с ней познакомился, ухаживал, а женился на мне.

— Нет у меня никакого комплекса! — напыжившись, сказал Юрий. — И это не я на тебе женился, а ты вышла за меня замуж. Научись называть вещи своими именами.

Римма закинула ногу на ногу и как бы между прочим спросила:

— Не хочешь же ты сказать, что жалеешь?

— Конечно, нет! — с жаром ответил он. — Просто... Элла очень цельная личность и заслужила личное счастье. Несмотря на твое вечное подтрунивание над ней!

— Да-да, конечно. Девушка с глазами дикой серны! Я знаю, в Элке есть какой-то шарм. Она привлекательна, несмотря на жуткие круглые очки, которые ей совершенно не идут. Хоть ты ей скажи, что ли. Можно ведь носить контактные линзы! Я прямо кожей чувствую приближение какой-то драмы. Вот увидишь, Астапов ее бросит! Не может быть, чтобы она провела замужем целый год — и ничего не произошло.

— Он ее не бросит. Ты же сама говорила, что Астапов женился по расчету, — язвительно заметил Юрий.

Мать Риммы и Эллы вышла замуж во второй раз за вице-президента солидного банка Бориса Михальченко. Астапов работал в том же самом банке начальником отдела.

— Кстати, а почему Астапова сегодня нет на семейной вечеринке? — спросил Юрий.

— Борис сказал, что руководство скинуло на него какого-то гостя. И он повел этого типа в Театр современной пьесы. Как ни странно, но без Астапова скучно.

В этот момент одомашненный вице-президент банка Борис Михальченко в спортивном костюме и велюровых тапочках, насвистывая, прошел мимо.

— У тебя сегодня хорошее настроение, я вижу? — спросила Римма. — Случилось что-то приятное?

— Точно. Мне пообещали вернуть старый долг. Разве не приятно? Я, наконец, смогу купить твоей матери машину, чтобы она перестала пользоваться моей и царапать ее обо все, что попадается на пути. Кстати, Юр, чего мы сидим, как на именинах? Предложи дамам какое-нибудь интересное занятие.

Юрий крякнул и сделал широкий жест рукой:

— Дамы! Давайте смотреть телевизор! Там сегодня хороший западный фильм.

— О, нет! — воскликнула жена Бориса Дана, повалившись в кресло. — Все хорошие западные фильмы насмерть изуродованы русской озвучкой. Поищите что-нибудь другое.

Дана была высокой и крупной, с королевскими манерами и громоподобным голосом. Она считала, что в жизни женщины важную роль играют три «м» — мозги, муж и маникюр. Мозги у нее наличествовали, маникюр она делала раз в неделю в салоне красоты возле дома, а нового мужа нашла не так давно в ресторане для гурманов. Он был младше ее на восемь лет, поэтому Дана считала второе замужество большим личным успехом.

— Устроит тебя ток-шоу «Затруднительное положение»? — подала голос ее младшая дочь Элла, переключив канал.

Очки ей действительно не шли. Новые дорогие она потеряла, потом потеряла менее новые и менее дорогие, так что остались только эти — старые и некрасивые. Она все откладывала поход в оптику, тем более что Астапов почти никогда не видел ее в очках — дома она старалась обходиться без них, хотя это и было непросто при ее минус шести.

Что касается невезучести, то тут сестра была права на все сто. Участие Эллы в любом деле становилось гарантией того, что дело провалится. Когда она собиралась за покупками, магазины закрывались по самым разным причинам — от технических до катастрофических: такси, в которых она ехала, застревали в пробках, лифты зависали, в кассах заканчивались чековые ленты, а в пунктах обмена валюты заканчивалась валюта.

— А что это за «Затруднительное положение» такое? — пробурчала Дана. — Там что, выступают беременные женщины?

Борис захохотал за своей газетой.

— Даже я знаю! — принялся объяснять Юрий. — На передачу приглашают людей, которые попали в трудную ситуацию. Человек в камеру рассказывает о своей беде, и вся страна по телефону начинает давать ему дружеские советы.

— Чудовищно, — заключила Дана. — Но все равно давайте посмотрим.

Все, кроме Бориса, стали смотреть. Тот продолжал читать газету, постукивая ногой по полу. После заставки на экране появился ведущий с волосами, завитыми под каракуль, и большим ртом, в котором запросто мог бы поместиться микрофон. Когда он улыбнулся, от его зубов зарябило в глазах.

— Здравствуйте, друзья! — торжественно провозгласил он. — Как всегда, по вечерам с вами я, Антон Григорчук, в ток-шоу «Затруднительное положение»!

Публика загрохотала и заулюлюкала, и Дана заметила:

— Симпатичный мальчик.

Борис тотчас же вылез из-за газеты, посмотрел на Григорчука и громко фыркнул. В знак солидарности Юрий тоже фыркнул. Обфырканный ведущий продолжал тем временем щебетать:

— И сегодня гостья нашей студии — Надежда Степанец, встречайте!

В студии появилась маленькая глазастая брюнетка, постриженная под Мирей Матье. Энергичной походкой она прошла к гостевому диванчику, свалилась на него и стала так и сяк складывать ноги.

— Ой! — громко воскликнула Элла и даже подпрыгнула от избытка чувств. — Это же кузина моего Астапова — Надя! Вы только посмотрите на нее!

Все и так смотрели. Дана даже придвинулась ближе к экрану.

— Вот это Надя? — переспросила она. — Значит, с ее ребенком ты сидишь по субботам? Шурик, кажется?

— Ну да! Наверное, Шурик тоже там. Интересно, а Астапов знает? Может, позвонить ему? — Элла уже хотела вскочить и броситься к телефону, но сестра, сделав мрачное лицо, не позволила.

— Погоди, — сказала она и упреждающе вытянула руку. — Сначала послушаем, что скажет кузина. Что там у нее за затруднительная ситуация?

— Я пришла к вам на передачу, — начала Надя глубоким грудным голосом, — потому что у меня нет никого, с кем я могла бы посоветоваться.

— Она что, сирота? — спросил Борис и отбросил газету, которая пролетела через всю комнату, перебирая в воздухе страницами, после чего громко чавкнула о стол.

— Я сирота, — тут же подтвердила его догадку Надя, стиснув перед собой руки. — Родители умерли, когда мне было шестнадцать лет. А других родственников у меня нет.

— Как это нет? — громко и сердито спросила Элла. — А Астапов?!

— Зато есть близкий человек, — продолжала между тем сирота. — Именно из-за него я пришла сегодня в студию. Мне очень нужен совет.

Надя закусила губу. Из правого глаза у нее выкатилась большая бриллиантовая слеза и, остановившись на щеке, немного попозировала перед камерой. Моторный Григорчук тем временем забегал по студии, представляя телезрителям остальных своих гостей — психолога Михаила Анцыповича, красногубого дядьку с мохнатой черной бородой, похожего на Карабаса-Барабаса, модную писательницу Ирму Скандюк и инициатора возрождения кулачного боя Дмитрия Куроедова. Все трое, судя по их виду, чувствовали себя очень хорошо и уже изготовились слушать драматичный рассказ Нади.

То, что рассказ будет именно драматичным, стало ясно без слов. У Нади сделалось вдохновенное лицо — брови сдвинуты, губы плотно сжаты.

— Итак, расскажите нам, Надя, о своем близком человеке, — поощрил ее Григорчук, пристраиваясь на самом краешке стула напротив гостьи.

— С Игорем мы познакомились шесть лет назад, — послушно начала та, глядя в камеру.

— Ее близкого человека тоже зовут Игорем. Как Астапова! — громко сказала Элла и наклонилась вперед, чтобы ничего не пропустить.

— Он работал в банке, — продолжала Надя, — а я продавала цветы в маленьком магазинчике на углу. Мы сразу понравились друг другу.

— Ее Игорь работал в банке... — пробормотала Элла. — Как Астапов.

— Он часто покупал цветы? — с любопытством спросил ведущий.

— Да, очень часто! — оживилась Надя.

— А для кого, если не секрет?

— Для своей первой жены, — застенчиво ответила та.

Публика, гнездящаяся в студии на пластмассовых стульях, выстроенных лесенкой, заворчала. Было непонятно, одобрительное это ворчание или наоборот.

— Шесть лет назад Астапов, кажется, еще был женат в первый раз, — задумчиво провозгласила Римма со своего места.

— Игорь был еще женат, — поспешно пояснила Надя, — но жена уже грозила подать на развод.

— Ага, — кивнул Григорчук. — И он ее задабривал цветами.

— Только она все равно ушла. И я тут совершенно ни

при чем. У них были давние разногласия. Мы стали встречаться, и когда Игорь наконец развелся, я решила, что теперь нам ничто не помешает быть вместе.

— Вы рассчитывали, что ваш любовник предложит вам выйти за него замуж? — уточнил Григорчук коварным тоном.

— Конечно, я рассчитывала. Мы ведь любили друг друга!

— И что же произошло?

— Игорь сказал, что пока не готов жениться снова. Что ему нужно прийти в себя после развода.

— И что же сделали вы?

— Я? — Надя обезоруживающе улыбнулась. — Родила ему ребенка, Шурика.

Дана и ее старшая дочь мрачно переглянулись. Юрий принялся протирать очки, а Борис демонстративно закинул ноги на журнальный столик и скрестил руки на груди. Элла никак не реагировала — она молча смотрела на экран.

— И тогда он... — широко улыбнулся Григорчук, предлагая Наде продолжить фразу.

— И тогда он сказал, что никогда не бросит Шурика. Но жениться все равно не хотел. Почти пять лет мы прожили отдельно, — продолжала Надя, стопроцентно уверенная в том, что она выступает в роли положительной героини. — А недавно Игорь купил для нас с сыном новую квартиру

Публика в студии снова зашумела. Судя по лицам, женщинам импонировал поступок Игоря, а мужчинам — нет

— Я надеялась, что со временем Игорь признает нас своей настоящей семьей...

Надя напрягла указательные пальцы с длинными бордовыми ногтями и промокнула ими уголки глаз. На лицах Анцыповича и Куроедова появилось глубокое сочувствие, писательница же Скандюк смотрела на гостью студии с ухмылкой.

— Чуть больше года назад, — продолжила Надя, — Игорь признался, что его материальное благополучие, а значит, и наше с Шуриком тоже, находится под угрозой. У него возникли какие-то неприятности на работе, ему грозили увольнением. Увольнение означало профессиональную гибель — его больше не взяли бы ни в один банк.

Единственным спасением был брак по расчету. Игорь сказал, что если женится на дочери начальника, то все обойдется.

— Он как бы спрашивал у вас разрешения? — уточнил Григорчук.

— Что-то вроде того.

— И вы согласились?

— А что я могла поделать? — обиженно спросила Надя. — У меня маленький сын!

Элла Астапова почувствовала, будто в сердце ей вонзили что-то горячее и поворачивают это что-то то в одну сторону, то в другую, причиняя невероятную боль. Никто не шевельнулся, и когда шкодливый кот Брысяк с откушенным неизвестно кем ухом вошел в комнату и мяукнул, все одновременно вздрогнули.

— Пошел вон! — крикнул Борис, бросил в кота тапкой и не попал. Брысяк равнодушно обошел обувь и потерся мордой о голую ногу хозяина.

Тем временем студия продолжала подогреваться рассказом бедной Нади.

— Вот уже год Игорь женат. Его положение на службе стабилизировалось, но он не хочет разводиться с дочерью начальника и ставить себя таким образом под удар. Но и я не хочу больше терпеть его жизнь на два дома!

— А вам не приходила в голову мысль, — спросил Григорчук, с победным видом оглядывая публику, — что ваш Игорь просто влюбился в свою жену?

— Нет, ну что вы! — искренне изумилась Надя. — Во-первых, она меня старше. Мне двадцать пять, а ей тридцать. И во-вторых, она не очень интересная.

— А вы что, встречались? — мгновенно среагировал ведущий и хищно раздул ноздри.

— Понимаете, — слегка смутилась Надя, — мы с Игорем и так редко видимся, поэтому он решил не прятать меня от своей новой жены.

Озадаченный Анцыпович почесал бороду, Куроедов сказал «Ни фига!», а долговязая писательница Скандюк азартно хлопнула себя по острой коленке.

— Ка-а-ак? — озвучил немой вопль публики Григорчук. — Он что, познакомил вас со своей женой и представил: вот, мол, дорогая, моя любовница! Так, что ли?

— Он сказал ей, что я — его двоюродная сестра, — скромно потупясь, призналась Надя.

Элла громко сглотнула, и Дана тотчас же придвинулась к дочери и крепко взяла ее за руку.

— Надо выключить эту дрянь! — заявила она, пылая негодованием.

— Не смей! — тотчас же запретил Борис. — Мы должны точно знать, как обстоят дела.

— А я говорила! — подхватила Римма. — Говорила, что все будет плохо!

— Замолчи! — шикнул Юрий. — Дай дослушать. Борис прав: мы должны знать, с чем имеем дело.

Григорчук тоже сгорал от любопытства, поэтому продолжил расспросы.

— Вы что же, ходите друг к другу в гости?

— Случается, — застенчиво ответила Надя. — Но чаще всего мы с Игорем оставляем ей нашего ребенка, а сами отправляемся в ресторан или на концерт.

— Твою мать! — в сердцах воскликнул Борис.

Элла зажала рот рукой, чтобы случайно не издать какого-нибудь ужасного звука. Римма механически гладила забравшегося на колени кота. Брысяк урчал, с остервенением вонзая в нее когти и удивляясь про себя, почему его не бьют по лапам.

— Не кажется ли вам, что это уж слишком? — Григорчук сделал большие глаза, как будто никогда не слышал о людском коварстве.

— Но мы же должны хоть изредка побыть вдвоем! — искренне возмутилась Надя.

— Вы могли бы отдать ребенка маме вашего Игоря.

— Она ничего не знает.

— Тогда нанять няню.

— Это дорого. Но знаете что? Я не чувствую себя виноватой. Если жена Игоря такая дура, это ее проблемы.

— Что же в таком случае привело вас сегодня в студию? — задал резонный вопрос ведущий.

— Я хочу заставить Игоря развестись с женой и жениться на мне. В конце концов, у нас растет сын! Но я не знаю, как правильно себя вести.

— А Игоря вы проинформировали о том, что решили прийти на наше ток-шоу?

— Нет, — коротко ответила Надя. — Не думаю, что он был бы доволен. Однако я в отчаянном положении и рассчитываю на помощь телезрителей и тех людей, — она с подозрением смотрела на мерзко ухмыляющуюся писательницу Скандюк, — которые пришли сегодня в студию, чтобы меня поддержать.

— А кто вам сказал, — неожиданно подала голос та, — что мы будем вас поддерживать?

— Ну... Давать советы, — раздраженно поправилась Надя.

— Советы дают тем, кто сомневается в себе, — заявил психолог Анцыпович, тряхнув бородой. — Вы же, девушка, пришли сюда с уже готовым решением. Вы похожи на Буша, который задумал бомбить Ирак. И какие бы доводы...

— Вашему Игорю надо дать в нюх, — неожиданно перебил его инициатор возрождения кулачного боя Куроедов. — Или сломать ему что-нибудь.

— А сейчас — слово нашим консультантам, — поспешно вклинился Григорчук. — Может быть, Ирма Михайловна нам что-нибудь посоветует?

— Как сказала не я, — заявила Скандюк, — желание выйти замуж — это подсознательное стремление к разрушению. Мужчина по сути своей — разрушитель. Он разрушает отношения точно так же, как вещный мир. Гармония вызывает у него идиосинкразию.

— Иными словами, вы советуете нашей героине подавить в себе желание выйти замуж? — осторожно уточнил Григорчук.

— Да.

Надя посмотрела на гнусную писательницу Скандюк и через силу улыбнулась.

— Убавьте звук, — скомандовал Борис и поднялся на ноги. — Надо... все это обсудить.

— Предлагаю позвонить Астапову и вызвать его сюда! — заявила Дана, сплетая и расплетая пальцы. — И разобраться с ним на месте.

— Сломать ему что-нибудь, — пробормотал Юрий, которому очень понравилось короткое выступление Куроедова.

— Я сама позвоню, — вызвалась Римма, мельком глянув на превратившуюся в соляной столб сестру.

— Только пока не говори ему ничего, — предупредил Борис.

Римма принесла трубку и стала с остервенением давить на кнопки, вымещая на них свое раздражение.

— Занято! — сердито сказала она, отвечая на общий немой вопрос. — А мобильный временно заблокирован. Наверное, он все деньги проболтал... — Она сделала паузу, а потом ядовито добавила: — С Надей!

— Значит, он дома разговаривает по городскому телефону, — подытожил Юрий. — Надо ехать туда и брать его тепленьким.

— Никто никуда не поедет! — непререкаемым тоном заявил Борис.

— Да почему?

Они все поднялись на ноги и принялись жарко спорить друг с другом. В разгар баталии Брысяк забрался в кресло и лег на пульт, звук снова включился, и гомон в комнате стал в два раза громче. В студии шли не менее жаркие споры.

— В нюх ему — и дело с концом! — рубил ладонью воздух кровожадный Куроедов.

— Как сказала не я... — завела свою песню Скандюк, но ведущий, у которого каракуль уже стоял дыбом, с досадой воскликнул:

— А сами-то вы можете хоть что-нибудь сказать?!

— Выключите звук! — потребовал Борис. Все повернулись к телевизору и тут увидели, что Эллы нет на месте.

Ее не было ни в ванной, ни на балконе — нигде.

— Она ушла! — испуганно воскликнула Римма, подбежав к вешалке и не обнаружив верхней одежды сестры. — А уже одиннадцать часов! Насколько я ее знаю, домой она не пойдет.

— Слава богу, что ушла не без сапог, — пробормотала Дана.

— Невелико утешение, — буркнул Юрий. — Надо ее найти, а то она где-нибудь сядет в снег и замерзнет

— Я поеду к Астапову, — решил Борис. — И убью этого сукиного сына!

— Я осмотрю окрестности, — подхватил Юрий. — А вы, девочки, сидите на телефоне и координируйте наши действия. Черт, почему у нее нет мобильного?

— Она его потеряла, — коротко объяснила Римма. Помолчала и добавила: — Если точнее, она потеряла два мобильных и три пейджера.

Глава 2

У Эллы Астаповой был такой вид, словно ее похитили инопланетяне, надавали по шее и высадили на Марсе. И сейчас она ходит по марсианскому городу, взъерошенная и очумевшая, и взирает на окружающее дикими глазами, плохо понимая, что происходит вокруг.

Перчатки она оставила на подоконнике в какой-то забегаловке, где проглотила стакан минералки. И теперь, засунув руки в карманы, петляла по улицам, пронзаемая ледяным ветром. Возле большого концертного зала она врезалась в толпу фанаток поп-звезды Андрея Кущина. Сам он как раз вышел из дверей и направился к своему автомобилю по дорожке, обнесенной металлическими заграждениями, словно бык, провожаемый на арену воплями разгоряченной толпы. Эллу подхватила офанатевшая биомасса и едва не вывалила ему под ноги. Пугливо улыбаясь, Кущин протрусил мимо, сунув в руки Эллы буклет с собственной глянцевой физиономией и автографом поверх нее.

— Везет некоторым, — сказала какая-то девица в короткой шубе и полосатых гетрах, когда автомобиль уехал и биомасса пришла в состояние покоя. — Новенькая? Я тебя раньше не видела.

— Как тебя зовут? Меня Танька, — сообщила ее товарка, губы которой были накрашены синей помадой. — В подъезд поедешь дежурить?

Элла молчала, прижимая к себе буклет.

— Эк тебя скрючило от радости! — покачала головой Танька и обратилась к подруге, понизив голос: — Давай ее в ночнушку с собой возьмем. Ты на нее погляди только — жалко же. Брось ее тут — буклет отберут как пить дать.

Ночнушка оказалась ночным баром, где под видом фирменного коктейля подавали водку с апельсиновым соком. Через час с небольшим новые подруги собрались ехать «дежурить в подъезде». Элла расплатилась за все, что они выпили, и на прощание подарила им фото Кущина с автографом. Фирменные коктейли действовали на нее странно — тело поддавалось им, а мозг — нет. Она все отлично помнила и все понимала, но двигалась и разговаривала с огромным трудом. Впрочем, двигаться было незачем, а разговаривать уже не с кем.

Некоторое время спустя в забитое до отказа помещение вошел человек с мобильным телефоном, плотно прижатым к уху.

— Слушай, — жалобно говорил он, пригнув голову, чтобы не посшибать лбом низко висящие светильники. — Оглядкин сказал: «Езжай за моей в клуб. К этому времени она надирается, как папа Карло после разговора с поленом. Забери ее и привези домой». Что — ну? Клуб я знаю, а его жену — нет. Я ж у него новый телохранитель. Ну, вошел. Ну, смотрю. Брюнетка, блондинка? Кажется, вижу. Да. Растрепанная шатенка. Пьяная в подошву. Как выглядит? Как будто пережила страду на конопляном поле.

— Вы Жанна? — спросил он, подходя к Элле вплотную.

Она выпрямилась на стуле, уставилась телохранителю в живот и твердо ответила:

— Да.

— Жанна Оглядкина? — уточнил тот на всякий случай.

— Да, — кивнула Элла Астапова, отчаянно надеясь, что этот жуткий мужик приехал для того, чтобы схватить Жанну Оглядкину и утопить ее в реке. Она была бы рада пойти на дно и забыть о том, что с ней случилось. Вернее, случалось — на протяжении всего года замужества. Астапов не просто изменял ей — он делал это глумливо. Беззастенчиво выдавая свою любовницу за кузину, а нажитого с ней ребенка — за племянника. Занятно, что Шурик называл его не папой, а Игорем. Ребенка, видно, они с Надей тоже обманывали.

— Если вы с ней, — сказал бармен, выныривая у столика, словно акваланги́ст из волны, — тогда заплатите за ущерб. Ваша дама сломала табурет, разбила поднос с бокалами и оторвала от стены розетку.

Телохранитель неведомого Оглядкина, сопя, расплатился, после чего погрузил Эллу в автомобиль и повез ее куда-то в ночь, деловито насвистывая. Через некоторое время на заднем сиденье автомобиля пассажирка нашла пачку «Парламента» и зажигалку. Попытка прикурить закончилась небольшим пожаром. Элла затушила огонь собственным телом, а телохранитель, остановившись на обочине, закидал тлеющие чехлы снегом.

К дому Оглядкина Элла приехала в совершенно непотребном виде.

— Жанна Николаевна приехали. Куда их? — спросил телохранитель у экономки, открывшей дверь.

— В спальню, наверное. В спальню, Жанна Николаевна? — подобострастно уточнила она.

Голова Эллы утыкалась подбородком в грудь, и волосы закрывали лицо. Она что-то проблеяла, ее отбуксировали в спальню и бросили на кровать прямо в верхней одежде. Нога в длинном сапоге свесилась вниз и уныло покачивалась, словно тело повешенного.

— До чего человек допился, — шепотом сказала экономка, выключая свет и закрывая дверь. — Узнать невозможно.

В это время Оглядкин в уютном маниловском халате вышел в холл, и экономка торжественно доложила ему:

— Жанну Николаевну привезли!

— Очень хорошо, — удовлетворенно сказал Оглядкин. Когда его жена пускалась в загул, она пила и буянила. Он не любил, когда она делала это неизвестно где.

Оглядкин заглянул в спальню. Там было темно и пахло, ясное дело, водкой с апельсинами. Он заметил свесившуюся ногу и хмыкнул. Разглядывать в подробностях то, что привезли домой, не стал, а отправился в бильярдную комнату. В этот момент ему позвонила любовница — тоже пьяная.

— Я приеду к тебе! — сообщила она разнузданным тоном.

— Даже не вздумай! — осадил ее Оглядкин и пробормотал: — Бывают дни, когда понимаешь, что алкоголь — это страшная сила.

Погоняв шары, он отправился в столовую закусить копченой курицей. Но едва расправился с оторванной от тушки ножкой, как в дверях возник его помощник.

— Жанну Николаевну привезли! — сообщил он трагическим шепотом.

— Не может быть, — отмахнулся Оглядкин. — Она уже давно в спальне.

— Ну, не знаю, — пожал плечами помощник. — Только что подъехал джип, чуть не смел почтовый ящик. Жанну Николаевну оттуда высадили — я сам видел.

Жанна Николаевна, шатаясь, как дитя, дорвавшееся до карусели, ввалилась в собственную спальню и обнаружила, что на кровати кто-то лежит.

— Кажется, я не туда попала, — пробормотала она, ощупала Эллу двумя руками и на цыпочках прокралась обратно на улицу.

Некоторое время она ходила вокруг дома, сопровождаемая собаками, слегка протрезвела, после чего была замечена и подобрана соседями, которые справляли день рождения. Оглядкин тем временем успел заглянуть в спальню жены, еще раз полюбовался на свесившуюся ногу и снова пошел гонять шары. Под утро Жанна, от души погулявшая на дне рождения, постучала во входную дверь правой коленкой. Ей никто не открыл, она долго копалась в карманах, нашла ключ и ввалилась внутрь, оставив дверь нараспашку.

Именно в это время пьяная любовница Оглядкина, которая во что бы то ни стало решила этой ночью добраться до его тела, перелезла через забор и тоже вошла внутрь, радуясь тому, что дверь открыта настежь.

— Скажи моему мужу, что я приехала! — крикнула где-то в глубине дома едва вменяемая Жанна.

Любовница, недолго думая, отыскала спальню Оглядкина, быстро разделась и нырнула под одеяло.

Испуганный помощник, в свою очередь, постучал в бильярдную.

— Какого лешего? — заревел хозяин.

— Жанна Николаевна приехали! — проблеял тот.

— Опять?!

Жанна тем временем заглянула в собственную спальню. Элла лежала в той же позе. Единственное, что она сделала, так это достала из кармана шапку и надела ее себе на голову. Жанна всплеснула руками:

— Провалиться мне на этом месте, но в моей постели лежит какая-то баба! Или это сон?

Она отправилась в ванную и плеснула себе в лицо холодной водой. В это время ее муж прошествовал через холл и тоже заглянул в спальню жены. Увидел все ту же свесившуюся ногу и в сердцах сплюнул. Пока его не было, Жанна вышла из ванной и сунула нос в спальню мужа.

— И тут тоже лежит какая-то баба! — потрясенно прошептала она. После чего отправилась искать свободное спальное место и затихла в комнате для гостей.

Около полудня Оглядкин, которому пришлось выдворять из дому любовницу, принял душ, побрился и свежий, словно болгарский персик, явился на кухню.

— Жанны Николаевны еще спят, — сообщила экономка со светлой широкой улыбкой, которая показалась Оглядкину странной.

— Ну, пусть спят, — тут же раздражился он.

— В своей спальне и в комнате для гостей! — уточнила та.

— Интересно, как ей это удалось? — пробормотал он, хватая булочку. — Кофе мне в столовую, горячий.

— А Жаннам Николаевнам? — тотчас спросила экономка. — В постель, как всегда?

Оглядкин молча вышел и, усевшись за стол в столовой, вызвал помощника.

— У меня что, пьющая прислуга? — с места в карьер набросился он на бедолагу.

— С чего вы взяли, шеф? — удивился тот.

— Старая дура на кухне называет мою жену Жаннами Николаевнами и уверяет, что она спит в двух разных комнатах.

— Насчет комнат не могу сказать, — неуверенно заметил помощник. — Но то, что она ночью три раза приехала домой, это точно. Два раза — одна и та же, а один раз — какая-то необычная.

— Она, когда напьется, всегда необычная, — буркнул Оглядкин, поднялся и широким шагом направился в спальню жены.

Там он обнаружил уставившуюся пустым взглядом в потолок Эллу Астапову, полностью одетую и даже в шапке, плотно надвинутой на уши.

— Что за черт? — завопил он и продолжал вопить до тех пор, пока не сбежался весь дом.

Когда к толпе сочувствующих присоединилась плохо выспавшаяся Жанна Николаевна, вопли стали в два раза громче. В конце концов Эллу выдворили из дома, бросив ей в спину сумочку, которую та по странной прихоти судьбы не потеряла во время своих похождений. Если бы она знала, что ждет ее в будущем, то посчитала бы, что сегодняшняя ночь была замечательной.

* * *

После окончания вуза Элла усердно зарабатывала радикулит и несколько тысяч рублей в месяц в ледяном хранилище научной библиотеки. Но полтора года назад Борис Михальченко устроил ее в журнал «Все о банках», главным редактором которого подвизался его школьный друг Дима Шведов.

Шведов оказался не самым плохим начальником, хотя имел кучу недостатков, с которыми сотрудники научились мириться, точно преданные жены. Впрочем, каждый из них что-то особо ненавидел в поведении шефа. Например, Катя Бурцева ненавидела его ослиное упрямство. Если Шведов отдавал глупое распоряжение, никакие доводы, никакие уговоры не могли заставить его отменить приказ. Шведов всегда доводил свои глупости до конца, и это Катю бесило.

Элла, как только поступила на службу, сразу же нашла с Катей Бурцевой общий язык. Катя оказалась прелесть что за человек — ответственная, честная и добрая. У нее было милое круглое лицо и темная коса до пояса. Офисные клерки, которыми кишели коридоры, так и звали ее — девушка с косой.

Когда Элла после ужасных скитаний все-таки добралась до работы, она подумала, что сейчас немного придет в себя, а потом все расскажет Кате. Она уже представила, как откроет дверь и окинет взглядом всю комнату — Катя сидит возле двери в кабинет Шведова, низко склонившись над бумагами, заправив за уши выбившиеся пряди волос. Напротив перед мерцающим монитором развалился Андрей Калугин — веселый громкоголосый мужчина, помешанный на здоровом образе жизни. Чтобы нейтрализовать вредное воздействие компьютера на свой организм, Андрей постоянно пьет зеленый чай и приносит из дому кактусы. У него тощее лицо с лошадиной английской челюстью и пропасть веснушек.

Андрей ненавидит, когда Шведов с деловым видом влетает в их комнату и начинает бегать по ней, отдавать распоряжения и дымить своими короткими вонючими папиросками.

Следующий стол принадлежит самой Элле, а справа, в непосредственной близости от нее, словно большой тяжелый шмель, трудится, время от времени шумно вздыхая,. Никита Шаталов. Девицы с первого этажа периодически ловят его за галстук и томно тянут: «Никита, ты тако-ой хоро-оший!» Никита был бы чертовски похож на Дона Джонсона, если бы похудел раза в два с половиной. Задуман он был обаятельным, но обаяние постепенно растворилось в лишних килограммах, хотя и не без остатка.

Никита ненавидит показательный выпендреж Шведова. Стоит появиться в офисе кому-нибудь чужому, как Шведов распускает хвост и начинает гнуть пальцы. При этом он заставляет сотрудников, что называется, «делать морду». Никита делать морду не любит и всегда все Шведову портит.

После того как Эллу выгнали из дома Оглядкина, ей пришлось приложить немало усилий, чтобы попасть в город. Подвозить ее отчего-то никто не хотел — машины проносились мимо, закупоренные, словно подводные лодки. Несколько километров бедолага брела по обочине. Сломала каблук и замерзла так, будто всю ночь просидела над прорубью. Однако прогулка имела и положительные стороны — обманутая жена вышла из шокового состояния и выплакалась всласть.

Зареванная, помятая и грязная, она наконец добралась до работы и погрузилась в лифт. Сейчас она войдет, и ребята, увидев ее, повскакивают со своих мест, столпятся вокруг, начнут расспрашивать...

Едва Элла толкнула дверь и ребята ее увидели, они действительно повскакивали со своих мест. Только лица у них при этом были ужасно странные — длинные и испуганные. Вместо того чтобы броситься к Элле, они уставились друг на друга. Как раз в этот момент в кабинете Шведова раздались голоса — кто-то собирался выйти оттуда. Элла уже открыла было рот, чтобы сказать что-нибудь подобающее случаю, когда Никита Шаталов, проявив неожиданную для своих габаритов прыть, прыгнул к ней. После этого он сделал совершенно невероятную вещь — зажал ей рот рукой и, схватив за шею, подвел к своему столу и там, навалившись на нее всем телом, уложил на пол.

Элла не успела даже дернуться, когда прямо перед ее носом возникли две пары ботинок и голос Шведова сказал наверху:

— Не беспокойтесь, гражданин начальник, как только Астапова появится, я вам тут же сообщу. Тут же.

— Ну, ни к чему называть меня гражданином, — усмехнулся второй, незнакомый голос, мягкий, словно снег на Рождество. — Лучше обращаться ко мне по званию.

— Хорошо, господин капитан, — подобострастно согласился Шведов. — Можете на меня положиться. Астапову я вам сдам в лучшем виде. Если, конечно, она придет

— Конечно, — согласился невидимый капитан и развернул носатые ботинки к выходу.

Когда дверь за ним закрылась, шеф расставил ноги на ширину плеч и угрожающим тоном заявил:

— Слушайте, вы все! Если Астапова позвонит или заявится сюда, не приведи господи, немедленно доложить мне. Понятно? Лично доложить! И Шаталову передайте то, что я сказал. Кстати, где он бегает?

Элла скосила глаза на Никиту — он лежал тихо-тихо, и только его теплое дыхание шевелило волосы на ее шее. Какое счастье, что у него такой здоровый стол, и еще — что у Шведова не возникло желания походить по комнате. Его ботинки повернулись на каблуках и, чеканя шаг, двинулись к выходу из офиса.

— Я отъеду по делам, — сообщил он строгим голосом.

Обычно строгий голос означал, что Шведов отправляется пить кофе. Катя Бурцева в таких случаях всегда отвечала абсолютно нахальным тоном: «Конечно, шеф!» Однако сегодня у нее ничего подобного не вышло, и она жалобно пискнула:

— Конечно, шеф!

Шведов удивился и даже на секунду задержался:

— Ты, Катерина, не заболела ли?

— Нет, все в порядке, — еще тоньше пискнула та, и Андрей Калугин поспешно сказал:

— Она видела в коридоре мышь.

— А, мышь! — удовлетворенно заметил Шведов. — Как сказал кто-то из великих, мышь действует на женщин подобно герою-любовнику — заставляет их визжать и падать в обморок.

Он ушел, и все некоторое время слушали, как его легкие шаги удаляются прочь от двери. Вот клацнул лифт, поглотивший начальника, и повез его вниз, прочь от кабинета. Только тогда Никита отнял руку от лица Эллы, потом поднялся, схватил ее в охапку и одним движением поставил на ноги. Катя Бурцева и Андрей Калугин уже были тут как тут.

— Ох, Эля! — зашептала Катя. — Мне так жаль! Так жаль! Я, когда тебя увидела, лишилась дара речи!

— Как же ты не побоялась сюда прийти? — тоже шепотом спросил Калугин и от избытка чувств даже потряс Эллу за вялую руку. — Ты должна была сообразить, что здесь тебя могут поджидать. Хорошо, что засаду не устроили.

— Погодите вы! — сердито прикрикнул на них Никита. — Вы разве не видите — *она ничего не знает*.

— Она ничего не знает! — как заклинание повторила Катя. И в испуге сложила руки перед собой: — Ты ничего не знаешь?

Элла вдруг так испугалась, что не смогла даже ответить. Она только отрицательно покачала головой.

— Господи, и как же ей сказать? — пробормотал Калугин.

— Ну, вот что, — Никита взял Эллу за плечи и, повернув к себе, серьезно посмотрел ей в глаза: — Этой ночью убили твоего мужа. И в убийстве подозревают тебя.

Элле показалось, что Никита стал неожиданно в два раза толще. На самом деле его лицо просто-напросто расплылось у нее перед глазами. Ноги ее подогнулись, и она со стоном начала оседать на пол. Шаталов с Калугиным подхватили Эллу под руки, усадили в кресло и быстренько привели в чувство.

— Ничего себе сходила я замуж! — простонала Элла, когда наконец пришла в себя.

Игорь Астапов был убит около полуночи на кухне собственной квартиры. Тело обнаружил его тесть Борис Михальченко, который приехал поговорить с Астаповым якобы о делах, но не смог попасть в квартиру. В окнах горел свет, однако на звонки никто не откликался. Борис забеспокоился и вызвал милицию. Милиция сразу же выдвинула версию о том, что Астапова убила его собственная супруга. Убила и пустилась в бега. Версия строилась не на пустом месте.

Во-первых, способ убийства был чисто женским. Астапов получил по голове чугунной сковородой и от удара скончался на месте. Стукнули его от души и с большим чувством. Во-вторых, убийца запер дверь собственным ключом — ключ Астапова остался у него в кармане. В-третьих, побудительная причина убийства. Родственники сначала попытались было замолчать то, что случилось вечером. Но следователь сразу смекнул, что от него что-то скрывают, и расколол их всех по одному. Он с удовлетворением выслушал душераздирающую историю о любовнице, которая пустилась в откровения перед телекамерами. А обманутая жена смотрела передачу, разинув рот. Мотив был просто роскошным!

Следователь принялся убеждать родственников, что Элла может отделаться легким наказанием. Еще бы — убийство в состоянии аффекта! Любой адвокат докажет это, предъявив видеозапись той злосчастной передачи. Главное сейчас — отыскать преступницу и уговорить ее сдаться властям.

Дана заявила мужу, что никаким властям свою дочь не сдаст, но найти ее желает немедленно. Борис с самого утра поднял на ноги кого только можно и приказал отыскать свою падчерицу, пообещав вознаграждение самому расторопному.

— Я его не убивала! — воскликнула Элла, свирепо глядя на своих коллег.

— Да мы верим! — воздел руки Калугин. — Поэтому и спрятали тебя от Шведова. Он тоже к тебе хорошо относится, но чересчур законопослушен.

— Вопрос в том, что ты собираешься делать дальше, — сказал Никита и пытливо посмотрел на Эллу. — Понимаешь, что получается? Если ты надумаешь скрываться, милиция укрепится в своем подозрении и искать будет только тебя. А настоящий убийца уйдет от возмездия.

— Где ты была вчера с одиннадцати до двенадцати ночи? — строго спросила Катя.

— Представления не имею, — схватилась за голову Элла. — Если бы я знала, что мне понадобится алиби, то отправилась бы играть в карты на деньги. А сейчас что? Бери меня, дуру, голыми руками и сажай в КПЗ!

— Нет, я бы в такой ситуации в милицию не пошла, — твердо заявила Катя. — Знаешь что? Поживи некоторое время у меня. Наверное, все как-нибудь образуется.

— Спасибо, Кать, — сказала растроганная Элла. — Но у тебя квартира однокомнатная, ребенок и мама. Куда еще мне?

— А у меня теща — как «Аль-Джазира», — сказал Калугин. — Сразу выдает в эфир последние новости. Она тебя сдаст за милую душу.

Один Никита ничего не сказал, хотя был холост и вполне мог бы на время сделать свою квартиру конспиративной. Он только молча посмотрел на Эллу с тревожным ожиданием, будто бы она сама должна к нему попроситься. Она проситься не стала, а вместо этого сказала:

— К родственникам сейчас точно соваться не стоит — они все под надзором. А что, если я некоторое время поживу здесь?

— Как это — здесь? — не поняла Катя. — В офисе?

— А что? — тут же оживился Калугин. — У шефа есть холодильник, диванчик, даже плед в шкафу имеется.

— А днем где она будет прятаться? — возразила Катя.

— В маленькой комнатке, где сейчас ремонт! — вмешалась Элла. — Поставлю стульчик, запрусь изнутри...

— Мы будем тебе еду носить! — радостно подхватил Калугин, словно речь шла об игре в партизаны.

А Никита переступил с ноги на ногу, перелив свое полное мягкое тело из одной части костюма в другую, и спросил:

— Только... тебе не будет здесь страшно ночью?

Глава 3

Разве она могла сейчас бояться темноты или одиночества? Даже смешно. А вот думать о том, что ее ищет московская милиция, чтобы схватить, допросить и обвинить в убийстве мужа, было страшно.

Элла поверить не могла, что Астапов мертв. Весь год она старалась быть примерной женой и тряслась над ним, словно скряга над чулком с деньгами. Дело в том, что до Астапова Элла дважды пыталась выйти замуж. В первый раз жених перед свадьбой сломал четыре ребра, катаясь на лыжах. Торжество перенесли, но накануне второй попытки он загремел в больницу с аппендицитом и заявил, что больше не желает искушать судьбу.

Второй по счету жених до самого последнего дня оставался в целости и сохранности, зато в назначенный день сгорел Дворец бракосочетаний. Пока утрясали технические детали, квартиру жениха обокрали, утащив все документы, без которых брак заключить было невозможно.

Тут уже Элла пошла на попятный. Целых шесть лет она ни с кем не встречалась, а потом появился Астапов. По какому-то спешному делу он пришел к Диме Шведову в редакцию, заговорил с Эллой и задержался сверх всяких приличий. Спустя несколько дней он встретил ее возле офиса и пригласил на ужин. Астапов так спешил жениться и был столь целеустремлен, что все возникающие препятствия преодолевал с легкостью. Элла решила, что это судьба.

И вот что вышло! Теперь она беглая вдова, которая не находит в себе достаточно слез, чтобы оплакать неверного мужа. Может быть, она его вообще не любила?

За полчаса коллеги устроили Элле в небольшой комнатке, где вот уже несколько месяцев вяло тек ремонт, сносное убежище. Андрей Калугин принес стул, Никита Шаталов — плед и свежие журналы, а Катя Бурцева — поднос с печеньем и минералкой.

— Вот тебе ключ, — сказала она. — Запирайся изнутри. Шведов, даже если захочет войти, не сможет. Подергается и подумает, что рабочие заперли. Их перебросили на другой объект, так что примерно месяц комнатка в твоем распоряжении.

Шведов и в самом деле не обращал никакого внимания на запертую комнату. Вернувшись в офис, он принялся названивать по телефону, листать бумаги и курить. Курил он — Калугин был прав! — какую-то дрянь, отвратительный дым проникал через щели в убежище Эллы, забирался в ноздри и сводил ее с ума. Чтобы не чихать, ей приходилось зажимать нос пальцами.

Вечером, оставшись в одиночестве, Элла решила позвонить домой и успокоить родных. После долгих раздумий она набрала номер сестры и, услышав ее голос, сказала:

— Римка, это я, только не ори, пожалуйста.

— Зачем это я буду орать? — рявкнула та. — Тебя ведь еще не поймали.

— Я никого не убивала!

— А то я не знаю! Если ты не убила кота после того, как он свалил на тебя кастрюлю с кипящим компотом, то что говорить о муже! Надеюсь, ты живешь не на городской свалке?

— Нет, в очень приличном месте.

— Борис хочет, чтобы ты вернулась домой.

— Ага! — рассердилась Элла. — Интересно, он сам вернулся бы?

— Он сказал, что наймет для тебя лучшего адвоката. Есть шанс спустить все дело на тормозах. Но для этого ему нужна ты. Может, сдашься, а?

— Пошла ты знаешь куда!

— Мое дело предложить, — буркнула Римма и тут же обеспокоилась: — У тебя деньги есть?

— Все у меня есть, кроме свободы! — рассерженно крикнула Элла. — Скажи Борису, пусть сделает все, чтобы заставить милицию отыскать настоящего преступника!

— Он утверждает, что без твоего участия это невозможно.

— Ну и черт с ним! Я сама найду убийцу!

— Не с твоим еврейским счастьем пускаться в такие авантюры!

— Спасибо за моральную поддержку! — рассвирепела сестра и бросила трубку.

От Риммы фиг дождешься сострадания. Даже когда она увела у нее Юрку Поповского, своего нынешнего мужа, ни секунды не чувствовала себя виноватой. Она тогда заявила Элле: «Ты чуть не испортила жизнь такому классному парню! Скажи спасибо, что я вовремя вмешалась».

После разговора с сестрой Элла некоторое время мерила шагами кабинет Шведова, в который перебиралась на ночь, а потом решила позвонить своей школьной подруге Ларисе Трошиной. Та, наверное, места себе не находит от беспокойства.

Напрасные опасения! Сообразив, кто звонит, Лариса возмущенно воскликнула:

— Элка, какая ты свинья! Убила своего мужа, а я узнаю об этом последней да еще из третьих рук!

— Если будешь говорить глупости, я и тебя убью! — рассердилась та. — Зачем, по-твоему, я тебе звоню?

— Наверное, попросить о помощи. Я ведь твоя подруга!

— Очухалась! В первую очередь мне требуется моральная поддержка. Ты должна была сказать, что веришь, будто я не убивала Игоря...

— А кто ж его тогда убил? — озадачилась Лариса.

Она любила изобразить наив, потому что это нравилось противоположному полу. Ее муж Коля за голубые глазки прощал ей такие финты, за какие других женушек били коромыслом по хребту. Естественно, Ларисино сознание определяла ее внешность. Она была высокой и обворожительной, состоящей, кажется, из одних косточек и округлостей, с длинными светлыми волосами, расчесанными на пробор и заправленными за маленькие круглые ушки. Рядом с обыкновенной Эллой она ощущала себя особенно нежной и томной, поэтому страшно любила появляться с ней на людях.

— Никому не говори, что я тебе звонила.

Когда здание опустело, Элла решила еще раз позвонить сестре и разведать обстановку. С момента убийства прошло больше недели, и ситуация вполне могла измениться.

— Где ты прячешься? — прошипела Римма, услышав ее голос. — Нас тут всех трясут, как плодоносящую черешню! Борис пообещал полцарства тому, кто тебя отыщет!

— По-прежнему хочет меня сдать?

— Элка, ты не понимаешь! Без тебя ничего не распутается!

— Интересно, что он тебе посулил за сотрудничество? Шубу или браслет?

— Зря ты так, — с чувством сказала Римма. — Ты же знаешь, как он тебя любит!

— Он любит маму, а вовсе не меня. Я — всего лишь ее бесплатное приложение. Как, впрочем, и ты.

— В любом случае мне ты можешь сообщить, где находишься.

— Что ты говоришь? — с иронией спросила та. — Скажи лучше, продвинулось ли вперед следствие?

— Откуда я знаю? — сердито буркнула Римма. — Это меня постоянно допрашивают, как Мальчиша-Кибальчиша. А мне ничего не рассказывают. Но, судя по поведению Бориса, ты все еще кандидатка на главную роль.

— Милиционеры что там, с ума посходили? — плаксиво начала Элла и тут услышала, как где-то ухнул лифт. Ухнул и глухо загудел. — Я больше не могу говорить! — крикнула она и бросила трубку.

Лифт тем временем доехал до ее этажа и удовлетворенно тренькнул. До Эллы донеслись приглушенные мужские голоса и осторожные шаги. Она тотчас решила, что это милиция, и заметалась по кабинету. Когда в замке стал поворачиваться ключ, она нырнула в свое убежище и заперлась, скрючившись возле двери.

— Здесь это и происходит! — донесся до нее приглушенный и торжественный голос Димы Шведова.

«Вот зараза! — подумала Элла. — Бдительный, как чекист. Неужели привел с собой мента?» Через минуту стало ясно, что Шведов привел не мента, а экстрасенса.

— Я работаю с рамкой, — заявил тот голосом низким и густым, словно зимние сумерки. — Вы можете присесть вон там, а я начну с большой комнаты. Потом перейду в ваш кабинет. Посмотрим, что тут у вас за аномальные явления.

— Хорошо, господин Адаменко, — покладисто согласился Шведов, у которого с определенного момента вся страна стала населена исключительно господами. — Я вам не помешаю.

За дверью повисла тягучая тишина, которую изредка нарушало поскрипывание офисного кресла: вероятно, Шведову не сиделось на месте и он вертелся, словно непоседливый ребенок. Элла старалась дышать тихо, и от этого, а может, от страха, ей не хватало воздуха.

— А здесь что? — вдруг спросил невидимый Адаменко прямо у нее над ухом, но с другой стороны двери. От неожиданности Элла отшатнулась и, не удержав равновесия, села прямо на пол. — Смотрите, рамка просто взбесилась!

«Еще бы она не взбесилась, — подумала Элла, стоя на четвереньках. — Она ведь меня почуяла». Она давно смирилась со своим невезением и старалась относиться к нему философски.

— Это пустая комната, — тотчас же вскинулся Шведов. — Там начали ремонт, но на какое-то время работы заморозили.

— Ее нужно осмотреть, — заявил Адаменко.

— Конечно! — Шведов принялся беспорядочно выдвигать ящики. — У меня здесь где-то есть ключ. Я взял его у рабочих на случай непредвиденных обстоятельств. Нет, кажется, он в конторке у входа.

«Ну точно чекист!» — с ненавистью подумала Элла, отползая от двери. Впрочем, ее ненависти некогда было даже оформиться во что-то значительное. Следовало тотчас же придумать, куда спрятаться. Но куда спрячешься в пустом помещении? Воспользовавшись тем, что Шведов и Адаменко вышли из кабинета и громко переговаривались, отыскивая ключ, она подкралась к окну и, осторожно открыв раму, выглянула наружу. На улице было ужасно — к ночи потеплело, и ветер носился вокруг здания, смешивая снег с дождем. С девятого этажа машины на стоянке казались игрушечными. У Эллы захватило дух. Нет, это непроходной вариант.

Голос Адаменко, вошедшего в раж вслед за своей рамкой, к этому моменту стал казаться ей просто страшным. Она представляла экстрасенса огромным мужиком с черными усами вразлет и зубами, как у Щелкунчика. Когда он затоптался возле двери, подначивая Шведова поскорее открыть ее, Элла уже перебросила одну ногу через подоконник. «Непроходной, — в ужасе подумала она, — но единственно возможный».

Под окном проходил узкий карниз, на котором могли сидеть только голуби. Однако внимание Эллы привлекли две железные скобы, неизвестно зачем вделанные в стену. Она сняла и спрятала очки, извиваясь, вылезла наружу и, держась за скобы, угнездилась на карнизе, присев на корточки. Затем отпустила одну руку и потянула на себя раму. Она хлопнула, и окно закрылось.

Минуту спустя Элла поняла, что сваляла дурака. Лучше немедленно сдаться, чем полететь с девятого этажа задницей вниз. Мало того, что было до обалдения страшно чувствовать под собой бездну, еще и скобы оказались такими холодными, что пальцы отказывались держаться за них и все время норовили разжаться. Снег с дождем мгновенно промочил ее с ног до головы, волосы облепили щеки, как будто она только что ныряла в пруд. «Видок у меня, наверное, еще тот», — пронеслось в ее голове.

На самом деле вид у нее был еще хуже, чем она думала. Дело в том, что одна секретарша с двенадцатого этажа вывесила за окно сумку с мясом и благополучно про нее забыла. Поскольку столбик термометра пополз с ноля на плюс, мясо потекло. Элла была вся мокрая и потому не чувствовала, что на нее что-то там капает сверху и кровавыми потеками стекает по лбу и щекам, оставляя при этом на блузке бурые пятна.

Когда Шведов и Адаменко справились, наконец, с дверью, створка от сквозняка слегка приоткрылась. Адаменко тут же двинулся к окну, радостно сказав:

— Видите, тут просто ветер гуляет! Ничего аномального.

Элла решила, что с нее хватит, и привстала. Сейчас она влезет в комнату, улыбаясь во весь рот, чтобы сразу стало понятно, что это такая шутка.

— Тут не ветер гуляет, а вампир! — упрямо сказал Шведов, вероятно, продолжая только что начатый спор.

— Нет тут никакого вампира! — веселым басом ответил экстрасенс и рванул на себя раму.

В окне возникла жуткая окровавленная голова с выпученными глазами и оскаленными зубами.

— Ку-ку! — радостно сказала голова.

Господин Адаменко отшатнулся, потом сделал грациозный пируэт на одной ножке и, завизжав, как ошпаренная собака, помчался вон из комнаты, расшвыривая стулья, попадавшиеся на пути. Шведов, который в самый драматический момент отвлекся и головы не видел, на пару секунд остолбенел, потом встрепенулся и кинулся вслед за ним.

— Куда же вы, господин экстрасенс? — кричал он изумленным голосом.

Судя по стремительно удаляющемуся вою, господин экстрасенс выскочил на лестницу и понесся вниз, словно маленький, но смертоносный ураган. Элла, которая не ожидала ничего подобного, кряхтя, влезла обратно в комнату и поскорее закрыла окно. Она так замерзла, что никак не могла унять крупную дрожь, сотрясавшую тело. Все, больше прятаться нет смысла. Да и возможности никакой нет. Сейчас вернется Шведов, и она ему во всем признается. Пусть он вызывает милицию, чекистов, кого угодно.

С мокрой одежды на пол натекла большая лужа, и Элла поспешно начала стягивать с себя блузку. Потом вспомнила, что в шкафу у Шведова есть полотенце. Сбегала за ним и вытерла им голову и лицо, удивившись, отчего это оно так перепачкалось. Вроде бы она ничем не поранилась. Или поранилась, но от холода и страха не заметила? Элла нашла в шкафу пакет и засунула в него все, кроме нижнего белья. Объясняться со Шведовым придется, завернувшись в его собственный плед.

Она полезла в шкаф за пледом и тут услышала, как лифт снова клацнул и этаж огласил холодный женский голос:

— Дмитрий! Дмитрий, ты здесь, черт тебя побери?

Пледа в шкафу почему-то не оказалось, и Элла влезла внутрь. На плечиках тоже ничего не висело. Вероятно, Шведов по прибытии свалил верхнюю одежду в какое-нибудь кресло. Поэтому прикрыться оказалось решительно нечем. Единственная радость — стоять можно было в полный рост.

Где-то далеко внизу снова завизжал господин Адаменко. К его визгу добавилось гудение лифта и раздраженные шаги женщины, которая вошла в кабинет и, судя по всему, осматривала его.

— Кто здесь? — раздался через минуту голос Шведова откуда-то из глубины коридора. Голос вибрировал от ужаса. — Учтите, я вооружен! У меня есть крест и осиновая палка.

— Дмитрий, ты что, спятил? — выплюнула невидимая посетительница и зацокала шпильками по полу. — Немедленно иди сюда!

— Господи, ты-то как сюда попала?! — воскликнул материализовавшийся в кабинете Шведов.

Если бы Элла нашла хоть что-нибудь из одежды, она немедленно вылезла бы из шкафа. Но обнаружить себя перед всеми в неглиже? Нет, это уж слишком!

— Что ты тут делаешь? — снова спросил Шведов, клокоча от раздражения. Элла отлично знала этот его тон. Таким тоном он разговаривал с уволенной не так давно секретаршей, когда та сообщала: «Вам опять звонют!»

— *Я* что тут делаю? — воскликнула женщина, сделав ударение на местоимении «я». — Это что *ты* здесь делаешь? — Теперь ее гнев пал на слово «ты». — Что-то ты в последнее время стал такой занятой! Не приходишь к ужину, читаешь какие-то ужасные книги, увиливаешь от ответов на прямые вопросы...

«Жена! — тут же поняла Элла. — Очень вовремя». Жена Шведова была для сотрудников редакции чем-то вроде лохнесского чудовища: все знали, что она есть, но никто ее не видел.

— Господи, — взвился тем временем шеф. — Но ты же знаешь, Вера, что я всю неделю задерживался на работе!

— На твоей работе тоже водятся женщины! — отрезала Вера и принялась щелкать зажигалкой. Потом пыхнула пару раз и сказала: — Ну, так как? Ты сам признаешься или мне устроить представление?

— Я только что пережил одно представление! — В голосе Шведова появились визгливые интонации. — Немедленно уезжай домой, Вера!

— Щас! — ответила та с таким чувством, что сразу стало

понятно — домой ее можно увезти только силой. — Кто тут у тебя был?

Шведов вздохнул и устало ответил:

— Экстрасенс.

— Да? И что же вы делали тут вдвоем с экстрасенсом? — преувеличенно ласково поинтересовалась Вера. — Вызывали дух Мэрилин Монро?

— Да что ты понимаешь?!

— Я понимаю все! — отрезала она. — Еще моя бабка говорила, что доверчивые жены спят на холодных простынях. Признавайся, где твоя любовница?

— Где моя любовница? — с приторной улыбкой переспросил Шведов. — В шкафу, конечно! Здесь же больше негде спрятаться! Вот она, смотри! Хорошенькая?

Шведов, не глядя, распахнул шкаф, оставшись за створкой. Взору Веры предстала Элла в бельишке наивного розового цвета. Она стояла, прикрываясь ручками, а на губах ее цвела виноватая улыбочка.

— Отлично! — сказала Вера, выронив изо рта сигарету. Она оказалась высокой брюнеткой с такими жгучими глазами, что от их взгляда у Эллы загорелись щеки. И удивленно добавила: — Шведов, да ты, оказывается, скотина.

— Да, я скотина! — с удовольствием согласился тот, толкнув дверцу шкафа обратно. — Давай остановимся на том, что я скотина, и завершим разговор. Ты поедешь домой, а я останусь тут и закончу свои дела.

Вера с некоторым сомнением посмотрела на него и сказала:

— Я от тебя такого не ожидала.

— Какого — такого?

Элла неподвижно стояла в шкафу, ожидая решения своей участи.

— Дмитрий, ты циничен.

— И в чем же заключается мой цинизм? В том, что я прошу тебя уехать? Вера, пойми, сегодня вечером я пережил стресс. Мне необходимо немножко разрядиться. А твое присутствие этому не способствует.

— Я, конечно, подозревала, что ты свинья, — заявила Вера. — Но даже помыслить не могла, какого размера. Кстати, купи своей девке нормальное белье. Или тебя особенно возбуждают именно хлопчатобумажные трусы фабрики «50 лет Коминтерну»?

Она процокала каблуками мимо шкафа, потом процокала по коридору, вошла в лифт и уехала, оставив Шведова раздумывать над своими последними словами. Элла в тесном убежище отчаянно надеялась, что у шефа недостанет сообразительности залезть в шкаф. Однако не прошло и минуты, как тот медленно подошел и открыл дверцы. Надо отдать ему должное: когда он увидел Эллу, на лице его не дрогнул ни один мускул.

— Астапова! — процедил он. — Как я сразу не догадался? — Стало понятно, что ни один мускул не дрогнул потому, что их все свело от ярости. — Зачем ты сюда залезла?

— Погреться, — не задумываясь, ответила Элла.

— А почему ты голая?

— Потому что вещи дома, а домой мне нельзя!

— Хочешь сказать, что все это время ты жила в моем шкафу?!

Почувствовав угрозу в его голосе, Элла немедленно ударилась в слезы:

— А что мне, интересно, было делать, когда ты пообещал следователю сдать меня ему со всеми потрохами?

— Сдавать я тебя не буду, а потроха твои мне хочется выпустить.

— Я слышала, как ты сказал, — она передразнила: — «Господин капитан, я для вас принесу Астапову на блюдечке с голубой каемочкой!»

— А ты что, хотела, чтобы я вышел на демонстрацию с плакатом «Астапова — святая»? Конечно, я ему пообещал, дура ты эдакая.

Он нашел плед и протянул ей, пробормотав:

— Фигура у тебя, Астапова, хорошая, а вот голова подкачала.

— Хочешь, я поговорю с твоей женой и все ей объясню? — неожиданно предложила Элла.

— Могу себе представить последствия беседы, — пробормотал Шведов и показал рукой на диванчик. — Садись, несчастье ходячее. Расскажи папе Диме всю историю с самого начала.

Элла послушно плюхнулась, куда было велено, и, поджав под себя ноги, принялась рассказывать. Прошло уже достаточно времени с того ужасного вечера, который предшествовал убийству, чувства немного улеглись, и рассказ получился довольно связный.

— И что же мне прикажешь теперь с тобой делать? — спросил Дима, глядя на нее в глубокой задумчивости. — Здесь тебя оставлять нельзя, однозначно. Кстати, это ты так напугала господина Адаменко? Полагаю, ты висела за окном?

— Я просто сказала «ку-ку», он сам испугался. Ты, Дим, не переживай! Я найду, куда съехать. Позвоню маме с сестрой, и мы все утрясем.

— Ничего вы не утрясете, — рассердился Шведов. — Господи, отчего-то, Астапова, мне не хочется, чтобы тебя упекли в тюрягу. Тем более что я на сто процентов уверен в твоей абсолютной невиновности. Даже если бы ты решила кого-нибудь ухлопать, финт бы не удался. Не знаю — что, но что-нибудь случилось бы обязательно. Погас бы свет в квартире, выбило смерчем окно или у сковородки отломилась бы ручка. Ну, ты меня понимаешь...

Элла уныло кивнула. Она понимала все очень хорошо. Она — невезучая, и, судя по всему, наступил пик ее невезучести. Шведов тем временем заложил руки за спину и принялся расхаживать по кабинету.

— Слушай, у меня появилась идея! — удивленно сказал он через некоторое время. — Ты ведь в курсе, что мы с твоим отчимом бывшие одноклассники?

— Ну да, — кивнула Элла, заинтересованно глядя на него. — И что?

— Вместе с нами в классе учился такой Женька Овсянников. Сейчас он заделался частным детективом, и Борис нанял его для того, чтобы он тебя нашел.

— Вот это здорово! — воскликнула Элла и побледнела. — Мало мне милиции, так еще и приемный папочка сыплет соль на хвост.

— Борька не собирается сдавать тебя в милицию! — отмахнулся Шведов.

— Он собирается уговорить меня сдаться милиции. Невелика разница!

— Речь сейчас совершенно не об этом. Дело в том, что

Женька звонил мне несколько дней назад и просил найти ему секретаршу. Я сразу отказался. Он предложил слишком маленькую зарплату — хочет свалить на нее кучу дел, но чтобы она их делала почти что на голом энтузиазме.

— И что? — с подозрением спросила Элла. — Если я верно догадалась, тебе пришла в голову шальная идея устроить на это место меня?

— Да, — удовлетворенно кивнул Шведов. — Представляешь, какая это будет фишка? Овсянников ведет поиски собственной секретарши! Умереть — не встать! Я представлю тебя своей двоюродной сестрой... Ой, прости-прости! Племянницей. Устраивает?

— Ты вообще в своем уме? — завопила Элла и попыталась вскочить на ноги. Плед упал к ее ногам, и Шведов тут же демонстративно прикрыл глаза ладошкой.

— Ни-ни-ни! — закричал он. — Астапова, немедленно оденься. Твой отчим оторвет мне все, что отрывается, если я начну к тебе приставать.

— С чего вдруг ты будешь ко мне приставать? — обиделась Элла, подхватывая свое импровизированное одеяние.

— Ничего себе вопросы! Во-первых, ты почти голая, а во-вторых, жена уже устроила мне сцену ревности. Я вполне могу позволить себе интрижку.

— Ну какая интрижка, Дим! У меня мужа убили, а ты...

— Какой он тебе муж? — потемнел челом Шведов. — Одно название. Ты же сама сказала — изменял. Да и ты замуж выходила не по большой любви, а так — потому что время пришло. Разве не правда? Кроме того, все знали, что Астапов — карьерист и женился на тебе из-за твоего родства с Борисом.

— Неправда! — сказала Элла. — Единственное, что я могу вспомнить действительно хорошего об Игоре, так это как раз то, что он не знал, кто я, когда со мной познакомился.

— М-да? — спросил Шведов с сомнением.

— М-да, — передразнила его Элла. — Это, Дим, моя маленькая личная тайна. То, что согревало меня весь год замужества. Все думали, что Игорь женился по расчету, но, когда он пришел в редакцию, он понятия не имел, кто у меня отчим. И сразу обратил на меня внимание. Он влюбился в меня, что бы там ни говорили!

— Хорошо-хорошо, — пробормотал Шведов. — Он влюбился, он женился... Но теперь его убили, Элла, и подозревают в убийстве тебя. Я предлагаю тебе не только отличное убежище. Работая у Овсянникова, ты сможешь быть в курсе того, как идет следствие. Держать руку на пульсе. Кстати, ты ведь сама мне сказала, что хочешь попытаться найти убийцу. Как ты это сделаешь, сидя у меня в шкафу?

— Дим, ну ты вообще понимаешь, что предлагаешь? Овсянников меня ищет. Борис наверняка снабдил его моими фотографиями. Мне что, сделать пластическую операцию, чтобы он меня не узнал? Приду к нему наниматься на работу — здрасьте!

— Да изменить внешность ничего не стоит! — уверенно возразил Шведов. — Кроме того, насколько я разбираюсь в психологии, самый лучший способ спрятаться — привлечь к себе внимание. Но так, чтобы никто не догадался, что ты — это ты.

— А где я буду жить? — спросила Элла, немного подумав, и Шведов понял, что это — капитуляция.

— Сиди тихо! — приказал он и схватил телефонную трубку. Потом поглядел на часы и пробормотал: — Двенадцатый час ночи. Он должен быть дома.

Тут ему ответили, и он радостно закричал:

— Алло! Жека? Жека, это я, Димон. Ну да. На работе, а что? Звонил моей жене? Сочувствую. Мы с ней разругались в пух. Из-за племянницы. Ко мне племянница попросилась пожить — у нее сейчас с жилплощадью проблемы. Так Верка встала на дыбы. Почему? Дурак ты, Жека. Потому что племянница слишком хорошенькая. Так вот, Жека, я предлагаю тебе ее в качестве секретарши. Ты ведь еще никого не нашел? Да я знал, что не найдешь. Только, Жека, с условием. Она у тебя будет ночевать и питаться. Это не я нахал, это ты дурак, если думаешь, что нормальная баба согласится на такую зарплату. У тебя же есть лишняя комната! Даже две лишние комнаты, если мне не изменяет память. Какая тебе разница, сколько ей лет. — Шведов с сомнением поглядел на Эллу и соврал: — Ну, двадцать шесть.

Элла закатила глаза, но он не обратил внимания. И когда положил трубку, с победными интонациями в голосе сказал:

— Кланяйся папе Диме, тебя взяли. К Жеке поедем прямо сейчас.

— Но мне нечего надеть!

— Уж конечно, я не собираюсь везти тебя к работодателю в розовых трусах, — ехидно заметил тот. — Я велел бухгалтеру оформить тебе отпуск и готов выплатить отпускные. На них мы купим тебе одежду. Обещаю, что до тех пор, пока тебя не оправдают, я на твое место никого не возьму.

— Спасибо, Дим, — растроганно сказала Элла. — А что делать с моим лицом и прической? И с очками?

— Наверное, надо с кем-нибудь посоветоваться, — Шведов почесал макушку и оживился: — О! Моя жена. В сложных ситуациях я всегда с ней советуюсь.

— Жена? — потрясенно переспросила Элла, но шеф от нее отмахнулся.

Он бросился к телефону и, пританцовывая, набрал свой домашний номер.

— Вера! — оживленно крикнул он в трубку. — Ты мне нужна! Та девица, которую ты обнаружила в шкафу, скрывается от милиции. Я по-ня-тия не имел, что она там сидит. Клянусь. Я решил спрятать ее у Жеки Овсянникова, пока все не рассосется. Астапова. Падчерица Борьки Михальченко. Это он ее ко мне устроил. Понимаешь, Жека как раз сейчас ее ищет. У него фотографии, то-се. Так что надо с ней что-нибудь сделать. Я понятия не имею — что. Могу купить ей платье, на этом моя фантазия заканчивается. Приезжай, а?

Он бросил трубку и, радостно потирая руки, воскликнул:

— Она уже едет!

Приехав, Вера критически оглядела Эллу и сказала:

— Ничего особенного. Гладко причесать волосы, собрать в пучок. Сильно накраситься. Снять очки и вставить контактные линзы.

— Контактные линзы нельзя, — не согласился Шведов. — Она их потеряет или раздавит туфлей. Для нее это норма жизни.

— Тогда другие очки. Оправа в другом стиле.

— Лучше две-три оправы, — снова встрял Шведов.

— Я привезла косметику, — сказала Вера. — Элла, вы готовы к преображению?

Элла мужественно кивнула. Вера наложила на ее лицо щедрый слой крем-пудры, подвела глаза, густо накрасила ресницы тушью, тени положила до бровей. Рот обвела алой помадой. Потом полила ее голову жидкостью для укладки волос и соорудила пучок, как у балерины.

— Яка гарна дивчина! — изумился Шведов. — И кто бы мог подумать?

Элла сунула нос в пудреницу и сделала большие глаза: оттуда на нее смотрела весьма яркая молодая дама с красивой линией губ и выразительными глазами.

— Я думала, что буду похожа на продажную женщину! — простодушно призналась она. — Но получилось неплохо.

— Больше, чем неплохо! — пробормотал Шведов.

По дороге к Овсянникову они заехали в салон «Очкарик», который украшала вывеска «Очки за один час». Пока очки делали, компания завернула в магазин одежды. Вера всунула свою новую подопечную в тесные вельветовые штаны и короткий черный свитер. Шведов оплатил также новую куртку, сапоги и сумку.

— Борька меня убьет, когда узнает, — пробормотал он, втайне любуясь тем, что у них получилось. — И вот что, Астапова! Постарайся ничего не ронять и не портить. Я понимаю, что это зачастую не в твоих силах, но все-таки следи за собой. Жека мужик умный, за это я ручаюсь. И старую сумку с документами мне отдай — он может полюбопытствовать, пока ты будешь в душе или в туалете. Все-таки сыщик!

Элла отдала ему сумочку, тайком вытащив оттуда ключи от своей квартиры. Мысль о том, чтобы войти туда, приводила ее в ужас. Однако откуда в этом случае начинать расследование, как не с места преступления?

Глава 4

Когда Жека Овсянников открыл дверь и увидел Эллу, то сразу же воскликнул:

— Ого!

Она тоже хотела воскликнуть «Ого!», потому что этот самый Жека оказался здоровенным мужиком с перебитым носом и длинной светлой челкой, падавшей на один пытливый глаз. Второй пытливый глаз был откровенно синим, без всяких оскорбительных крапинок и обводок. «Он ужасно некрасивый! — пронеслось в голове у Эллы. — Неправильные черты лица, слишком большой рот, слишком близко посаженные глаза». Однако смотрела она на него не отрываясь и, кажется, даже забыла, зачем пришла.

— Очень приятно познакомиться. Евгений, — сказал Овсянников, нимало не смущаясь, и насмешливо улыбнулся. И протянул ей огромную лапу — поздороваться.

Элла с опаской вложила в нее ладонь и пропищала:

— Бэлла.

Шведов посоветовал ей остановиться на этом варианте, чтобы не запутаться.

— Зуб даю, — сказал он, — когда задумаешься, то на Вику или Машу просто не среагируешь. Так себя и выдашь.

— Бэлла, — пробормотал Овсянников. — Как жаль, что мне запретили выступать в роли Печорина...

— Категорически запретили, — вскинулся Шведов. — Считай, что моя племянница — это твоя племянница.

— Понял, не дурак.

— Ну, — воскликнул Шведов с фальшивым оживлением, — вот и познакомились! Распоряжайся Бэллой по своему усмотрению. Ну, в смысле, она может приступить к работе прямо завтра с утра, — спохватившись, поправился он.

Как только Шведов суетливо попрощался и захлопнул за собой дверь, Элла мгновенно почувствовала себя блохой, свалившейся на паркет. Скрыться было решительно некуда.

— Предлагаю сразу же перейти на «ты», — сказал Овсянников, прислонившись к косяку и сложив на груди ручищи. — Комната для тебя готова. Сразу хочу оговорить некоторые моменты. Питаюсь я в основном в ресторанах. Так что готовить для меня не надо. Так же, как стирать и убирать.

— А я где буду питаться? — тут же спросила Элла, которая с утра ничего не ела. Желудок сводило, как челюсти у голодной акулы.

— Поскольку ты теперь у меня на довольствии, то будем питаться вместе. Где я, там и ты. Если тебя это устраивает.

— А сегодня? — спросила Элла.

— Что сегодня? — не понял он.

— Где я сегодня буду питаться?

Овсянников вскинул руку и посмотрел на часы. Впрочем, он сделал это демонстративно, потому что и так знал, что давно перевалило за полночь. За окнами было темно, а эта девица стояла и хлопала кукольными глазами за стеклами узких очков без оправы. Ему показалось, что на самом деле она его боится и крепится изо всех сил, чтобы не сжаться в комочек.

— Ты к нам из провинции или как? — спросил он, пригласив ее на кухню и добыв из холодильника снедь.

— Да нет, я тоже из Москвы. Просто... У меня сейчас обстоятельства...

Овсянников посчитал неудобным спрашивать, что за обстоятельства, хотя ему очень хотелось узнать. «Он меня расколет, — думала Элла, поглощая бутерброд за бутербродом. — У него взгляд, как у охотника». Ее пугала его дикая внешность — лохматая голова, огромные плечи и торс, которым хорошо закрывать пробоины в корабле. Даже если бы она не числилась в розыске, она все равно отнеслась бы к нему с опаской. «Ну Шведов меня и спрятал!» — посетовала она, копошась в ванной комнате, где Овсянников выделил ей полотенце и полочку для умывальных принадлежностей.

— Но помни! — предупредила ее накануне операции Вера. — Без грима ты не должна попадаться Жеке на глаза. Смывай с себя все только перед сном, а как проснешься, первым делом хватайся за косметичку.

— Спасибо, дорогая крестная, — пробормотала Элла.

В комнате, которую выделил ей Овсянников, было холодно и мрачно. Он жил в старом доме с высоченными потолками и просторными подсобными помещениями и, кажется, вовсе не был озабочен тем, что у него в квартире неуютно, как в рыцарском замке. Довершая сходство с замком, в гостиной пылал мрачный камин, возле которого лежала чья-то шкура с растопыренными лапами.

Постель, в которую Элла забралась, оказалась ледяной. Накрахмаленные простыни хрустели, и она долго возилась в них, размышляя обо всем, что произошло, и замирая от страха. Как ни странно, присутствие Овсянникова за стеной странным образом ее успокаивало. Хотя не факт, что он станет защищать ее, если что случится.

* * *

Когда Овсянников позвал ее завтракать, она накрасила всего один глаз. Пришлось все делать быстро, и она второпях переборщила с тенями и помадой. Кроме того, волосы не желали лежать, как им было велено, а выбивались из прически и завивались в колечки. Элла еле-еле уложила их так, как показывала Вера.

— Я сейчас занимаюсь одним делом, — сказал Овсянников, наливая кофе. — Так, ничего особенного. Бракоразводный процесс. И еще — один друг попросил меня найти свою приемную дочь.

— Я знаю, мне дядя рассказал, — кивнула Элла. — Ты ищешь приемную дочь Бориса Михальченко. Она работала у дяди в редакции.

Овсянников замер с кружкой в руке, потом подул в нее и пробормотал:

— Трепло твой дядя.

— Но я же все равно буду в курсе всего, — пожала плечами Элла.

— Да?

— А как же иначе? — Она положила бутерброд на тарелку и посмотрела Овсянникову в глаза. — Секретарша частного детектива — его доверенное лицо. Вдруг что-то случится и мне нужно будет срочно принять решение? Что же мне, как дуре, хлопать глазами? И вообще я хотела поучиться мастерству. На примере поимки этой приемной дочери. Мне уже тридцать... — Овсянников тут же вскинул брови, и Элла, вспомнив, что Шведов скостил ей четыре года, поспешно добавила: — Скоро будет. А у меня в руках никакой профессии.

— А образование?

— Филологическое, — мрачно призналась Элла.

— И что? Ты хочешь стать классной частной сыщицей?

— Да нет. Я хочу стать классной секретаршей частного сыщика. Это ведь тоже своего рода специализация!

— Ну ладно, — пожал он плечами. Под его рубашкой перекатились мускулы, и Элла подумала, что, если однажды он захочет ее прикончить, ему не придется особо напрягаться. — Пойдем в комнату, я тебя проинструктирую.

Он надавал ей кучу заданий. Позвонить туда-то, сказать

то-то, отправить телеграмму, получить до востребования письмо и бандероль, заплатить за телефон, составить два списка и одну опись, просмотреть подборку газет и вырезать из них статьи на определенную тему. «А когда же я буду жить?» — подумала Элла, а вслух сказала:

— Мне еще нужно купить халат и тапочки.

— Чего? — не понял Овсянников.

— Мне нужно в магазин.

— Ну сходишь, — развел он руками. — Я дам тебе ключи, нет проблем. А вечером расскажу все про эту самую Астапову и про то, как я собираюсь ее искать. Честно говоря, я еще не начал. Вел подготовительную работу — собирал информацию. Ну она и штучка, скажу я тебе!

У Эллы непроизвольно вытянулось лицо. Это она-то штучка?!

Когда Овсянников уехал, замотав шею шарфом, Элла бросилась звонить сестре. К счастью, Римма с Юрием не обзавелись определителем номера, поэтому можно было не бояться, что ее звонок отследят. Как только Римма услышала голос сестры, тотчас же сказала:

— Знаешь что? Не говори мне, где ты находишься.

— Я и не собиралась, а что стряслось?

— На сковородке обнаружили твои отпечатки пальцев.

— Конечно, обнаружили! — рассердилась Элла. — Это же моя сковородка!

— Борис говорит, что на ручке они были смазаны, но все равно.

— Какая глупость! Если у меня хватило присутствия духа после убийства закрыть дверь на ключ, то почему я тогда не протерла эту чертову сковороду тряпочкой, а?!

— Ладно-ладно, — пробормотала Римма. — Ты не нервничай... Хотя сама я жутко нервничаю. Я не знаю, чем тебе помочь. И мама не знает. Мы тут делаем, что можем...

— Послушай, мне нужны деньги. Возьми мои, в конверте, я их отложила на черный день.

— Я же тебе предлагала!

— Когда ты мне предлагала, я не думала, что все это так затянется!

— Ладно, давай с тобой где-нибудь встретимся, и я тебе передам конверт.

— А вдруг за тобой следят? Ты ведь моя сестра! Давай лучше я с Юркой где-нибудь встречусь.

Римма немного помолчала, потом сказала:

— Знаешь, не будем его впутывать в это дело. Мужчины — они такие странные. Этот миф, что они умеют хранить тайны... Ты в него веришь?

Элла закатила глаза. Неужели Римка до сих пор волнуется, как бы Поповский не переметнулся обратно? Умереть со смеху.

— Тогда отдай деньги Лариске. Позвони ей, она к тебе подъедет в обеденный перерыв. А я вечером с ней свяжусь. Ну как?

— Другое дело, — согласилась Римма. — Мать составила новый гороскоп, говорит, что тебя в ближайшем будущем ждет романтическая встреча и личное счастье.

Элла мрачно усмехнулась и с чувством сказала:

— Спасибо на добром слове. — Она не верила в личное счастье с тех пор, как в десятом классе красавец Толик Померанцев не пришел к ней на свидание. Позже Элла узнала, что по дороге он провалился в прорубь.

— А у Лариски ты не боишься появляться? — на всякий случай спросила Римма. — Вдруг она тебя сдаст?

— Лариска Трошина?! Ты что, с ума сошла?

Они с Лариской дружили со второго класса. Вместе играли на ближайшей стройке, вместе ходили в секцию плавания, вместе нянчились с Ларискиной сестрой Ленкой. Ленка была младше их на восемь лет. Ей исполнилось всего пятнадцать, когда родители поехали в турпоездку и погибли в перевернувшемся автобусе. Двадцатитрехлетняя Лариска осталась в семье за старшую и с трудом справлялась с ролью опекуна. Ленка выросла своенравной и избалованной. «Хорошо, что не шляется! — все время повторяла Лариска. — И учится прилично».

Ленка в самом деле прилично училась и самостоятельно поступила в институт. Однако Лариска рано радовалась: когда она вышла замуж, Ленка сначала приняла ее мужа Колю в штыки, а потом приложила массу усилий, чтобы его соблазнить. Поскольку жили они вместе, Коле приходилось несладко. Но, надо отдать ему должное, он стоически пережил Ленкины бурю и натиск, и та, наконец, успокоилась. Теперь у нее была пропасть кавалеров, которых

Коля Трошин время от времени без сожаления разгонял. Когда Элла вечером отправилась к подруге домой, больше всего она как раз боялась нарваться на Ленку с ее очередным хахалем. Лариса — это одно, а легкомысленная Ленка — совсем другое.

С поручениями Овсянникова Элла справилась на удивление быстро. И на улице чувствовала себя совершенно спокойно. Будто теперь, когда она назвалась Бэллой, мир снова встал с головы на ноги. Правда, когда она спустилась в переход и начала копаться в сумочке перед входом в метро, с ней произошла неприятная история. Кто-то подошел сзади и молча положил руку ей на плечо. Она обернулась... И обмерла. Прямо перед ней стоял милиционер — весь такой подтянутый, словно только что с парада.

— Девушка! — сказал он и очень строго посмотрел на Эллу. Та икнула от неожиданности и почувствовала, что ее язык одеревенел. — Вы не подскажете, как пройти к магазину «Спортмастер»?

— Н-н-н... — начала заикаться Элла.

— Налево? — помог ей милиционер.

Элла отрицательно покачала головой и снова промычала:

— Н-н-н...

— Направо? — догадался тот.

— Н-н-не... — сказала она, сделав глаза пуговками.

— Недалеко? — Милиционер был явно не рад, что подошел к ней, но уйти, по всей видимости, считал неудобным до тех пор, пока девушка не выдавит из себя хоть что-нибудь.

— Н-н-не...

— Не знаете! — обрадовался милиционер, и Элла бурно закивала, как дрессированая лошадь.

Милиционер скоренько ретировался, и она едва не разрыдалась от облегчения. Два юных идиота, стоявших неподалеку возле колонны, наблюдая эту сцену, умирали со смеху. Как только милиционер отошел, один из них шагнул к Элле и, дурачась, сказал:

— Д-д-девушка, к-к-как вас з-з-з...

Договорить он не успел: Элла повернулась и очень красноречиво, с использованием ненормативной лексики, а также причастных и деепричастных оборотов, послала его в такое место, куда молодым людям ходить стыдно. Оставшийся путь до Ларисиного дома прошел без приключений.

Зато подруга встретила ее возле двери зареванная, с нелепо заколотыми волосами, которые торчали на макушке метелкой.

— Ты чего? — испугалась Элла, решив, что Лариса плакала из-за нее.

— Да ну! — махнула та рукой. — Ерунда, не обращай внимания.

— Да что случилось, Ларис?

— Магазин прогорел.

Примерно год назад Лариса со своей приятельницей открыла «Магазин одной цены» и с головой ушла в бизнес. Но что-то у них там не срослось, и дело потребовало нового вложения денег.

— Я такое сделала! — Лариса закрыла лицо руками. — Я ведь тебе рассказывала, что Колька с братом решили открыть свое дело? Для этого необходимо закупить оборудование. Оборудование уже заказано, его вот-вот надо будет оплачивать.

— И что?

— А то, что я из этих денег пять тысяч утянула. Надеялась, что к концу ноября верну. И вот — уже конец ноября, а у меня ни денег, ни надежды их получить!

— То есть Коля не знает, что денег недостает?

— Да, он держит их дома, в тайнике. Но я знаю, где этот тайник, понимаешь? А он туда никогда не заглядывает — не такой человек, чтобы вечно купюры пересчитывать. Ой, Элка, что будет!

— Но он же твой муж! — попыталась успокоить ее Элла. — Не бандит какой-нибудь. Что он с тобой сделает?

— Да со мной-то он ничего не сделает! — всхлипнула Лариса. — А я вот с ним что сделала! Если ему из-за меня не хватит денег на оборудование, он мне этого никогда не простит!

— Лара! Успокойся. Раз Коля занимается бизнесом, у него наверняка есть друзья, которые смогут его выручить. Пять тысяч долларов — большая сумма, но все же не такая, которая выбьет из седла человека, торгующего машинами.

— Ты думаешь? — с надеждой спросила Лариса, вытирая лицо салфеткой. И тут же опомнилась: — Господи! И это я тебе жалуюсь! Игоря убили, ты живешь в подполье, за тобой гоняются милиционеры...

— И отчим, — добавила Элла. — Борис оказался таким болваном! Он думает, что менты как посмотрят на меня, Белоснежку, так сразу и поймут, что я ни в чем не виновата!

— Пойдем я тебя покормлю. — Лариса потащила ее на кухню и, усадив, ревниво сказала: — А ты похудела! И макияж стала делать яркий. И очки тебе идут.

— Если меня оправдают, я порадуюсь этому обстоятельству, — сдержанно ответила та. — Деньги не забудь мне отдать, а то я без них — как без рук.

— Слушай, а у тебя вообще-то есть какая-нибудь заначка? Я имею в виду — более существенная? Счет в банке, например?

— Ларис, ну какой счет? — Элла набросилась на блинчики с капустой, как будто в самом деле явилась из леса. — Ничего у меня нет. Да если бы и были — разве сейчас можно деньги в банк класть?

— И то правда, — согласилась подруга. — Колька поэтому тоже все свои сбережения дома держит. В тайнике. — Лариса снова схватилась за щеку, словно там надулся флюс, и запричитала: — Ой, он меня убьет, когда узнает про магазин! И я еще до кучи часы потеряла!

— Какие часы?

— Которые он мне на свадьбу подарил — с бриллиантиками и гравировкой. Представляешь, какая идиотка?

— Но ты же не специально! — с жаром принялась убеждать ее Элла.

Успокоившись, Лариса умылась холодной водой и хлопнула ладонями по столу.

— А теперь расскажи, что с тобой произошло.

Когда Элла рассказала, она спросила:

— Ты горюешь по Игорю?

Элла не успела ответить, как дверь на кухню внезапно распахнулась и на пороге появилась Ленка с взлохмаченной рыжей макушкой и в короткой кожаной юбочке.

— Ба! — воскликнула она, разинув рот. — У нас в гостях мужеубийца!

— Я тоже рада тебя видеть, — вздохнула Элла. — Надеюсь, ты одна?

— Господин Кокинадзе ждет меня в своем автомобиле.

— Какой такой Кокинадзе? — вскинулась Лариса.

— Успокойся, систер, это всего лишь чинный ужин в приличном ресторане. Клянусь!

— Ленка, ты доиграешься!

— Послушай, чего ты от меня хочешь? Скоро я получу диплом, и что прикажешь мне делать?

— Устроиться на работу, естественно.

— Ну вот еще! — Ленка вильнула бедрами. — Лучше уж я выйду замуж. Ничего особенного в моем возрасте. Поэтому сейчас я перебираю кандидатуры.

— По-моему, ты начала их перебирать еще лет пять назад, — ехидно заметила Лариса и посмотрела на сестру с тайной завистью.

Она завидовала всем женщинам от пяти до пятидесяти пяти, если в их внешности было хоть что-то выдающееся. Несмотря на то что сестры имели сходную комплекцию, у Ленки ноги выросли на два сантиметра длиннее. Что зачастую являлось причиной мелких семейных стычек.

— Эл, ты вообще-то как? — спросила Ленка. — Будешь дальше прятаться?

— Буду, — сказала Элла. — Пока настоящего убийцу не найду.

— Сама? — не поверила Ленка.

— Я, между прочим, самое заинтересованное лицо. Кроме того, у меня есть знакомый частный детектив, который уже начал мне помогать, — приврала она.

— Буду за тебя пальцы держать, — сказала Ленка. — Ладно, пока. Я, собственно, заезжала переодеться. Целую, буду не поздно. — Она повернулась к Элле и легкомысленно помахала ей ручкой: — Надеюсь, что тебя не сошлют на галеры!

— Вот дура! — пробормотала Лариса и крикнула вслед: — Шапку надень, вертихвостка! — И, когда дверь захлопнулась, добавила: — Сессию на пятерки сдала — даже не придерешься.

Глава 5

— Вот она, Астапова! — сказал Овсянников и толкнул фотографии рукой. Они пролетели через весь стол и остановились прямо перед носом Эллы. — Вглядись в это лицо! Просто ужас, ты не находишь?

— Почему же ужас? — пробормотала она, раскладывая снимки перед собой. — Простое хорошее лицо. Нормальное лицо.

— Нормальное? — недоверчиво переспросил сыщик. — Да ты посмотри на выражение глаз. Вечная жертва! Агнец на заклание! И эти жалкие очечки. Ты бы стала носить такие очечки?

— Ну... У людей бывают разные обстоятельства, — стараясь подавить обиду в голосе, ответила Элла. — Может быть, она купила себе другие, а потом их потеряла.

— Кстати, насчет «потеряла». Это за ней тоже не заржавеет. Девка теряет все, что только можно потерять. Нет, ну а прическа? — снова вернулся он к фотографиям. — Такое впечатление, что она расчесывается пальцами. Смотри, она снята в разное время в разных местах, и везде растрепанная, как Незнайка.

— Но лицо-то у нее нормальное! — раздраженно сказала Элла. — И выражение его нормальное.

— О, да! — согласился Овсянников. — Именно с этим выражением лица она разбивает посуду, роняет мебель и проваливается в канализационные люки. Поверь мне, это настоящий «Титаник» в юбке! Из того, что я про нее узнал, напрашивается только один вывод: она может быть сейчас где угодно — в Швеции, в открытом море или в Пиркулинском заповеднике! Ее могли продать в какой-нибудь гарем, заманить в секту или засунуть вместе с гуманитарной помощью в самолет, летящий в Бохайвань.

— И ее подозревают в убийстве мужа? — с вызовом спросила Элла.

— Именно! Могу себе представить, как все происходило. Она хотела поиграть в Золушку и танцевала со сковородками в руках на кухне. И тут некстати вошел муж. Бэм-с! Он получил сковородкой по голове. Или она хотела прихлопнуть муху, которая спала меж оконных рам, но неожиданно проснулась и принялась перелетать с тарелки на тарелку.

И тут опять некстати зашел муж. Бэм-с! Муха была убита вместе с благоверным.

— По-моему, это не повод для шуток, — вздернула подбородок Элла. — Я не верю, что эта милая девушка могла совершить такое страшное злодеяние.

— Эта милая девушка! — сладким голосом повторил Овсянников и сложил руки под подбородком.

В этот миг Элла яростно ненавидела его близко посаженные крокодильи глазки и слегка смещенный в сторону нос. И эта образина еще будет выступать по поводу ее внешности!

— Эта милая девушка, — не пожелал сдаваться он, — едва не пустила в расход кучу народу. Муж — ее первая настоящая жертва. Раньше были другие потенциальные жертвы среди мужского населения страны, однако им каким-то образом удалось избежать ужасной участи.

Овсянников принялся перечислять, сколько кто сломал ребер и ног, в какие попадал ситуации, как только связывался с «милой девушкой» по имени Элла. За время его прочувствованного монолога она вспотела, как болезненный младенец, завернутый любящей мамочкой в три одеяла. Вся ее жизнь прошла перед ней! Только в изложении Овсянникова все выглядело гораздо ужаснее, чем она себе представляла до сих пор. Может быть, она действительно генетическая аномалия? Может быть, ей следует уехать на Индигирку и сидеть там в сугробе до самой смерти?

— Мне придется проверять все ее связи, — сказал Овсянников. — Кстати, у нее есть особые приметы. — Элла напряглась. — Родимое пятно на левом плече, шрам под коленкой и три маленькие родинки за правым ухом. Идут в ряд, словно нарисованные. Впрочем, я узнал бы ее сразу, если бы увидел.

«При нем можно ходить только в брюках и кофтах с длинными рукавами, — тотчас же сделала вывод Элла. — И не отгибать правое ухо».

Когда она наконец ушла в ужасном настроении в свою комнату со списком поручений на завтра, Овсянников позвонил Диме Шведову и шепотом сказал:

— Послушай, Дим, прям не знаю, что делать! Мне кажется, твоя Бэлла в меня втюрилась. Да ничего я не придумываю! Она так странно себя ведет! Стоит мне подойти к ней поближе, как она начинает дрожать, словно маленькая собачка. Лоб у нее покрывается испариной. Или, может, она меня боится? Нет? Ты тоже думаешь, что влюбилась? А я, значит, должен вести себя как джентльмен. Угу. Но если она зачахнет, ты сам будешь виноват.

Положив трубку, Овсянников, насвистывая, отправился на кухню за минералкой и в коридоре наткнулся на свою новую соседку. Она на цыпочках вышла из ванной и тихо-тихо закрыла дверь. Потом повернулась и, рванув с места в карьер, впечаталась в живот хозяина квартиры.

— Уй! — сказал он, потому что новая секретарша пребольно наступила ему при этом на ногу.

Поскольку Элла была в короткой ночной рубашечке, она тут же вспомнила о своих особых приметах и повернулась к Овсянникову тем плечом, на котором не было родимого пятна. И присела, чтобы он, не приведи господи, не разглядел шрама под коленкой. Уши ее были закрыты распущенными волосами, которые от воды уже завились на лбу в предательские колечки.

Овсянников, которого напугали странные телодвижения, схватил ее за плечи и встряхнул.

— Пустите меня! — с надрывом выдохнула она и, оттолкнув его двумя руками, бросилась бежать. Дверь ее комнаты хлопнула, и все стихло.

— Вот это да! — пробормотал детектив. — Никогда не жил в одной квартире с собственной секретаршей. Оказывается, это страшно увлекательное дело!

* * *

На следующий день Элла решила, что ей нужно побывать на месте преступления. То есть в своей квартире. Принять решение и то оказалось нелегко, а уж заставить себя осуществить задуманное и подавно. Ей чудилось, что все соседи предупреждены о том, что ее необходимо поймать и сдать в милицию. Поэтому она поглубже надвинула шапку на лоб, завязала ее уши под подбородком и опустила на глаза меховой козырек. Потом до самых очков замоталась шарфом.

Самое обидное, что каждая собака во дворе ее узнавала. С ней здоровались все, кто попадался навстречу. Одна тетка из соседнего подъезда даже решила высказать ей свои соболезнования. Тетка была из тех, которые все свободное время посвящает разговорам — по телефону и живьем. Если бы Эллу ловили, она бы знала. Но, судя по ее реакции, никаких слухов на этот счет не ходило, поэтому Элла слегка успокоилась и, заранее достав ключ, взбежала по лестнице на свой этаж.

Некоторое время назад дверь была опечатана, но потом в нее кто-то входил. Коврик валялся вверх ногами, и Элла подумала: не сидит ли внутри засада? Однако нет — когда она вошла, никакой засады там не оказалось. В квартире стоял чужой запах, но и только. Схватившись за горло рукой, она заглянула в кухню, но ничего особенного не увидела.

Делать здесь было решительно нечего. Элла прямо в сапогах прошла по коврам к шкафу и побросала в пакет кое-что из вещей. Потом заперла дверь и позвонила в соседнюю квартиру, где жила одинокая поэтесса Юлия Юшкина. Большую часть суток она проводила дома и могла что-нибудь слышать в ночь убийства.

— Элла, — мрачно сказала та, появившись на пороге в ужасных тренировочных штанах и свитере по колено. — Ваш муж накануне смерти ругался матом.

— А не могли бы вы... — Элла сделала в воздухе затейливый жест рукой. — Рассказать все как-нибудь поподробней?

— Как он ругался? — удивилась Юлия и подняла соболиные брови к самой кромке волос.

— Вообще все, что вы слышали.

— Я не только слышала, но и видела, — торжественно сообщила Юлия. — Видела, как он пришел домой. Вышла, знаете ли, за газетой, а он как раз появился из лифта. Припал животом к двери и начал возиться и сопеть.

— Что-то я не совсем поняла, — перебила Элла. — Игорь что, был пьян?

— Нет, ну что вы? Зачем пьян? Просто он прижимал коленкой к двери портфель и одновременно вставлял ключ в замок. Я ему говорю: «Игорь, вам лучше поставить его на пол, тогда дело пойдет». А он отвечает: «Не могу, Юлечка, он слишком ценный».

— Вы уверены, что это был именно портфель? — немедленно спросила Элла.

Дело в том, что у Астапова никогда не было портфеля. «Дипломаты» были, и папки были. Портфелей не было.

— Конечно, уверена! — воскликнула Юлия. — Я же не слепая! Такой коричневый с двумя серебряными замочками.

— Так что, он ругался матом, потому что у него дверь не открывалась?

— Нет-нет, при мне бы он себе этого не позволил! — испугалась Юлия. — Это было позже, уже к ночи. Точное время не могу назвать — меня уже милиционеры с этим временем наизнанку вывернули. Но я никогда не смотрю на часы — я живу ощущениями! Просто было темно и лифт давно не шумел. Поэтому я и решила, что уже ночь.

И вот я пошла выносить мусор. Ночью, знаете ли, выносить мусор гораздо комфортнее, чем днем. Ни с кем не столкнешься на лестничной площадке, и, если по дороге в голову придет рифма, никто тебя с толку не собьет. Выхожу я, значит, на площадку и слышу — из вашей квартиры доносятся крики и брань. Понятно, что кто-то ругается. Я прислушалась — невольно, конечно! — звучал голос вашего мужа. Он очень громко кричал и сердился. И голос был только его. Он кричал, потом делал перерыв и снова кричал. Из чего следует вывод, что он разговаривал по телефону.

— А что, что он кричал? — нетерпеливо спросила Элла.

— Ну, это вам лучше знать, — пожала плечами Юлия. — Вы ведь как раз пришли домой.

— Я?! — громко воскликнула изумленная Элла. — Я пришла домой? С чего вы взяли?

— Я вас видела. Понимаете, я всегда поднимаюсь к тому мусоропроводу, который на полплощадки выше, а не к тому, который ниже. Люблю, знаете ли, послушать, как гремят в полете пустые банки. Поскольку основной моей пищей являются консервы, выносить мусор для меня — истинное развлечение.

— И что?! — раздраженно вскинулась Элла, которой хотелось задушить поэтессу за ее дурацкую уверенность. Видела она ее! Вот ведь дура какая!

— И ничего. Я стояла вон там, наверху, а вы подошли к двери, открыли ее своим ключом и скрылись внутри.

— Я с вами поздоровалась? — спросила Элла. — Вы видели мое лицо?

— Нет, — немного подумав, призналась Юлия. — Но на вас было ваше пальто.

— Какое мое пальто? — едва сдерживаясь, чтобы не завопить в полный голос, уточнила Элла.

— Длинное черное пальто с капюшоном. Вы как раз и были в капюшоне.

— Это была не я, — простонала Элла и для убедительности потрясла перед собой руками с растопыренными пальцами. — И пальто тоже было не мое. Мало ли таких пальто продается!

— Ну, может быть... — не слишком уверенно согласилась Юлия и, пожав плечами, добавила: — Но милиции я сказала, что это были вы. Да и кто еще, кроме вас, может открыть дверь ключом и спокойненько войти в квартиру?

— Убийца, наверное! — рявкнула Элла. — Вы ее хорошо рассмотрели?

— Помилуйте, Эллочка, зачем мне *вас* рассматривать? Но если вы говорите, что это была убийца, то... Сдается мне, она выше ростом.

— Выше, чем я?

— Мне сейчас так кажется. Или это были вы, но на каблуках.

— Это была не я! — завопила Элла.

— И хорошо, и ладно, — успокаивающе сказала Юлия. — Не вы так не вы. В конце концов, компетентные органы разберутся.

Вот в этом Элла как раз очень сильно сомневалась. Улики против нее множились, словно микробы в питательной среде.

Распрощавшись с соседкой, она бросилась обратно в квартиру и залезла в шкаф — черное пальто было на месте, и ничто не говорило о том, что его кто-то недавно надевал. Тогда Элла принялась за поиски коричневого портфеля. Она-то хорошо знала, где можно спрятать вещь такого размера! Никакого портфеля в квартире не оказалось.

Выходит, что? Его забрали? Может быть, Астапова вообще убили из-за этого портфеля? Он сказал поэтессе, что портфель слишком ценный, чтобы ставить его на пол. И теперь этого ценного портфеля нет, а Астапов мертв. И в то время, когда он с кем-то ругался по телефону — если верить Юлии, даже произносил нецензурные слова! — в квартиру вошла женщина в длинном черном пальто с капюшоном на голове. Она открыла дверь своим ключом и, возможно, стукнула Игоря сковородой по голове. Интересно, а это черное пальто она надела специально? Чтобы подумали, что она — Элла?

* * *

— Какую кухню ты предпочитаешь? — спросил Овсянников, заводя мотор и медленно трогаясь с места.

— Мне все равно, — ответила Элла, нацеленная совершенно на другое. — Скажи, а ты можешь узнать у этого твоего клиента Михальченко про типа, которого убитый Астапов тем вечером сопровождал в театр?

— Да я уже давно все узнал, — отмахнулся Овсянников. — А тебе зачем?

— Ну... Вот скажи, что ты сегодня делал?

— Пытался напасть на след Астаповой. Разговаривал с людьми, наблюдал за квартирами, в которых она могла затаиться.

— И как успехи? — с любопытством спросила она.

— Пока никак. Не устаю надеяться, что она рано или поздно объявится сама. Допускаю даже, что Астапова невиновна и вообще ничего не знает о том, что произошло. Потом явится с широкой улыбкой к маме и скажет: «Меня тут на пару недель завербовали поработать на алмазных копях. У нас тут все в порядке?»

— Не думаю, что она такая безголовая дура, какой ты пытаешься ее представить. Возможно, она наивная и невезучая, но не более того!

— Ф-р-р! — выразил свое отношение к ее словам Овсянников, останавливаясь возле небольшого трактира. Однако тот оказался закрыт.

— Что за черт? — рассердился сыщик и даже стукнул носком ботинка в дверь. — Первый раз такая петрушка!

Элла втянула голову в плечи, потом облизала губы и легкомысленно сказала:

— Подумаешь! Поедем в другой трактир!

Овсянников молча вырулил на шоссе, сделал пару поворотов и, притормозив, с опаской выглянул наружу.

— Кажется, все в порядке, — пробормотал он, выбираясь из машины.

— Я правильно поняла: ты все-таки допускаешь, — спросила Элла, забегая вперед и оборачиваясь лицом к нему, — что Астапова невиновна, да?

— Конечно, допускаю, — пожал плечами Овсянников. — Есть у меня одна версия...

— Какая? — Она тотчас же сделала стойку.

— Вот подожди, закажем еду, и я тебе расскажу.

Овсянников по-хозяйски вошел в трактир и скинул пальто на руки гардеробщику. Элла, словно сиротка, прижала свою одежду к груди и покорно ждала, пока наступит ее очередь. Невольно ее взгляд упал в зеркало, и она испуганно пискнула. По дороге из пучка вывалились заколки, волосы растрепались, и Элла Астапова стала подозрительно похожа на свои фотографии, которые сыщик недавно так пристально рассматривал.

— Ты чего? — спросил тот, мельком глянув на нее.

— Мне надо в дамскую комнату.

— Так за чем дело стало?

— Я... Э-э-э...

Она хотела сказать, что ей нужен лак для волос или та жидкость для укладки, которой рекомендовала пользоваться жена Димы Шведова, и еще пара шпилек и расческа с мелкими зубчиками...

Овсянников покровительственно похлопал ее по плечу и бросил на ходу:

— Буду ждать тебя за столиком.

Он ушел, а Элла метнулась в туалет к умывальнику и, намочив руки водой, принялась приглаживать волосы. Потом заплела их в короткую жирную косичку. Косичка тотчас же расплелась.

— Зараза! — рассвирепела Элла и топнула ногой.

Уже через секунду она поняла, что делать этого не следовало. Каблук на сапоге хрустнул и отломился. Она взяла его в руку и еще раз посмотрела на себя в зеркало. Нет! Не может она появиться лохматой перед Овсянниковым да еще сказать, что у нее сломался каблук. И еще это имя — Бэлла! Не надо было слушать Шведова и соглашаться на это имя. Бэлла слишком похожа на Эллу, рождает, так сказать, ассоциации. Назвалась бы лучше Ирой или Валей!

Однако сожалей не сожалей, а с волосами и с каблуком надо что-то делать. Элла вспомнила, что в пояс на ее брюках вставлена веревочка. Она решила, что веревочку запросто можно вытащить и использовать в качестве ленты. Так она и сделала. Подняла руки и стала заплетать косу. Коса получилась что надо, вот только штаны начали спадать. Она решила проигнорировать это обстоятельство. Брюки — что? Вот с каблуком как быть? Ни гвоздей, ни клея в ее сумочке, конечно, не водилось. Зато там обнаружились две упаковки жевательной резинки «Орбит — сладкая мята». «Что, если попробовать наживить каблук на жеваную резинку?» — подумала Элла и, раскрыв первую пачку, закинула в рот пару подушечек.

Пока она усердно жевала, едва прикрытая дверь в дамскую комнату распахнулась от ветра, который поднял какой-то посетитель, широко открыв соседнюю. Элла этого не заметила и продолжала активно двигать челюстями.

Гардеробщик, стоявший напротив туалета, непроизвольно бросил на нее взгляд, отвел его, потом медленно вернул обратно. Открывшееся ему зрелище было удивительным. Посреди сортира стояла только что пришедшая девица и совала себе что-то в рот — один раз засунула, и второй, и третий. Через минуту она стала похожа на хомяка, но ни на секунду не прервала своего занятия. При этом она шумно сглатывала слюну.

— За бабами подглядываешь? — тихо спросил один из официантов, подкравшись сзади.

— Да там и глядеть-то не на что, — смутился гардеробщик. — Если бы они хотя бы подтягивали чулки...

— А они чего делают, а, Минь? — спросил официант и игриво толкнул его локтем в бок.

— Не поверишь, но они там жрут чего-то.

Элла тем временем кое-как прилепила каблук на место. Надо сказать, что он хоть и держался, но совсем фигово. Ходить на таком каблуке уж точно было нельзя. Но и признаваться Овсянникову в том, что у нее неприятности, Элла ни в какую не желала.

В итоге из дамской комнаты она вышла весьма своеобразной походкой и на цыпочках проследовала в зал. Пока она шла, брюки подло сползали вниз. Ей пришлось обнять себя двумя руками, чтобы они вовсе не соскользнули на пол.

— Что, живот болит? — небрежно спросил Овсянников, отодвигая для нее стул и одновременно строя глазки девице за соседним столиком.

— Нет-нет! — с жаром возразила Элла. — Все хорошо! Так что там у тебя за версия появилась?

— Я подумал: не зря Борька, то бишь Борис Михальченко, так активно настаивает на том, чтобы я нашел его падчерицу. Падчерицу, а не убийцу! Формулировка была именно такая: во что бы то ни стало найти падчерицу. Я вот что думаю. Борька подозревает, что Астапова убила его собственная жена, Дана. Жену он любит без памяти и ни за что ее не сдаст.

— И поэтому хочет подставить ее дочь?!

— Не думаю, — мотнул головой Овсянников и показал девице за соседним столиком передние зубы, сделав глаза щелочками. — Вероятно, он надеется, что падчерицу в конце концов оправдают. Но дело, естественно, затянется. А это ему на руку. Он сумеет пока что-то придумать.

— Какая ерунда! — рассердилась Элла, у которой мурашки побежали по спине. Ключи от квартиры, черное пальто... Неужели мама могла убить Игоря? Вслух она спросила: — Зачем Дане убивать своего зятя?

— Мало ли. Скажу тебе по секрету, Астапов был редкостной скотиной.

— О мертвых...

— О мертвых нельзя говорить плохо никому, кроме частных сыщиков, — довольно резко ответил Овсянников. И неожиданно предложил: — Давай потанцуем!

Элла обернулась назад. Девица из-за соседнего столика уже висела на каком-то хлыще и через его плечо кокетливо оглядывала зал. Вероятно, Овсянников хотел войти в круг танцующих для того, чтобы максимально к ней приблизиться.

— Я не могу! — покачал головой Элла.

— Значит, живот все-таки болит? — прицепился тот.

— Да ничего у меня не болит! — звонко возразила она и храбро поднялась на ноги.

В зале была полутьма, которую оживляли свечи, горевшие на каждом занятом столике. Музыканты играли что-то очень симпатичное, и танцующих пар становилось все больше и больше. Овсянников одной рукой обнял Эллу за талию, а другую руку отставил в сторону, предлагая ей вложить в нее свою ладонь. Она вложила и принялась на цыпочках делать танцевальные па. Брюки тотчас же поползли вниз. Чтобы не остаться без штанов на глазах у почтенной публики, Элла изо всех сил выпятила живот. На цыпочках и с выпяченным животом она выглядела как кенгуру.

— Не напрягайся, — посоветовал Овсянников прямо ей в ухо.

Не напрягайся! Легко сказать! Элла осторожно сняла правую руку с его плеча и прижала локоть к боку, пытаясь остановить мерзкие брюки по пути на пол.

Сыщик воспринял ее жест как проявление девичьей застенчивости.

— Ты чего, лапочка, боишься дядю Жеку? — насмешливо спросил он и, силой оторвав ее руку от бедра, снова водрузил себе на плечо. И для страховки положил свою длань сверху.

Элла еще сильнее выпятила живот, но паршивые брюки скользили вниз и уже нарушили все рамки приличия. Еще немножко, и она опозорится! Не в силах больше надуваться, она шумно выдохнула и одним резким движением прильнула к мощному торсу Овсянникова. Это был последний шанс удержать штаны на месте — зажать их между собой и своим партнером.

— О-о! — пробормотал тот. — Полегче, детка! Не то дяде Жеке не сдержать клятвы.

В этот момент танец очень кстати закончился, Элла досеменила до своего столика и в изнеможении упала на стул. Официант как раз принес десерт — кофе и кисель с мороженым. В голове Эллы тотчас же родился новый гениальный план. Она быстро съела мороженое и сказала:

— Мне нужно в дамскую комнату.

— Нет, все-таки у тебя болит живот! — радостно воскликнул Овсянников.

— Смотри-смотри, какая потрясная девица! — вместо ответа сказала она и мотнула головой.

Доверчивый Жека обернулся, а Элла тем временем схватила кисель и прикрывая его ладошкой, похромала в туалет. Увидев у нее в руках стакан, гардеробщик строго сказал:

— Алкогольные напитки выносить из зала не разрешается!

— Это не алкогольные! — огрызнулась Элла. — Это десерт!

Она сунула стакан ему под нос и, пока он придумывал, как среагировать на кисель, прошмыгнула мимо него. Гардеробщик некоторое время стоял неподвижно, потом заложил руки за спину и начал прогуливаться вдоль коридора. С каждым разом он прогуливался все ближе и ближе к дамской комнате, наконец не выдержал и прижался глазом к щелке в двери.

Элла между тем расплела косу и завязала шнурком штаны. Кисель же она придумала использовать вместо геля для волос. Она обмакивала пальцы в стакан и мазала киселем голову. Гардеробщик, который все это видел, вернулся на свое место, пробормотав:

— Что у нас в стране за люди? Жрут в туалете, головы киселем обмазывают!

Когда Элла вернулась за столик, Овсянников пристально посмотрел на нее и спросил:

— Ты что, купалась в аквариуме? Почему у тебя голова мокрая? — Он протянул руку и коснулся пальцами ее волос. — И липкая?

— Чтобы быть красивой, — широко улыбнулась Элла, — следует постоянно экспериментировать!

Когда они вернулись домой, Овсянников выдал ей новый список поручений на завтра и, дождавшись, пока она пустит воду в ванной, торопливо набрал номер Шведова.

— Слушай, Димыч, — понизив голос, сказал он. — Твоя племянница не дает мне проходу. Сегодня мы пошли в ресторан ужинать, она захотела со мной танцевать и стала прижиматься. Прям не знаю, что делать. Что значит — ты с ней поговоришь? Это как будто я нажаловался, что ли? Ну, ты, Димыч, даешь! — Он помолчал, послушал, потом весь взъерошился. — В каком смысле — чего я хочу? Ну ты ж меня за жабры взял! Прямо клятву из меня выжал! А я всего лишь человек. И племянница твоя — тоже человек, хоть и со странностями, конечно.

Элла, которая с трудом смыла с себя тонну косметики и

застывший кисель, закутавшись в длинный халат, словно привидение, прошла мимо двери. О чем там болтает по телефону сыщик, она не слушала. «Интересно, могла ли мама поссориться с Астаповым? Может быть, узнав из шоу Григорчука о существовании Нади и Шурика, она решила выяснить отношения с обманщиком-зятем? Подхватилась и поехала к нему? А Борис знает об этом?»

Глава 6

Овсянников уехал, оставив на письменном столе листок из блокнота с именем того человека, которого Астапов в день своей гибели водил в Театр современной пьесы. Звали его Леонид Игнатьевич Лаппо. Внизу сыщик начертал номер его мобильного телефона. Элла собиралась немедленно позвонить этому Лаппо, благо он задержался в столице, и выжать из него все, что только возможно. Первый вопрос уже был готов: видел ли Лаппо в руках у Игоря или в его машине коричневый портфель с двумя серебряными замочками?

За завтраком она рассказала о портфеле Овсянникову.

— Интересно, с какой балды соседка Астаповой выложила тебе все, что знала? — спросил тот, засовывая в рот плавленый сыр.

— Я соврала, что я из милиции, — тут же нашлась Элла.

— Потрясающая находчивость, — пробормотал сыщик. — И не менее потрясающая доверчивость.

— А тебе не кажется, что с появлением этого портфеля убийство перестает выглядеть таким... простым?

— Я никогда и не говорил, что оно простое.

— Но ведь милиция считает, что все элементарно и Астапова убила его жена!

— Милиция хочет *допросить* жену, — мягко поправил ее Овсянников. — А вовсе не послать ее на костер.

— Не понимаю, на чьей ты стороне!

— Послушай, я ведь не Робин Гуд! — сердито сказал он. — Я на стороне Борьки.

— Потому что он твой друг!

— Нет, потому что он мой клиент. Друг не всегда прав, а клиент — всегда.

— Значит, за деньги друга ты готов поймать бедную Астапову и отдать ее на растерзание властям?

— Бедная Астапова, между прочим, весьма ловко скрывается.

— Так что насчет портфеля? — Подавив эмоции, Элла вернулась к теме беседы.

— Не знаю, — развел руками Овсянников. — Может статься, в нем были банковские бумаги да и только. Какой-нибудь доклад, который шеф попросил беднягу поправить к утру. Мало ли что?

— Тогда куда он делся, этот портфель?

— Вероятно, за ним заехали и забрали. Или унесли уже после убийства.

— Вот я и говорю, что надо потрясти Лаппо. Может быть, он в курсе, откуда взялся портфель. Может быть, Астапов проболтался, что в нем находится. Ведь сказал же он соседке, что портфель жутко ценный!

Овсянников взял газету и уткнулся в нее носом, пробормотав:

— Ну, потряси, потряси этого Лаппо, солнышко!

«Ух, так бы и убила! — сердито подумала Элла. — Вместо того чтобы делать что-нибудь стоящее, искать новые улики, проверять алиби, этот супер-дрюпер-сыщик составляет ее психологический портрет, чтобы понять, где она может прятаться. Забавно будет поглядеть на его физиономию, когда он узнает правду».

Едва Овсянников отчалил, Элла немедленно бросилась к телефону и набрала номер.

— Здравствуйте, Леонид Игнатьевич, — приглушенным голосом сказала она, когда Лаппо ответил. — Мы с вами незнакомы, но у меня к вам конфиденциальное дело. В воскресенье вы посетили Театр современной пьесы, и сопровождал вас Игорь Астапов, не так ли? Так вот, Леонид Игнатьевич, я — его вдова, Элла. Вы ведь знаете, что Игорь погиб?

Лаппо выразил ей свои соболезнования, и Элла сказала:

— Благодарю вас, но мне бы хотелось узнать о том вечере поподробнее. Мы не могли бы с вами встретиться? Если можно, сегодня.

Любезный Лаппо немедленно назначил встречу, и Элла удовлетворенно откинулась на спинку дивана. Кажется, ее следствие потихоньку продвигается! Интересно, а милиция-то ищет коричневый портфель? Ведь Юлия Юшкина наверняка о нем рассказала! Или следователь думает, что это она, Элла, убив мужа, прихватила портфель с собой?

Прежде чем начать собираться, она позвонила в редакцию Кате Бурцевой, но наткнулась на шефа.

— Послушай, Астапова! — сказал тот строгим голосом. — Что ты там себе позволяешь, а?

— Что? — не поняла Элла.

— Жека жалуется, что ты к нему пристаешь.

— Я-а?!

— Якобы ты терлась об него животом или что-то в этом роде.

Элла мгновенно пошла пятнами, как больная краснухой, и переспросила:

— Значит, он жаловался, да?

— Только ты... это... Не говори ему ничего. Я для того сказал, чтобы ты о деле не забывала. А так, если хочется, что ж?

Элла хотела швырнуть трубку, но потом вспомнила, сколько сделал для нее Шведов, и смягчилась.

— Ты, Дим, не обращай внимания. В одной квартире с неженатым мужчиной жить не так-то просто!

— А кто тебе сказал, что он неженатый? — огорошил ее Шведов.

— А где ж его жена? — удивилась Элла.

— У него было аж две жены. Обе от него сбежали, и обеих он до сих пор нежно любит.

— Могу себе представить! — воскликнула она, вспомнив совершенно распутную овсянниковскую челку, которую тот постоянно взлохмачивал растопыренной пятерней.

Впрочем, сейчас ей было не до Овсянникова с его женами.

— Дим, позови к телефону Катю.

— Ладно, — согласился Шведов и, немного помолчав, шепотом добавил: — Ты знаешь, с ней в последнее время происходит что-то странное. С тех пор, как все это случилось с тобой, Екатерину нашу будто подменили. У нее постоянно глаза на мокром месте. Чего она так распереживалась?

— Не знаю, — пробормотала Элла. — А я ничего такого не заметила, когда пряталась в редакции...

— Правильно, если сидеть в шкафу, вся жизнь пролетит мимо. В общем, я ее тебе сейчас дам.

Прошло минуты две, и Катя подошла к телефону. Голос у нее был неестественно бодрым.

— Алло! — сказала она. — Наконец-то ты позвонила! Как там у тебя дела, расскажи. Я так волнуюсь... — Она неожиданно прервалась на полуслове и старательно поправилась: — Мы все очень волнуемся. И Андрей, и Никита...

Элла вкратце рассказала о том, как продвигается ее личное расследование, и сообщила, что через два часа встречается с Лаппо.

— Послушай, ты очень рискуешь! — всерьез разволновалась Катя. — Представляешь, ты подходишь к этому Лаппо, здороваешься с ним, говоришь, кто ты такая, и вдруг с двух сторон к тебе подходят люди в штатском и берут под локотки!

— Думаешь, он после моего звонка обратился в милицию?

— Почему бы и нет, если милиция его, допустим, специально предупредила? Ведь науськивал же следователь Шведова! Полагаю, тебе надо послать на встречу вместо себя кого-нибудь другого. Какую-то женщину. Она подойдет, представится тобой, а ты поглядишь со стороны, что из этого выйдет. Если все нормально и Лаппо не приготовил тебе ловушку, можешь спокойно выйти и все объяснить. У тебя есть кто-нибудь на примете? Я бы предложила свою кандидатуру, но у меня ребенок заболел, шеф отпустил домой, так что я буквально улетаю!

— Я что-нибудь обязательно придумаю, Кать. Кстати, а у тебя-то как, все в порядке? Кроме того, что ребенок заболел?

— Отлично! — воскликнула Катя таким голосом, что сразу стало понятно — она обманывает.

«Шведов прав, — решила Элла. — У Кати что-то случилось». Однако заниматься Катиными проблемами сейчас у нее не было никакой возможности. Поразмыслив немного, она позвонила сестре и после долгой бессодержательной беседы задала вопрос:

— Послушай, Римка, той ночью, когда убили Игоря, ты где была?

— Думаешь, я его убила? — мрачно спросила та.

— Я ведь тебя не спрашиваю, убила ты его или нет! — тотчас вспылила Элла. — Я тебя спрашиваю — где ты была. Что, так трудно ответить человеку, который находится на грани нервного срыва?!

— Я сидела у телефона, — неожиданно покладисто ответила сестра. — Мужики оставили нас с матерью координировать их действия. Но мать тут же подхватилась и тоже убежала на твои поиски. Сказала, зачем мы тут вдвоем будем сидеть, от сидения нервы совсем сдадут. И убежала.

— А Борис в курсе того, где она... бегала? — осторожно спросила Элла.

— Наверное. Ты же знаешь, они друг от друга ничего не скрывают. Такие голуби!

— Рим, ты не могла бы помочь мне в одном деле?

— Если только не сию секунду. Я освобожусь вечером, устроит?

— А часа через полтора? Буквально на пятнадцать минут?

— Элка, прости, у меня делегация. Если только это не вопрос жизни и смерти...

— Слава богу, пока еще нет.

Лариса Трошина оказалась ее последней кандидатурой. Если и лучшая подруга не сможет вырваться днем с работы, придется рисковать собственной шкурой. На работе ее не было, Элла позвонила домой.

— Я заболела, — прошипела Лариса в телефонную трубку змеиным голосом. — Наверное, ангина. Температурища — ужас! А чего ты хотела?

Элла в двух словах объяснила, чего она хотела, и Лариса тотчас нашла выход:

— Я тебе Ленку пришлю. Она хоть и балда порядочная, но в кризисных ситуациях всегда готова прийти на помощь.

Ленка и в самом деле согласилась выдать себя за ударившуюся в бега вдову Игоря Астапова. В условленное место она явилась скромно одетой — в куртке и черных брюках. Только шапочка на ней была кокетливая — с пушистым помпоном на макушке. Ее невинным глазкам могла бы позавидовать любая актриса-инженю. Лаппо обещал встретить Эллу в холле гостиницы.

— Значит, ты подходишь, — инструктировала она Лен-

ку, — и говоришь: здравствуйте, я Элла Астапова. Мы с вами
договорились о встрече. Поняла? Если ничего не случится,
веди его пить кофе. А если случится и тебя заловят, говори,
что меня не видела несколько месяцев. О Лаппо тебе рассказала твоя сестра, а ей — моя сестра. Ну и все остальное,
как договорились.

— Этот мужик сказал, что будет держать в руках крас-
ную папку? Тогда вон он! — Ленка указала глазами на пожилого дяденьку весьма благообразной наружности.

Лаппо был не слишком крупным, но держался очень
прямо и от этого казался выше ростом. Седые волосы зачесаны назад, подбородок выставлен вперед. Умные глаза и
ни намека на банковский животик.

— Давай! — шепнула Элла и подтолкнула Ленку рукой.

Та засунула руки в карманы и неторопливо двинулась в
сторону Лаппо. Элла, покусывая губы, следила за ней из-за
колонны. Некоторое время все шло хорошо, и вдруг совершенно неожиданно рядом с Ленкой возник мужик в сером
пальто нараспашку. У него была каменная физиономия и
огромные преимущества в весе. Твердой рукой он взял Ленку за локоть и, наклонившись, что-то негромко сказал. После чего решительно потянул ее в сторону выхода.

У Эллы упало сердце. Она посмотрела на Лаппо, который наблюдал за этой сценой, и пробормотала:

— Гад.

Видимо, Ленку тоже обуревали эмоции. Она вырвала у
каменномордого руку и, проходя мимо Лаппо, презрительно бросила:

— Дерьмо! Продажный сукин сын! — и треснула его
своей сумочкой по шее.

У Лаппо от изумления отпала челюсть. Он так и остался
стоять посреди гостиничного холла, разинув рот. Элла все
еще наблюдала за ним из-за колонны, когда кто-то тронул
ее за плечо. Она сначала присела от ужаса и уж только потом
обернулась. И тут увидела все ту же Ленку, которая трагически сдувала челку со лба.

— Элла, не паникуй! Этот кретин просто хотел со мной
познакомиться. Он большая шишка и со всеми обращается
именно так. Хочешь, я еще раз подойду к гостю столицы?

— Господи! От тебя с ума сойдешь! — всплеснула руками

Элла. — Теперь уж я сама буду действовать. Видишь, дяденька до сих пор под впечатлением.

— Так я пойду с этим кретином пообедаю? — полувопросительно сказала Ленка и подбородком показала на каменнолицего. Тот снова появился в холле, стоял возле фикуса и разговаривал по мобильному телефону. Элла сразу оценила его костюм и ботинки. Вероятно, и вправду большая шишка. Тем более что как раз в этот момент к нему подошел портье, что-то сказал, потом подобострастно улыбнулся и закивал головой, словно китайский болванчик. Каменнолицый сунул ему что-то в руку — вероятно, купюру за услугу.

— Очередной кандидат в мужья? — насмешливо спросила Элла. — Ладно, дерзай, не стану тебя задерживать.

Ленка растянула рот до ушей и метнулась к выходу. А Элла развернулась и деловой походкой подошла к Лаппо.

— Извините, что задержалась, Леонид Игнатьевич, — сказала она и взяла его под руку. — Как вам Москва?

Лаппо вышел из штопора, громко сглотнул и с чувством ответил:

— Москва очень, очень странный город! И люди здесь такие странные!

Элла повела его в ресторан и сама заказала кофе. Усадив все еще слегка обалдевшего Лаппо за столик, она наклонилась к нему.

— Леонид Игнатьевич, я встречаюсь со всеми людьми, которые видели моего мужа в тот трагический вечер. Мне просто необходимо узнать, в каком он был состоянии, не беспокоило ли его что-нибудь...

Она сказала это просто так, для затравки, но Лаппо мгновенно оживился.

— Да-да! — воскликнул он. — Игоря точно что-то беспокоило! И еще как! Он вдруг сделался такой нервный, просто кошмар. Я даже слегка... струхнул, знаете ли!

— Сделался нервный? — переспросила Элла. — Или он с самого начала был нервный?

— Нет, уверяю вас, сначала он был очень веселый, — твердо сказал тот. — Настроение у него испортилось уже в театре. Мне показалось, что он о чем-то вспомнил во время спектакля. Может быть, спектакль натолкнул его на какую-нибудь мысль?

— А он следил за действием?

— О, да! Он очень напряженно следил. Сначала сидел, как все. А потом вдруг наклонился вперед, так весь сосредоточился... И в антракте уже все — был в плохом настроении. Едва отвечал на мои вопросы, хмурился. И даже, мне кажется, бормотал какие-то угрозы.

— Может быть, Игорь разговаривал по мобильному телефону? — высказала предположение Элла.

— Точно нет, — выпятил губу Лаппо. — Мобильный у него отключился, он еще посетовал, что забыл положить деньги на счет.

— Тогда, — продолжала фантазировать Элла, — возможно, он кого-то встретил перед началом спектакля или в антракте?

— Тоже нет, — Лаппо покачал головой. — Мы с ним все время были вместе. Даже, извините, не ходили в туалет. Буфет нас тоже не интересовал.

— Значит, он смотрел спектакль и вдруг о чем-то подумал или что-то вспомнил и расстроился? — еще раз уточнила Элла.

— Именно так.

— А что за спектакль вы смотрели?

— «Дневник оборотня», жуткая вещь, доложу я вам. И так все запутано!

— Леонид Игнатьевич, — вкрадчиво сказала Элла мягким, даже чарующим голосом. — А коричневый портфель вы видели?

— Коричневый портфель? — Лаппо нахмурился и постучал кофейной ложечкой по ладони.

— Ну да. Игорь при вас доставал коричневый портфель?

— Определенно нет. У Игоря в руках ничего не было.

— А в машине? Может быть, портфель лежал на заднем сиденье, или стоял где-нибудь под ногами, или был засунут в карман на чехле?

— Думаю, если бы портфель был, я бы его заметил, — покачал головой Лаппо. — Я успел прокатиться и на переднем сиденье, и на заднем. Никакого портфеля не было. Может быть, он лежал в багажнике?

— Может быть, — пробормотала Элла, пытаясь понять, откуда все-таки выплыл этот странный портфель и куда уплыл впоследствии. — Игорь ведь довез вас до гостиницы?

— Конечно. Он был очень, очень любезным человеком. Мне так жаль... Право, жаль.

— А когда он вас подвозил, то случайно не обмолвился насчет того, куда собирается ехать?

— Как же? Он совершенно определенно сказал: «Мне через Садовое на Маяковку».

— Да? — удивленно спросила Элла. — Не домой? А в котором часу вы расстались?

Лаппо серьезно посмотрел на нее и полуутвердительно сказал:

— У вас какие-то проблемы, да?

— Небольшие, — уклонилась от ответа Элла. — Так все-таки, сколько было времени?

— В половине десятого окончился спектакль, и в десять мы уже оказались здесь, у входа в гостиницу.

— У вас потрясающая память! Спасибо, — поблагодарила она. — Вы мне в самом деле очень помогли.

Она тепло распрощалась с наблюдательным гостем столицы и двинулась в сторону метро. По дороге она размышляла о том, что услышала. Вряд ли Игорь положил ценный портфель в багажник — это просто несерьезно. Похоже, что портфеля с ним не было до самого последнего момента. Но где-то же он его раздобыл! Может быть, как раз на Маяковке? Положим, там у него была назначена встреча. Но как узнать — с кем? И что все-таки лежало в этом загадочном портфеле?

Надо было возвращаться обратно и выполнять поручения Овсянникова. Она купила кое-что из продуктов и книги по специальному списку сыщика. Нагрузившись по самые уши, Элла решила срезать путь и выйти на нужную улицу через проходной двор. Во дворе было безлюдно и довольно мрачно. Она прошла всего несколько метров, когда услышала, как позади поскрипывает снег. Кто-то торопливо шел следом за ней. Или даже бежал. Элла хотела обернуться и посмотреть, кто ее догоняет, — и не успела. Единственное, что она успела — это дернуть головой, уклоняясь от резкого движения. Последовал удар, мир перевернулся, вздрогнул и зеркальными осколками посыпался в пустое небо.

* * *

Когда Элла пришла в себя, то увидела бритоголового бугая с совершенно зверской физиономией. Бугай навис над ней и сказал:

— Ты это... Типа... Того?

— Того... — проскрипела Элла, попыталась приподняться и с воплем уронила голову обратно в снег

— Ты это... — забеспокоился бритоголовый. — Шапку того... Надень.

Он добыл ее шапку, встряхнул и стал рассматривать. Элла стиснула зубы и приняла-таки вертикальное положение. Оказалось, что она сидит в сугробе все в том же проходном дворе. Рядом валяются высыпавшиеся из пакета книги. А слегка в сторонке лежит кирпич. Ничего особенного — обычный кирпич, если не считать того, что именно им Эллу угостили по голове.

— Это... — снова подал голос бритоголовый. — У тебя шапка вся измазанная. Гляди, вся в кирпичной крошке. А кирпич — вон он. Тебя, слышь, по башке звезданули!

— Ты это видел? — прокряхтела Элла, позволяя ему поднять себя за шиворот и поставить на ноги.

— Я?! — возмутился тот, будто бы она обвинила его бог знает в чем. — Я на тачке еду, а ты того... лежишь. Проехать нельзя никак. И я того... вышел.

Его тачка стояла неподалеку с распахнутой передней дверцей.

— Ты это... — сказала Элла. — Дверцу бы закрыл.

— Ага, — согласился бритоголовый, сбегал и закрыл дверцу. Потом снова возвратился к ней. — Тебе того... До дому далеко?

— Два шага.

— Тогда я того... довезу. Видать, тебя грабануть хотели. В менялке была? Там иногда баб пасут, чтоб, значит, сумку вырвать.

— Спасибо, — сказала Элла и побрела к машине, бросив в снегу все свое добро.

Больше всего у нее болело правое ухо, прямо огнем горело. Вероятно, от прямого удара ей все-таки удалось уклониться, а иначе бы все, кранты. Получить кирпичом по голове — это не шутка.

Элла влезла в машину и равнодушно наблюдала, как бритоголовый собирает ее вещи и рассовывает по пакетам.

— Чтиво твое того... — виновато сопя, объяснил он, засовывая пакеты в салон. — Накрылось. Может, тебя того... в больницу?

— Лучше домой, — попросила она. — Здание объедем и там один поворот направо.

Через пару минут они уже были на месте. Элла выбралась из машины, бритоголовый вылез вслед за ней и вытащил пакеты.

— Ты того... Сама дойдешь? — спросил он.

— Дойду, — пробормотала Элла и тут увидела Овсянникова.

Он шел по двору и насвистывал, засунув руки в карманы, будто ему семнадцать, а на улице весна.

— Привет! — весьма сдержанно сказал он, увидев свою новую секретаршу возле красного «БМВ» рядом с бугаем, стриженным под ноль. Отбросил челку назад нетерпеливым движением и спросил: — Ху из ит?

— Это мой однокурсник, — тут же нашлась Элла и наступила бугаю на ногу.

— Уй! — сказал тот, а Овсянников уточнил:

— Филолог?

Почувствовав холодок в его тоне, бугай торопливо полез за руль. Не то чтобы он испугался огромного лохматого типа с пристальными синими глазами. Просто он только что сделал доброе дело, гордился собой, и ему не хотелось портить впечатление. Элла тем временем наклонилась к окошку и с чувством сказала:

— Большое спасибо!

— Да ладно! — Бугай пожал плечами. — Ты это... Не того, лады?

— Лады, — сказала она и повернулась к Овсянникову, стараясь двигаться медленно и плавно. — У тебя все в порядке?

— А у тебя? — с любопытством спросил тот. — Вид такой, будто ты прямо от винного ларька.

— Я была в книжном магазине, — ответила заторможенная Элла, которая все еще переживала шок, но не слишком хорошо это понимала.

Овсянников заглянул в пакет, увидел мокрые книги, пересыпанные кусками льда, и полюбопытствовал:

— А продавцы что, книги пробивали, а потом прямо в снег выбрасывали?

— Продавцы тут ни при чем. Просто... Мы с ними поскользнулись и упали, — сообщила Элла.

— С кем, с продавцами?

— С книгами.

Естественно, она не собиралась рассказывать Овсянникову о нападении в проходном дворе. Как она все это объяснит? Он еще и решит, что ее ударили из-за того, что она теперь его секретарша. Он ведь не знает, кто она такая на самом деле! «Интересно, а тот человек, который бил, — неожиданно подумала Элла, — знал? Или не знал и это в самом деле неудавшееся ограбление?» Вероятно, преступник услышал шум мотора и вынужден был ретироваться. Элла почему-то думала, что он знал. Не может быть, чтобы у тебя убили мужа, ты взялась за расследование, а потом получила кирпичом по голове по чистой случайности.

— Надеюсь, ты не будешь водить мальчиков ко мне домой? — спросил Овсянников, раздеваясь. — Остальные мои поручения ты выполнила так же хорошо? — Он был раздосадован и стряхивал с книг растаявший снег прямо на линолеум.

— Водить не буду, поручения выполнила, — успокоила его Элла, проплывая в свою комнату.

— У тебя такой вид, словно тебя по голове ударили, — пробормотал он. — И макияж... сдох. — Она молча закрыла дверь, и Овсянников крикнул в нее: — На ужин будет пицца, я заказал!

Перед тем как выйти к ужину, Элле пришлось снова наложить на лицо грим и переделать прическу так, чтобы волосы закрывали уши. Правое ухо было вызывающе красным, и прямо над ним вздулась шишка.

— Астапова в городе! — сообщил Овсянников, когда она вышла и чинно уселась за стол.

— Откуда ты знаешь?

— У меня в милиции связи, — неопределенно ответил тот.

— Так ее что — поймали?

— Представь себе, нет! Но ее видели.

— Кто? — помертвела Элла, судорожно соображая, где и как она прокололась.

— Представляешь, эта милая дамочка заявилась в собственную квартиру как ни в чем не бывало! Потом еще имела наглость расспрашивать соседку!

— Это соседка на нее настучала?

— Не знаю, не знаю... Оперативники не выдают методов своей работы. Но не думаешь же ты, что они вообще оставили квартиру без присмотра. Наверное, кто-то там за ней наблюдает.

— Чего же ее не поймали, — постукивая зубами, поинтересовалась она.

— Наверное, не успели вовремя среагировать, она уже — фьюить! — и смылась. Сегодня утром ее сестрица открыла квартиру — а там...

— Что? — помертвела Элла.

— Жуткий погром! Все ящики вывернуты, вещи валяются на полу, с полок тоже все скинуто...

Элла не знала, что и думать. Портфель она искала аккуратно и уж точно не кидала вещи на пол. Значит, кто-то другой все перерыл. Тоже в поисках портфеля? Если менты присматривают за квартирой, что же они прошляпили того, кто там рылся? Да понятно! Они ловят конкретно ее, Эллу, — и баста.

— А милиции удалось узнать что-нибудь новое по делу? — осторожно спросила она.

— Кое-что. Например, у любовницы Астапова Нади стопроцентное алиби. Она с подругами занималась кройкой и шитьем. Нашлись посторонние свидетели. Так что у Астаповой все меньше и меньше шансов выйти сухой из воды. Хотя... Вся ее семейка в таком же положении. Алиби нет ни у одного из них! После того как Астапова сбежала с вечеринки, они все бросились врассыпную. Никто не знает, где был другой в то самое время, когда произошло убийство. И у каждого из них мог быть ключ от квартиры.

— А мотив?

— У них у всех был один и тот же мотив: Астапов оказался подлецом, и ему мстили. Мать могла отомстить за дочь, старшая сестра за младшую, Борис — за падчерицу и за то, что Астапов использовал его влияние в корыстных целях...

— А Поповский? Как его? — Она сделала вид, что припоминает: — Юрий? У него какой мотив? Что-то не верится, что тот же самый.

— Он всегда к Астаповой неровно дышал. Бросился защищать ее честь!

— Притянуто за уши! — отмахнулась Элла.

— Ну конечно! Ты просто всего не знаешь.

— Чего — всего? — насторожилась Элла.

— Мне тут Борька такую вещь рассказал... Примерно за месяц до убийства Поповский встретил Астапова возле банка и устроил на стоянке безобразную сцену.

— Поповский? — искренне изумилась Элла. — Безобразную сцену?

Это было невероятно! Юрий, который всегда отличался умеренностью и корректностью, который на службе слыл мастером компромиссов, устроил прямо на улице безобразную сцену?

— Они с Астаповым подрались. Да еще как! Чудом обошлось без кровопролития, потому что вмешались охранники.

— А в чем было дело? — спросила Элла, подозревая, что ответ ей не понравится.

— В Астаповой, конечно! Поповский категорически не желает говорить, из-за чего он затеял драку. Но вот Астапов, который не отличался особой щепетильностью, в тот же вечер позвонил Римме Поповской и сообщил, что ее муженек до сих пор сохнет по ее сестрице. И пусть-де она примет меры. Он не хочет, чтобы Поповский светился возле банка и портил ему репутацию.

— Очень странно, — пробормотала Элла, лихорадочно соображая, что такое случилось месяц назад. Ничего не вспомнив, она снова принялась за расспросы. — Но теперь, когда Астапова убили, Юрий просто обязан сказать, из-за чего была драка!

— Говорит, Астапов неуважительно отозвался о своей жене.

— Обо мне? — невольно воскликнула Элла. И, мгновенно спохватившись, выкрутилась: — Обо мне если кто-то говорит неуважительно, я просто плюю!

— Ну ты-то здесь при чем? — отмахнулся Овсянников.

— Слушай, а милиция подозревает кого-нибудь из семьи?

— Не знаю, не знаю. Однако следователь скрупулезно выяснил, кто что делал после исчезновения Эллы Астаповой и кто где был. Однако ни один из четверых не может предоставить другому алиби. Борька выскочил из дому и решил в гараж не ходить, время не тратить. Остановил левака и доехал с ним до дома Астаповых. Благо ехать не так уж далеко. И все оставшееся время болтался именно там, у этого самого дома. Звонил в дверь, стучал в нее кулаком, звонил по мобильнику, бегал по улице и отходил подальше, пытаясь разглядеть, не мелькнет ли силуэт в окне. В общем, с ума сходил.

— А его там кто-нибудь видел?

— Да видели, конечно! Но видели как? Эпизодически! Кто-то с собакой гулял, кто-то поздно возвращался домой. Так что теоретически Борька вполне мог войти в квартиру, убить Астапова, запереть дверь и потом продолжать суетиться возле подъезда.

— Ты в это веришь?

— Он ведь мой клиент! Поэтому такую версию я даже не рассматриваю.

— А Дана, мать Астаповой? — напряженно спросила Элла.

— Дана, мать Астаповой, взяла ключи и отправилась в гараж. И после этого каталась на машине по окрестностям. Так говорит она. ГАИ ее не останавливала, никаких происшествий на дороге с ней не случалось, так что свидетелей ее разъездов найти не удалось. Поэтому алиби у нее нет. Она тоже могла поехать к Астапову и приголубить его сковородкой. Лично я думаю, это очень жизнеспособная версия.

— Почему? — расстроилась Элла.

— Я тебе уже говорил. Борькино поведение кажется мне подозрительным. Я прямо чувствую, что у него внутри сидит какая-то бяка.

— Какая бяка? — опешила Элла.

— У меня, слава богу, есть опыт! — рубанул ладонью воздух Овсянников. — Я нутром чувствую, когда Борька что-то скрывает. Мы с ним все-таки друзья детства, а друзей детства видишь насквозь!

— И по-твоему, Борис что-то скрывает?

— Мне так кажется. С другой стороны, я не вижу в нем страха. Отсюда и делаю вывод, что убил не он. Но об убийстве тем не менее Борька что-то знает. Что-то такое, в чем он не признался милиции. А почему не признался? — продолжил он вслух логическую цепочку. — Потому что кого-то покрывает. Кого может покрывать Борька, ты уже догадалась.

— Свою жену?

— Естес-с-ственно! Представь себе — Дана садится в автомобиль и мчится к Астапову. То ли она приехала раньше Бориса, то ли Астапов Борису не открыл, а ей открыл, не знаю. Она входит, ссорится с ним, бьет его сковородой по голове и в панике убегает.

— А Борис, который видел, как она убегала, — продолжила Элла довольно мрачно, — не стал ее останавливать. Он вошел, увидел труп, запер дверь и вызвал милицию. Сковородку протирать не стал, потому что Дана была в перчатках. Вероятно, на сковородке прежде были отпечатки пальцев Эллы Астаповой, и своими перчатками она их только смазала.

— Ты сама видишь, насколько все это здорово звучит! — обрадовался Овсянников.

— Интересно, но почему тогда милиция не арестовала Дану по подозрению в убийстве?!

— Потому что против нее нет никаких улик и ничьих показаний. И кроме того, она осталась дома, а не бросилась в бега, как эта дура, ее младшая дочь!

— Значит, лично ты подозреваешь именно Дану? И мотив убийства самый что ни на есть заурядный. Как же тогда объяснить портфель, погром в квартире, женщину в длинном черном пальто и капюшоне, которая входила в квартиру, открыв дверь своим ключом?

— Не знаю! — раздраженно сказал Овсянников. — Милиции это удобнее всего. Она подозревает Эллу Астапову, и поэтому у нее нет никаких затыков. Кстати, со второй супружеской парой могло произойти что-либо подобное.

— В каком смысле?

— В том смысле, что Римма бросила телефон — тем более что по нему за всю ночь никто ни разу и не позвонил из нашей, так сказать, блуждающей тройки. Бросила и отправилась к Астапову. Она его пришила, а Поповский это видел. Или это видел Борис. Или они оба это видели.

— Может, они вообще все сговорились? Кто-нибудь из

них пришил Астапова и тут же рассказал об этом семье? И вся семья участвует в заговоре.

— Интересная теория! — похвалил Овсянников. — Но я бы не стал на нее ставить. Уж очень они все складно врут. Редко бывает, чтобы в одной семье оказалось четыре отличных актера и записных вруна. Ну, женщины ладно, они действительно могут обмануть какого-нибудь следователя. И Борька может — у него профессия соответствующая. Но Поповский! Поповский у них — самое слабое звено. Так что, возможно, сговор был, но он в нем не участвовал.

— А если это Поповский совершил убийство, а трое остальных его покрывают? — задумчиво спросила Элла.

— Вот найду Астапову, допрошу ее, и тогда мы вернемся к этому вопросу!

* * *

На следующее утро, едва сыщик вышел из квартиры, она бросилась к телефону и позвонила сестре.

— Твою квартиру разгромили! — немедленно сообщила та. — Милиция опять искала там отпечатки пальцев.

— Когда Игорь в вечер убийства пришел домой, у него с собой был какой-то портфель, — сообщила сестре Элла. — А потом портфель исчез. Может быть, кому-то этот портфель очень нужен и ищут как раз его?

— Ну да! — не поверила Римма. — У тебя там весь комод перерыли. Какой портфель в комоде, сама подумай? Такое впечатление, что искали деньги.

— В комоде? Ты что, смеешься? Пятьдесят рублей под стопкой носовых платков?

— Тогда не знаю, что искали. Может, это вообще акт вандализма!

— Послушай, ты должна мне сказать вот что. С какой стати месяц назад твой муж напал на моего мужа прямо перед банком?

— Откуда ты знаешь? — немедленно испугалась Римма.

— Мне это еще Астапов доложил, — соврала та. — Но в подробности отказался вдаваться. А в свете происходящих событий я хочу знать правду.

— Ты что же, всех своих родственников по очереди решила подозревать? — неожиданно рассердилась Римма. —

Сначала мать, потом меня, теперь моего мужа, да? Милые у тебя способы самозащиты! Мы все тут из-за тебя сна лишились, а ты только и думаешь, как бы спихнуть убийство с себя на нас!

Она закончила свою тираду почти поросячьим визгом и бросила трубку.

— Так, — пробормотала Элла и вопросительно посмотрела на трубку. — Интересно, что мне скажет сам Поповский?

Она немного подумала и поняла, что он ей ничего не скажет. Если уж он милиции ничего не сказал... Но попробовать стоит. Элла подошла к зеркалу и приподняла волосы. Ухо выглядело ужасно. Если бы нападавший не промахнулся и хрястнул кирпичом прямо по темечку, она вполне могла бы загнуться. Вполне. В конце концов, кирпич ничем не хуже чугунной сковородки. Ее тоже хотели убить? Заодно с Астаповым? Или потому, что она начала расследование и на что-то такое наткнулась?

— На что я наткнулась? — вслух спросила она себя. — Понятия не имею.

Теперь по улицам просто так не походишь! Нужно быть начеку. А Овсянников, как назло, уже вошел во вкус и надавал ей в три раза больше поручений, чем вчера. Миллион поездок по городу! Как, интересно, ей с этим быть?

Самое ужасное, что одним из пунктов в списке поручений оказалось посещение редакции ее родного журнала. Необходимо было передать конверт Шведову. Элла подозревала, что в конверте нет ничего, что имело бы отношение к профессиональной деятельности Овсянникова. Скорее всего, эти типы обмениваются какой-нибудь ерундой — марками с изображением Ленина или использованными телефонными картами, которые, говорят, очень любит коллекционировать сильный пол. Как она появится в редакции, когда ее знает в офисном здании каждая собака! И охрану на входе наверняка предупредили на ее счет.

Она позвонила Шведову и сказала:

— Дим, давай ты сам приедешь за конвертом. Или встретимся где-нибудь!

— Ну... — затянул ленивый Шведов. — Ты можешь войти в здание с черного хода и подняться в грузовом лифте. Тебя никто и не увидит.

— А если увидит? Ты для того мне помогал, чтобы я так по-глупому попалась?

— Ладно-ладно, — тут же сдался Шведов. — Давай встретимся во время ленча в кафе «Старая липа».

— И когда же у тебя ленч? — насмешливо спросила Элла.

— В полдень.

— Как в пионерском лагере. Дим, меня вчера чуть не убили, — без перехода сообщила она.

Шведов поперхнулся и шепотом спросил:

— Что-о? Убили? Тебя?

— Чуть не убили.

— Как? — Судя по всему, у шефа пересохло в горле.

— Дали кирпичом по башке. В подворотне. Даже не знаю, что теперь делать.

— В мили... — начал тот и тут же прикусил язык. — А Овсянников в курсе?

— Ты что! Как я ему расскажу? И что он может подумать? Он подумает, что стукнули по голове твою племянницу, Бэллу... Кстати, как моя фамилия? Шведова?

— Нет, ты что! — испугался Дима. — У меня сестра, а не брат. Жека об этом знает. Ты, получается, дочь моей сестры — Бэлла Гаптержакова!

— Гаптер — кто? — простонала та.

— Гаптержакова. Заучи, дурочка. Фамилия богатая, ее надо произносить с чувством. А ты уверена, что тебя хотели именно убить?

— Дим, я не знаю, чего они хотели, но меня треснули кирпичом. Хорошо, я успела увернуться, а то бы все — поминай как звали!

— Мне это не нравится, — задумчиво сказал Шведов.

— Мне тем более не нравится!

— Знаешь что? Не ходи по городу пешком. Возьми тачку. И не какую-то там с улицы, а по телефону закажи.

— Да я разорюсь!

— Лучше быть бедной, но живой, чем богатой и — сама понимаешь.

Элла положила трубку, оделась, собрала все, что было необходимо раздать и отправить по почте, и тут поняла, что боится выйти на улицу. Боится до ужаса, до тошноты. Что, если сегодня кирпич швырнут в нее издалека? Или он сва-

лится ей на голову с крыши подъезда? Да мало ли способов
прикончить человека!

Она вызвала такси и, когда диспетчер сообщил, что машина приехала, на ватных ногах вышла из квартиры. В ту же
самую секунду черная фигура метнулась по лестнице вниз,
грохоча по ступенькам, словно тележка с углем. Элла мигом
забыла о своих страхах и, выдернув из замка ключ, бросилась следом. Дверь подъезда хлопнула прямо перед ее носом. Она толкнула ее плечом и вывалилась во двор. По двору мимо детской площадки мчалась какая-то девица в длинном черном пальто и с капюшоном на голове!

Крикнув шоферу: «Ждите меня здесь», Элла пронеслась
мимо, развив космическую скорость. Девица выскочила из-
под арки, заметалась — куда броситься: направо или налево? Потом выбрала — направо, и нырнула в продуктовый
магазин. Элла настигла ее в самом дальнем углу возле полки
с овсяными хлопьями, схватила за хлястик и вырвала его с
мясом.

— Ты чего? — взвизгнула девица и обернулась.

Элла видела ее в первый раз. Девица была черной масти,
с раскосыми глазами и подбородком, острым, как мыс Горн.

— Ты хотела меня убить? — прошипела Элла, исходя ненавистью, как пончик кулинарным жиром. — Признавайся,
гадина!

— Это была шутка! — воскликнула девица и попятилась, потому что Элла нашарила за спиной бутылку с кетчупом и выставила ее вперед.

— Ну ни фига себе шутки! — хохотнула она и переложила кетчуп в другую руку.

— Девочки, вы что? — спросил какой-то дядька, резво
разворачивая тележку в сторону кассы.

— Иди отсюда, папаша, а то тоже получишь по чайни-
ку! — запальчиво сказала Элла.

— Что значит — тоже? — испугалась девица. — Что это
ты задумала? Надеюсь, ты не собираешься бить об меня бутылки?

— Тебе, значит, меня кирпичом по башке можно, а мне
тебя кетчупом нельзя?

— Каким кирпичом?! — Девица растопырила пальцы,
унизанные массивными кольцами, которые вполне можно
было рассматривать как груз для тренировки мышц плече-

вого пояса. — Я просто сказала: «Я ее убью!» Это всего лишь треп! Из-за мужика и не такое скажешь!

— Подожди-подожди, — нахмурилась Элла. — Из-за какого мужика?

— Из-за моего мужа, конечно! Из-за Жеки!

— Блин! — с чувством сказала Элла и осторожно поставила кетчуп на место. — Как тебя зовут?

— Оксана.

— Вроде бы Жека — бывший твой муж?

— Ну и что? Но ведь муж же!

— Логично, — кивнула Элла. — Пальтишко новое или как?

— У меня? — Девица с недоумением оглядела свое пальто. — Старое, а что?

— Подкладку покажи.

Девица торопливо расстегнулась и показала подкладку.

— Я не думала, что ты секретарша, — принялась объяснять она. — Я думала, ты его пассия.

— Пассий не заставляют таскать на горбу бандероли, — буркнула Элла. — Значит, это не ты за мной охотилась в проходном дворе? С кирпичом?

Оксана сглотнула и энергично покачала головой, что, мол, нет, не она.

— А от Овсянникова тебе что надо?

— Хочу, чтобы он взял меня назад.

Элла немного подумала, потом спросила:

— А вторая жена тоже хочет, чтобы он взял ее назад?

— Наташка? Тоже. Но ей лучше — у нее ребенок, и Овсянников постоянно с ней общается, потому что она мать.

— Ты что, тоже хочешь стать матерью?

— Нет, не то чтобы сразу матерью... Скорее, меня интересует сам процесс.

— С ума сойти! — пробормотала Элла и громко добавила: — Ну что ж? Пожалуй, я побегу. И впредь советую тебе не показываться мне на глаза в этом своем пальто. У меня аллергическая реакция как раз на такие пальто.

Она вручила Оксане хлястик и вышла из магазина. Шофер спал, откинув голову назад и разинув рот. Элла попыталась его разбудить, но это ей не удалось. Она бегала вокруг машины, прислонялась к стеклу носом и скребла по нему ногтями.

— Если мужик не хочет тебя с собой брать, — сочувственно сказал какой-то датый тип, выгуливающий без поводка овчарку размером с детскую коляску, — не унижайся.

Элла плюнула на землю и пнула колесо ногой. В тот же миг шофер очнулся и посмотрел на нее осоловевшими глазами.

— И ведь он заставит меня платить за простой! — возмутилась она и попыталась открыть дверь. Когда та не поддалась, она рванула ее на себя двумя руками и завопила:

— Ну помогите же мне!

— Что-то вы такая нервная, — обиженно сказал шофер и, дождавшись, пока она усядется, повернул ключ в замке зажигания.

Глава 7

Дима Шведов в коричневой дубленке, сером костюме и малиновом галстуке смотрелся в забегаловке, облюбованной старыми девами из районной библиотеки, столь же импозантно, как индюк среди кур.

— Здесь очень вкусный ирландский кофе, — оправдался он и разорвал конверт, который Элла ему доставила. — Значит, говоришь, тебя стукнули по голове? Может быть, хотели отнять сумочку?

— Ты сам в это веришь?

— Почему бы нет? Пошлых преступлений нынче не меньше, чем всех остальных. Ограбить женщину на улице — что может быть бездарнее? Ты давно была на рынке в выходной день? Видела, что там творится? Толпы народу, побирушки, охранники, инвалиды на колясках, ветераны, поющие хором, жареные куры, стельки для сапог и турецкое мыло вперемешку с китайской лапшой. Это ж сущий нэп! Неудивительно, что тебя треснули по голове кирпичом в надежде отобрать сотню деревянных. — Он сунул нос в записку, которую обнаружил в конверте, и воскликнул: — Ого!

— Он там про меня что-нибудь пишет? — всполошилась Элла.

— Отнюдь. Я тебе, конечно, скажу, потому что ты лицо заинтересованное. Он пишет, кто у него на сегодняшний день главный подозреваемый.

— В убийстве Игоря?

— Ну да.

— И кто же? — напрягшись, спросила Элла. Она ожидала услышать все, что угодно, в том числе и имя собственной матери. Однако то, что услышала, заставило ее вытаращить глаза.

— Никита, — развел руками Шведов. — Наш Никита Шаталов.

— Да это просто бред! — рассердилась Элла. — Какой Никита Шаталов? Откуда он взял Никиту? Что за дерьмо?

— Ты, Астапова, давай не ори, — сердито сказал Дима. — Привлекаешь к себе лишнее внимание.

— Я не Астапова, а Лапсердакова! — рявкнула та.

— Гаптержакова! — Он тотчас оскорбился за сестру. — Не так уж трудно запомнить. А Никиту Жека не просто так подозревает, душа моя! Никита тут у нас такие номера откалывает, чисто Копперфильд. Это из-за него Катька Бурцева такая несчастная-несчастная.

— Подожди-подожди, Дим, — Элла сжала пальцами виски. — Я что-то совсем ничего не понимаю. Каким образом наш безобидный толстяк попал под подозрение в убийстве моего мужа?! У них не было ничего общего! Они едва знали друг друга!

— Ну конечно! Много ты понимаешь! — противным голосом сказал Шведов. — Они прекрасно знали друг друга, у них было кое-что общее, и Никита уже никакой не толстяк.

— Так, — Элла выставила вперед указательный палец. — А теперь еще раз, но по порядку и в два раза медленнее. Пункт первый — они прекрасно знали друг друга. Что это значит?

— Не знаю, насколько прекрасно, — пошел на попятный Шведов, — но это не помешало им устроить прилюдную драку.

— Какую драку? — растерялась Элла.

— Что ты меня все время переспрашиваешь? Какую драку! Жестокую. Они дрались, как два Терминатора. Сам я не видел, правда, но мне рассказывали.

— А почему мне не рассказывали?

— Почему-почему? Потому что из-за тебя дрались!

— И эти из-за меня? — не поверила Элла. И снова повысила голос: — Да такого просто не может быть! Это какая-то глупая ошибка! По-твоему, получается, что мой интеллигентный муж дрался со всеми подряд, словно какой-то австралопитек?! Да еще якобы из-за меня! Тогда как он меня не любил, мне изменял и я была ему до лампочки!

— Ну, не знаю, — раздраженно сказал Шведов. — Может быть, они все играли на собачьих бегах и не поделили деньги. А потом прикрыли конфликт твоим именем!

— Я не Клара Цеткин, чтобы что-нибудь прикрывать моим именем! — возмутилась Элла. — Давай выкладывай, что там накопал Овсянников.

— Ладно, — пожал плечами Шведов. — Я и так хотел все тебе рассказать, но ты разоралась, как прораб. Ешь булочку. Ты в последнее время в Никите что-нибудь странное замечала?

— Да нет.

— Он весь какой-то с лица сошедший. Оказывается, три недели назад он начал худеть. Это еще за неделю до того, как ты ушла в подполье. Видала бы ты его сейчас! У него заострился подбородок и пропали эти младенческие ямочки на руках. Если так будет продолжаться и дальше, через месяц он сможет рекламировать какую-нибудь добавку для похудания.

— И что? — раздраженно спросила Элла. — При чем здесь убийство моего мужа?

— Ну, пошевели мозгой, Астапова! Он дрался из-за тебя, он худеет из-за тебя... И вот тут Жека мне пишет, что у Шаталова нет алиби. И он подозрительно себя ведет.

— Так. Давай вернемся к драке. С чего все началось?

— Тебя тогда на работе не было, а Астапов этого не знал. Заехал он, значит, хотел пригласить тебя пообедать. Не знаю, как оно вышло, но Астапов увидел твои фотографии у Никиты на столе. Спросил, какого черта ему понадобились фотографии его жены. Никита ему нагрубил, и они стали толкаться. Потом кто-то кому-то ударил по ребрам — и понеслось. Они выкатились в коридор и катались там клубком, как два мартовских кота в битве за чердак.

Ну... Тогда-то никто ничего такого не подумал. Мы с коллегами решили, что у Никиты твои фотографии оказались случайно, а драться он с Астаповым начал просто потому, что тот ему нагрубил. Но сейчас все стало на свои места. Никита признался Катерине, что худеть решил ради того, чтобы понравиться женщине. Она спросила, ты, мол, толь-

ко что с ней познакомился? И он ответил, что нет, они знакомы давно, только до последнего момента она была замужем. А сейчас свободна, и у него появилась надежда. Ясно
же, кого он имел в виду!

— Он врет, — уверенно заявила Элла и хлопнула ладонями по столу, подчеркивая свою уверенность. — Могу поспорить на платье от Версаче, что я никогда в жизни не нравилась Никите Шаталову. Ни в виде чужой жены, ни в виде
вдовы.

— Ладно, — пожал плечами Шведов. — Я донесу твое
мнение до Овсянникова. А то он уже оживился, думает, что
нашел отличную кандитуру на роль убийцы.

— Кстати, ты не договорил. Почему Катя Бурцева в таком ужасном состоянии?

— Да потому, что она влюблена в этого идиота!

— В Никиту? Кто тебе это сказал?!

— Она сама и сказала. Я вообще у членов своего коллек-
тива в последнее время работаю жилеткой. Вместо того чтобы делать журнал, вы влюбляетесь, деретесь, живете в шка-
фах и скрываетесь от милиции. А папа Дима все это кушай с
маслом!

Он обиженно засопел и капнул на галстук кофе с края
чашки.

— А почему Овсянников мне ничего не сказал о своих
подозрениях? — спросила Элла. — Мы же с ним договорились, что он не будет скрывать от меня ход расследования.
А сам скрывает!

— Что ты хочешь? Он сыщик! А сыщик совершенно от-
кровенен только с тем лицом, которое он по утрам бреет.

— Дим, ну раз ты такой кладезь информации, скажи, зачем Никите Шаталову придумывать байку о том, что он в
меня влюблен, а? Понятно, за что дрался Астапов — по сути, за место под солнцем. Сейчас уже совершенно ясно, что
я была для него золотым ключиком в мир больших началь-
ников. Он не хотел этот ключик потерять. Но за что дрался
Никита?

— Овсянников в этой записке как раз просит меня попытаться разузнать о нем побольше. Хотя как я разузнаю?
Если Никита прикукнул твоего мужа, то он сейчас правды
никому не скажет, а?

— Естественно. Нечего и пытаться. Кстати, вопрос на

засыпку — почему твой приятель Жека тебе просто не позвонил, а отправил меня с донесением?

— Не знаю, но догадываюсь. Мне кажется, — он понизил голос, — что у Жеки не набирается столько работы, чтобы хватило на целую секретаршу. Он понимает, что погорячился, и выдумывает для тебя всякие задания, чтобы не ударить в грязь лицом.

— Теперь, когда на меня охотятся, шляться по городу, чтобы удовлетворить его тщеславие, мне как-то не светит

— Попробуй оказать на него влияние. Как женщина.

— Я не могу! — с искренним сожалением ляпнула Элла. — У меня шрам на коленке и родимое пятно на плече. Если я начну с ним общаться как женщина, он меня сразу опознает.

Шведов немножко подумал и посочувствовал:

— Да, Астапова, ты в чертовски сложном положении.

* * *

Вечером Элла наметила себе следующее: подстеречь отчима возле банка и поговорить с ним с глазу на глаз. Во-первых, она попытается убедить его в том, чтобы он прекратил ее искать. И во-вторых, вслух выскажет ему версию о семейном сговоре. Что-то он скажет? Овсянников убежден, что Борис утаивает какую-то важную информацию. Она, Элла, пользуясь своим влиянием на отчима, попробует эту информацию из него выжать. В конце концов, если вся семья в сговоре, почему она в этом не участвует?!

Ровно в семь вечера из банка начали выходить сотрудники. Элла спряталась за газетный киоск и спокойно наблюдала оттуда за входом. Стоянка была как раз напротив киоска, и Борис никак не мог проскочить мимо нее.

Однако напрасно она благодушествовала! После десяти минут ожидания Борис появился на улице в своей элегантной дубленке, со слегка вздернутым подбородком — символом собственного могущества. Однако вместо того, чтобы отправиться на стоянку машин, он зачем-то свернул совершенно в другую сторону.

Элла, чертыхаясь, выбралась из своего убежища и потрусила следом. Может быть, у него прохудилась обувь и он собирается купить новую пару в магазине за углом? Но нет — Борис прямым ходом направлялся не куда-нибудь, а к метро. Это было уже совсем непонятно! И вот еще что странно — в руке у него был обыкновенный пластиковый пакет, а не привычный «дипломат».

Нырнув за ним в подземный переход, Элла все еще надеялась, что отклонение от привычного маршрута — всего лишь случайность. Возможно, Борис решил спуститься в подземный переход, чтобы купить видеофильм в киоске — хочет перед сном отвлечься от всего происходящего, или, допустим, новую музыку, чтобы не скучно было ехать в автомобиле.

Однако вместо этого Борис прямым ходом направился к кассам метрополитена и купил билет на две поездки — Элла слышала, потому что подкралась совсем близко. Достала из кармана свой проездной и просочилась через турникеты. Бояться, что Борис ее обнаружит, не стоило — он не суетился и не оглядывался, но был чрезвычайно сосредоточен. «Интересно, куда же это его несет?» — подумала Элла с оттенком ревности. После того как она узнала о подлой измене Астапова, у нее не осталось никаких иллюзий относительно мужчин. А вдруг у Бориса тоже рыльце в пушку? Вдруг он изменяет ее матери? В конце концов, он младше Даны на восемь лет — еще весьма молод, хорошо обеспечен и весьма привлекателен.

Эллу так подогрела эта мысль, что она ни за что бы не упустила теперь Бориса, даже если бы он стал бегать по платформе зигзагами. Однако обошлось без эксцессов — Элла спокойно вошла в соседний вагон и через стекло наблюдала за отчимом, который всю дорогу рассматривал рекламы на стенах. Они проехали несколько остановок и гуськом пошли к эскалатору. «Только бы он не стал ловить машину наверху!» — мысленно взмолилась Элла.

Он и не стал. Он продолжал продвигаться к своей неведомой цели пешком, что Эллу невероятно удивляло. Даже когда у него ломался личный автомобиль, он не унижался до метро, а ездил на такси. Толкнув стеклянные двери на улицу, Борис сунул руку в карман дубленки и, добыв оттуда что-то розовое, быстро выбросил в урну. Проходя мимо этой урны, Элла мельком заглянула внутрь, но там оказалось слишком много мусора, чтобы так, с ходу, определить, от чего конкретно отчим избавился. Это «что-то» полетело вниз весьма быстро, вероятно, было довольно тяжелым.

Останавливаться и копаться в мусоре было некогда. Борис довольно резво обогнул шеренгу торговых павильончиков и направился к серому «Москвичу», притулившемуся возле входа в магазин «Игрушки». И тут замедлил ход. Элла перебежала в более удобное для наблюдения место и увидела, как ее отчим открыл дверцу и влез на переднее сиденье. За рулем сидел какой-то мужчина, которого она издали не могла как следует рассмотреть. Она достала из сумочки ручку и торопливо записала номер «Москвича» на обратной стороне проездного билета.

Вместо того чтобы умчаться в неизвестном направлении, «Москвич» вяло рыкнул мотором, отворилась дверца и выплюнула ее отчима на тротуар. Элла сразу обратила внимание, что в руках у Бориса больше ничего нет. Вероятно, пакет остался внутри. Он что-то передал тому типу за рулем и теперь, судя по всему, едет обратно.

Элла колебалась. Или ехать за Борисом и приводить свой план в исполнение — выжимать из него сведения относительно той ночи, когда убили Астапова, или остаться и опустошить урну. Она остановилась на втором варианте. Если Борису есть что скрывать, он непременно скроет. А она упустит возможность узнать о нем что-нибудь «горяченькое». Конечно, отчим мог выбросить какую-нибудь ненужную бумажку — что еще может заваляться в кармане у вице-президента банка? Но уж больно стремительно эта бумажка спикировала вниз.

Элла понятия не имела, с какого боку подступиться к урне. Покрутила головой по сторонам и, заметив лоточек с хозяйственными товарами, поспешила к нему.

— У вас есть резиновые перчатки? — изнемогая от волнения, спросила она толстую тетку в таких огромных валенках, что в них, казалось, можно загрузиться только при помощи подъемного крана — с воздуха.

— Импортные, дорогие! — ответила та и так неприязненно посмотрела на Эллу, будто та была плохо одета и никак не потянула бы импортные перчатки.

— Дайте пару, — жадно сказала Элла. — И вон ту щетку на длинной ручке.

Сделав покупку, она зубами разорвала упаковку и натя-

нула перчатки на руки. Потом со щеткой наперевес двинулась к урне и, наклонившись, запустила туда ищущую руку.
Вытащила обгрызенный пирожок в бумажке, кулек шелухи
от семечек, пригоршню окурков и бумажный бант, какими
украшают подарочные упаковки. Все это добро она раскла-
дывала на асфальте, стараясь не обращать внимания на людей, которые сплошным потоком шли из метро. Она надеялась, что перчатки и щетка покажут всем, что она не бомжи-
ха какая-нибудь, а уборщица.

Неожиданно к ней подошла приличного вида женщина
в длинном пальто, с кокетливой сумочкой на локте и, приветливо улыбаясь, спросила:

— Простите, что вы тут ищите? Я видела, что вы приехали на метро, купили перчатки, щетку...

Элла разогнулась, мотнула головой, отбрасывая выбившиеся из-под шапки волосы, и охотно ответила:

— Да вот, часики уронила. Выбрасывала билетик, а часики соскользнули с руки и прямо в урну упали.

Женщина, все так же приветливо улыбаясь, начала на-
двигаться на нее.

— А ну, пошла отсюда! — негромко сказала она и коленкой сильно ударила Эллу по ее хрупкому филологическому
мослу. — Катись, пока я тебе очки в глаза не вдавила!

— Ай! — взвыла Элла, и тогда незнакомка изо всех сил
пихнула ее рукой в живот. Элла отлетела назад и впечаталась
в стену станции метрополитена.

— Это моя территория! — сообщила нахалка, выпятив
грудь. — И урны тут мои! И весь мусор в урнах — мой!

Элла растерянно огляделась по сторонам. Уж кому-ко-
му, а ей в ее положении затевать драку не стоило. Она сняла
резиновые перчатки и сунула их в карман. Щетку положила
на землю. Посмотрела сначала на женщину, потом на урну.
Урна была не монументальной, не фарфоровой, с крошечной дырочкой в середине, а самой банальной жестянкой.
Стояла она как-то криво, и Элла понадеялась, что дно не
вмерзло в снег насмерть.

— Шухер! — сдавленно крикнула она. — Мент!

И кивнула головой в сторону. Напавшая на нее женщина немедленно обернулась, а Элла сделала молниеносный
бросок, схватила урну — благо та все-таки не примерзла! —
и бросилась бежать. Вспомнив, что проездной билет лежит

у нее в кармане, врезалась в толпу, которая входила в стеклянные двери, и нырнула в метро. Урну она держала перед собой двумя руками. Потом перехватила ее в одну руку и, помахав проездным, ринулась в проход.

— Гражданка! Вы куда? — тотчас же подскочила к ней бдительная работница метрополитена. — Вы не можете пройти с урной в метро!

— Почему? — спросила Элла, кося глазом назад и радуясь, что ее никто не преследует. — Где написано, что пассажир не имеет права иметь при себе урну?

— Нигде не написано, но я вам говорю, что нельзя!

— Это вы сами только что придумали! — обвинила ее Элла. — Если бы было нельзя, в правилах бы написали!

— В правилах не написали, потому что это никому в голову не пришло!

— Если правила писали люди, у которых не хватило мозгов вспомнить про урны, то это ваши проблемы, метрополитеновские, а не мои! Я пойду на прием в прокуратуру и докажу, что урна — все равно что другая ручная кладь!

— А что, что у вас в урне? — не желала сдаваться бдительная тетенька.

— Прах, — гордо ответила Элла. — Моего прадедушки.

— Но урна слишком большая!

— Прадедушка тоже был не маленький! — важно возразила Элла. — Вы же его никогда не видели!

Из уважения к чужому праху тетенька уже готова была отступить, но не знала, как это сделать, не потеряв при этом профессионального достоинства.

— А почему прах вашего прадедушки так отвратительно пахнет?

— Он умер от отравления, — быстро сказала Элла. — Это ядовитые миазмы.

— Так вы бы прикрыли чем-нибудь свою урну!

— Когда спущусь на платформу, я ее шарфиком перевяжу! — пообещала Элла и гордо прошествовала к эскалатору.

Пассажиры косились на нее, а те, что ехали к выходу вверх, даже выворачивали головы, чтобы посмотреть на этакое диво подольше. Урна действительно отвратительно пахла, и Элла, дойдя до стены со скульптурной композицией, поставила ее на пол и сунула туда нос. Увидев нечто розовое, быстренько достала из кармана резиновую перчатку и, надев ее, извлекла это розовое нечто на свет божий. Это оказался конверт с чем-то тяжеленьким внутри. Конверт сначала аккуратно заклеили, а потом скомкали в кулаке. К тому же он не был подписан.

Одним движением Элла разорвала бумагу, и на ладони у нее оказался ключ на плоском брелке-замочке. Ключ она опознала сразу — он был от ее собственной квартиры.

Элла бросила резиновые перчатки и конверт в урну, положила ключ в карман и поехала домой. Мысли кувыркались в ее голове, словно цирковые акробаты. У Бориса был ключ! Был. И он от него избавился. Значит, он для Бориса опасен, ему есть что скрывать!

— Дима! — сказала она, позвонив Шведову уже из дому. — Мне нужно установить имя и адрес владельца по номеру машины. Это сложно сделать?

— Очень просто! Жека тебе на раз скажет имя и адрес. Ты его попроси.

— Но я не могу! Это такое конфиденциальное дело, которое касается меня как Эллы Астаповой.

— Н-да? — задумчиво переспросил Шведов.

— Дим, придумай что-нибудь!

— Ну, хорошо, диктуй номер машины.

Элла быстро продиктовала номер и стала ждать результатов. По ходу дела она запекла в духовке картошку, перемешанную с пакетом замороженных шампиньонов, и съела половину противня. Вторую половину честно оставила хозяину квартиры. Когда тот явился домой, картошка подняла ему настроение.

— Пока я буду есть, — сказал он, — позвони своему дяде, — он достал из кармана листок бумаги, — и продиктуй ему эти сведения. Сегодня твою тетю подвозил какой-то «Москвич», и она забыла в нем сумочку с рукоделием. Я узнал, кто шофер, его адрес и телефон. Твой дядя хочет позвонить и предложить выкуп.

— За сумочку?

— Я ему сказал, что он кретин, но он продолжал настаивать.

— Он очень любит тетю Веру, — прочувствованно сказала Элла. — Я ему немедленно позвоню и все передам.

— Не особенно его обнадеживай, — произнес Овсянников, сладостно чавкнув. — Я уже звонил этому типу, он заявил, что никого не подвозил и сумочки с рукоделием у него нет.

— Негодяй! — возмутилась Элла. — Что теперь будет с тетей Верой?

— Я тоже об этом подумал, — сообщил сыщик. — И решил облегчить твоему идиотскому дяде жизнь. Я узнал, где этот тип работает. Пусть Димыч звонит ему завтра прямо на службу. Если тот упрется — я подключусь.

— Спасибо! Спасибо! — горячо поблагодарила его Элла.

— Ты тоже очень любишь тетю Веру? — поинтересовался Овсянников. — Интересно, что это за рукоделие такое, за которое стоит еще и деньги платить? Как-то все это странно...

— Тетя Вера вышивает крестиком портрет нашего президента, — торжественно сказала Элла. — Она хочет послать его бандеролью в Кремль к Новому году.

Овсянников подавился грибом и, прокашлявшись, выдавил из себя:

— Похвальная инициатива.

— Вожди должны знать, как к ним относятся простые люди! — провозгласила Элла и удалилась в свою комнату.

Там она принялась изучать то, что попало к ней в руки. Владельца «Москвича» звали Альбертом Илларионовичем Дундиловым. Альберт Илларионович проживал и работал в районе метро «Рижская», и Элла решила, что с раннего утра нанесет ему визит.

* * *

Дундилов оказался директором крохотного магазина «Канцтовары».

— Альберт Илларионович приедет через десять минут, — сообщила представительная дама, сидевшая в его кабинете с телефонной трубкой в руке.

— Я по важному делу, — сурово сказала Элла. — Это связано с государственными интересами страны.

— Да-а? — Дама сделала большие глаза.

— Можно я вашего директора здесь подожду? А то на улице холодно.

Дама разрешила, а сама принялась обзванивать какие-то базы и ругаться с разными людьми. Потом ее позвали из подсобки, она извинилась и убежала, выстукивая замысловатый ритм подкованными сапогами.

Элла немедленно направилась к столу Дундилова с целью обследовать ящики, но там не оказалось ничего интересного. Она уже хотела было ретироваться и снова сесть на свой стул, как вдруг заметила, что под второй тумбой, возле самого пола есть еще один ящик — и он слегка приоткрыт. Она опустилась на корточки и потянула ящик на себя. Он пошел с трудом и оказался жутко тяжелым, металлическим.

Элле пришлось встать на колени, чтобы с ним справиться. В ящике — увы! — обнаружились обыкновенные печати.

— Альберт Илларионович! Сразу же позвоните Сергиенко! — послышался где-то в глубине коридора женский голос.

А мужской ответил прямо за дверью:

— Понял, понял! Сейчас позвоню.

Элла со всего маху захлопнула ящик с печатями. Тот клацнул и защелкнулся, прихватив своей металлической пастью кусок Эллиной юбки.

— Черт! — прошипела она, и тут Дундилов вошел в кабинет.

Она смутно себе представляла, как будет оправдываться. И уже начала сочинять какую-то глупую историю о закатившейся под стол сережке, когда увидела директора. Вместо того чтобы сразу же пройти к своему рабочему месту, одетый в ворсистое пальто Альберт Илларионович ринулся к маленькому сейфу в стене и поспешно его открыл. Потом достал из-за пазухи свернутый в несколько раз пакет и засунул его глубоко в сейфовые недра.

Элла сразу узнала этот яркий пакет — именно с ним Борис вышел вчера из банка, с ним сел в «Москвич» Альберта Илларионовича. А вылез уже без него. Можно было рискнуть и взять Дундилова на понт, но прищемленная юбка не давала возможности подняться в полный рост. Кроме того, чтобы нападать, на руках надо иметь хоть какие-то козыри. Пока Дундилов, деловито посапывая, снимал и вешал пальто, Элла протянула руку, вытащила из подставки с ручками нож для разрезания бумаги и, нажав на рычажок, выпустила острое, как бритва, лезвие. Послышался характерный скрежещущий звук, и Дундилов тотчас же подпрыгнул на месте. Потом повернулся и, сделав два пугливых шажка, увидел

Эллу, затаившуюся под столом, с ножом в руке и напряженной физиономией.

— Вы что? — вскрикнул директор, и лоб его как-то сразу, в одну секунду покрылся большими трясущимися каплями пота. — Вы зачем здесь, а?

— Пакет отдай! — тихо приказала Элла. Тихо она говорила потому, что у нее от страха пропал голос. Однако на деле получилось очень зловеще.

Дундилов неожиданно наклонился, схватил решетчатую корзинку для мусора и метнул в Эллу. Глаз у него оказался метким, и корзинка, перевернувшись в воздухе, наделась Элле на голову, точно шлем.

— Вот тебе! — пискнул Дундилов и закричал: — Вера!

Элла поняла, что сначала будет Вера, а потом — милиция. Нацелила лезвие на юбку и, отхватив кусок ткани и освободившись, в два прыжка подскочила к директору. И приставила свое оружие к его пузу. Дундилов был похож на грызуна — маленький, кругленький, с выдающимися передними зубами и глазками-бусинками.

— Молчи, предатель родины! — приказала Элла, решив не снимать с головы корзину в целях маскировки. — Все это время за тобой следили. Ты что же, подумал, что можешь забрать *это* себе?! — Она рассмеялась, и корзинка, сквозь дырочки которой она смотрела на директора, мелко затряслась.

— Что — это? — Дундилов оглянулся на дверь, и Элла нажала острием ножа на брючную пуговицу.

— Отдай мне пакет. Его содержимое помечено, и как бы ты ни трудился, тебе не уйти от возмездия.

— От ка-ка-кого возмездия? — пропыхтел несчастный директор. — Заберите его, пожалуйста! Я свалял дурака, признаю. Но я не шантажист!

Элла мгновенно смекнула, в чем дело. Этот тип шантажировал ее отчима!

— Борис Михальченко — вражеский резидент, — тотчас сказала она. — Что вы обещали ему за то, что он вам передал?

Услышав ужасное слово, которое было знакомо ему по фильмам советских времен, Дундилов струсил по-настоящему. Он уже открыл рот, чтобы попросить пощады, когда в коридоре раздался дробный топот, дверь в его кабинет распахнулась и давешняя дама появилась на пороге. Увидев Эллу с корзинкой на голове, она попятилась и пробормотала:

— О, господи!

— Вера! — крикнул Дундилов умирающим голосом.

— Вера! — тотчас же повторила его крик Элла и сильнее нажала на пуговицу кончиком ножа.

Дундилов превратился в скульптуру, вырубленную изо льда. Вера ножа не видела, поэтому можно было еще как-то выкрутиться. Свободной рукой Элла сняла с головы корзинку и пояснила:

— Глава президентской администрации желает, чтобы все его секретари были обеспечены такими вот корзинками для бумаг. Мы с Альбертом Илларионовичем проверяем их благонадежность. И снаружи, и изнутри. Вы, конечно, понимаете?

Вера истово закивала, тряся вторым подбородком.

— Идите, — приказала Элла и пошевелила пуговицу. Дундилов тоже сказал:

— Идите.

Вера закрыла за собой дверь и убралась, процокав подобострастное: «дук-дук-дук».

— Послушай, киса, — мягко начала Элла, которая после этой сцены совсем перестала трусить. — Вчера вечером к тебе в «Москвич» подсел Борис Михальченко с пакетом, который ты только что принес за пазухой и спрятал в сейф. Дома у тебя, вероятно, нет сейфа, да?

Капли на лбу директора созрели окончательно и посыпались вниз. Весь урожай попал на его же собственные ботинки.

— Так что у тебя за отношения с резидентом Михальченко?

— Я не знал, что он — резидент! — выпалил директор. — Я думал, что он просто тип, который убил своего родственника.

«Вот черт! — вздрогнула Элла. — Кажется, сейчас я узнаю про отчима нечто ужасное».

— Один раз ночью я его подвозил, — пропыхтел Дундилов. — Он был такой... нервный. А потом, когда я доставил его по назначению, то не уехал, а остановился за углом дома. Я был вынужден! — тотчас добавил он. — У меня что-то случилось с мотором. Я подумал: надо догнать этого парня и попроситься позвонить по его телефону. К кому еще я мог обратиться ночью на незнакомой улице?

— А у тебя что, нет сотового? — не поверила Элла.

— Нету, — затряс головой директор. — Говорят, он плохо влияет на организм. Я берегу здоровье.

— Молодец! — похвалила его Элла. — Тогда рассказывай дальше.

— Я побежал за ним, он как раз открыл дверь и вошел в квартиру. И тут я вспомнил, что не взял из машины записную книжку, чтобы, значит, позвонить куда мне надо. Я повернулся и побежал за книжкой. А когда возвратился, этот парень стоял возле закрытой двери и нажимал на звонок. Как будто ему никто не открывает, а ключа у него нет.

«А ключ у него был! — подумала Элла. — Тот самый, который он в урну выбросил».

— Я спрашиваю: «Могу ли я от вас позвонить? У меня машина заглохла». А он отвечает: «Я приехал к зятю, а он что-то на звонки не реагирует, хотя свет в окнах горит. Не случилось ли чего?» Я даже растерялся сначала. Разговор с ним завел, а он такой говорливый был, руками размахивал, все про себя рассказывал. Даже выболтал, в каком банке он служит. И как зовут его — тоже. Думаю, это он от страха трепался. Так на болтуна не похож. Когда я его подвозил, он со мной едва ли парой слов перекинулся.

Дундилов подвигал брюшком, будто проверяя, там ли еще нож для бумаг. Он был там. Бедняга не смотрел вниз, а только на Эллу, прямо ей в глаза. И говорил при этом жутко жалобно.

— А у него в руках что-нибудь было? — неожиданно спросила Элла. — До или после того, как он в квартире побывал?

— Ничего не было, — затряс головой Дундилов. — Руки пустые были.

— Хорошо, дальше.

— Ну, я с ним постоял немного, потом ушел и стал в моторе ковыряться. Минут через сорок он завелся, а к этому времени уже милиция понаехала, спасатели. А на следующий день я проснулся и подумал: почему бы мне не попросить этого парня о помощи. Он в банке работает, богатый. А я человек маленький, у меня расходов много. Я к банку поехал и подождал, пока люди на работу пошли. Увидел его, подошел. Он мне долго голову морочил, но потом все-таки согласился немного денег подсыпать.

— Деньги придется вернуть, — покачала головой Элла. — Эти деньги выделены иностранной разведкой на вражеские дела. Если ты не хочешь быть обвинен в том, что тебе заплатил вражеский агент, немедленно передай мне пакет.

— Я не могу! — с надрывом сказал Дундилов. — Я честно заработал эти деньги! Я потратил время и силы, чтобы их получить!

— Ты что же, хочешь, чтобы вместо меня, безобидной и мягкой, появились крутые парни? Мой приход к тебе вообще — акт милосердия.

— Хорошо, ладно, — неохотно, почти что со слезами на глазах согласился Дундилов и выскользнул из-под острия. — Отдаю, сейчас сейф открою и отдам.

Он действительно открыл сейф, но вместо того, чтобы вытащить оттуда пакет, выхватил маленький пистолетик и наставил его на Эллу.

— Ха! — крикнул он и шаловливо поводил дулом по воздуху.

В этот миг дверь широко распахнулась, и на пороге снова возникла Вера с очень напряженной физиономией. Вероятно, она все же почуяла что-то неладное и тихо пробралась к директорскому кабинету, чтобы удостовериться, что там все в порядке. По крайней мере, на этот раз каблуками она не цокала.

Увидев директора с пистолетом в руке, она ахнула, потом закатила глаза и отключилась, медленно осев вниз пышной сдобной массой. Воспользовавшись тем, что Дундилов отвлекся, Элла издала боевой клич, отвела назад ногу и с силой выбросила ее вверх, рассчитывая выбить пистолет из рук жадного директора магазина. Но промахнулась, и удар пришелся прямо по его животику. Дундилов издал крик умирающего лебедя, выронил оружие и скрутился в рулетик.

— Запомни, — крикнула Элла, подбирая пистолет и выдергивая пакет из сейфа. — Чужие деньги — большие хлопоты!

Она решила немедленно покинуть магазин, не дожидаясь, пока парочка придет в себя. Впрочем, было весьма сомнительно, чтобы Дундилов поднял шум. Тем не менее благодушествовать не стоило. Элла бодрым шагом вышла на улицу и немедленно села в подкативший автобус. После того как подорожал проезд, в автобусах снова появились тепло одетые кондукторши. Как в незапамятные времена, они всегда были в плохом настроении.

— Проездной, — сообщила Элла, похлопав рукой по сумочке.

— Надо предъявить, — потребовала кондукторша и стала смотреть, как Элла расстегивает замочек.

— Он у меня тут, — объяснила Элла и раскрыла сумочку.

В сумочке лежал пистолет, который она отобрала у Дундилова. Увидев пистолет, кондукторша позеленела и сказала:

— Спасибо. Все в порядке.

— Вообще-то проездной у меня тоже есть! — крикнула ей в спину Элла, но кондукторша смотреть не захотела, убежала в хвост автобуса и до тех пор, пока та не сошла, больше не показывалась.

Возвратившись домой, Элла спрятала пистолет на балконе и пересчитала деньги. В пакете оказалось три тысячи долларов. «Не мог Борис убить Игоря! — думала Элла, расхаживая по кухне и ломая руки. — Допустим, он вошел, а Игорь был уже мертв. Но тогда Борис мог бы сразу вызвать милицию. Так бы и сказал: я открыл дверь своим ключом и увидел своего зятя на полу в кухне. Вместо этого он устроил настоящее представление, а ключ, которым открывал дверь, выбросил».

Этой ночью Элла почти не спала. И приняла решение наутро отправиться к Борису и выложить ему все, что ей удалось узнать. Однако утром желание делать это неожиданно пропало. Утро, как известно, мудренее вечера, и Элла решила не высовываться. Действительно: если Борис — убийца, то он вряд ли в этом признается и с повинной головой потащится в милицию. Ведь когда Эллу заподозрили и бросились искать, он уже тогда должен был совершить этот беспримерный подвиг. Он его не совершил и вряд ли совершит теперь.

И вот еще что. Если Борис убил Игоря, то куда делся портфель? Вряд ли Дундилов врал. Значит, Борис вышел из квартиры с пустыми руками. Кто забрал портфель? Та женщина в капюшоне? Судя по всему, она входила в квартиру первой. Игорь был еще жив, он разговаривал по телефону, как свидетельствует Юлия Юшкина.

Вот бы выяснить, с кем Игорь разговаривал по телефону? Что его так расстроило тем вечером? Лаппо сказал, что во время спектакля у Игоря катастрофически испортилось настроение. Что, если и ей сходить на этот самый спектакль? Мало ли какие идеи придут в голову? «В том положении, в каком я нахожусь теперь, — подумала Элла, — пренебрегать ничем не стоит».

* * *

В Театр современной пьесы Элла приехала на такси. За это время она уже совершенно успокоилась относительно собственной безопасности, и недавнее нападение в проходном дворе стало казаться ей не таким уж страшным. Вероятно, Шведов прав, и ее просто хотели ограбить какие-нибудь трудные подростки, которым не хватало денег на сигареты.

К счастью, этим вечером в театре шла как раз та самая постановка, которую Игорь смотрел вместе с господином Лаппо, — «Дневник оборотня». Элла покупала билет и думала: вдруг в тексте пьесы есть что-то такое, что поможет разгадать, загадку внезапно испортившегося настроения Игоря? Конечно, они не были по-настоящему близки, и его внутренний мир так и остался для нее тайной за семью печатями, но все-таки... Вдруг она догадается?

В фойе Элла купила программку и внимательнейшим образом прочла ее от корки до корки. Ничего особенного — роли и фамилии, вот и все. Погас свет, и зрители затихли. Половину первого отделения Элла сидела напряженная, как радистка, прослушивающая эфир. Но вот на сцене появился новый персонаж — непосредственно оборотень, и тут Элла почувствовала, как по ее позвоночнику пробежала первая мурашка.

Актер, игравший оборотня, показался ей странно знакомым. Он ей кого-то очень напоминал своей мимикой и жестами и знакомо смеялся. Однако Элла могла поклясться, что никогда в жизни не видела прежде этого человека. Она полезла в программку и нашла его фамилию — Маргачев. Александр Маргачев. У него не было дублеров, значит, он играл в каждом спектакле. Значит, Игорь видел его. Может быть, он почувствовал то же самое, что и она? Странное, невероятное ощущение узнавания!

Во время антракта Элла никуда не пошла, а продолжала мучительно соображать, что бы все это значило. Она знает этого человека и одновременно не знает его. Возможно, он на кого-то очень похож? На кого? Ни одного похожего мужчины — смуглого, большеротого, пластичного — она припомнить не могла. Тем не менее, когда началось второе действие, Маргачев снова заставил ее напрячься. Примерно то же испытываешь, когда, отгадывая кроссворд с картинками, смотришь на фотографию, допустим, Эйнштейна и не можешь вспомнить его фамилию. Ты понимаешь, что хорошо знаешь эту фамилию, но вспомнить не можешь — и баста! Потом что-то происходит и — хоп! — она выпрыгивает из памяти, как кузнечик из травы.

С Эллой случилась похожая вещь. Примерно полчаса она тупо пялилась на Маргачева, а потом — хоп! — и все сразу поняла. Все стало на свои места и получило свое объяснение — плохое настроение Игоря в вечер убийства и его нецензурная брань по телефону. Это было столь невероятное, столь потрясающее открытие, что Элла едва досидела до конца спектакля и, вырвав у гардеробщика свою одежду едва ли не вместе с руками, бросилась к такси.

Сегодняшний таксист тоже спал, свалившись грудью на руль. Однако Элла так завизжала около дверцы, что он тут же вскочил и даже вылез наружу, чтобы помочь ей забраться в салон.

— Подайте так, чтобы видеть служебный вход. Мне надо выяснить, где живет один из актеров. Я журналистка, — сообщила она. — Собираю всякие сплетни для воскресного выпуска журнала «Ночная Москва».

— Вон оно как, — оживился шофер. — Вот только в прейскуранте цен слежки у нас нету. Даже не знаю, как с вас потом деньги брать...

Однако деньги за слежку ему брать не пришлось — машина не завелась. Уж что он только с ней не делал — она заглохла намертво и равнодушно смотрела потухшими фарами в темноту. Элла ничего особенного в ситуации не видела. Мало ли с ней случалось в жизни неприятностей! Она распрощалась с шофером, обогнула здание театра и нырнула за дерево. Прошло примерно полчаса, прежде чем на ступеньках появился Маргачев. Публика давно разошлась, и вокруг было пустынно.

Маргачев начал выводить свои «Жигули» со стоянки, и тут Элла пулей вылетела из-за дерева и, едва машина прошелестела мимо, высоко подпрыгнула, а потом со всего маху шлепнулась в снег, раскинув руки в стороны.

«Жигули» немедленно остановились, и Маргачев вылетел из них, громко чертыхаясь.

— Откуда вы взялись? — спрашивал он, вытаскивая Эллу из сугроба. — Секунду назад вас здесь не было!

— Нет, я как раз тут была! — сердито отвечала та, кряхтя и охая. — Посмотрите, что вы со мной сделали! У вас мобильный есть? Давайте, вызывайте милицию!

— За каким это лешим я буду милицию вызывать? — расстроился Маргачев. — С вами ведь все в порядке?

— Я ухо ушибла, — тотчас же придумала Элла. — Вот, посмотрите. Ай, там шишка! Наверное, сотрясение будет! — плаксиво добавила она.

— Пойдемте в театр, там есть аптечка.

— Нет-нет, в театр я не пойду, мне надо прийти в себя. Выпить горячего чаю... Вы далеко живете? — Она влезла в салон и живенько пристегнулась ремнем безопасности.

— Хотите, чтобы я отвез вас к себе домой? Вы, случайно, не завзятая театралка?

— Нет-нет, я не отрываю «дворники» от машин любимых актеров, если вы это имеете в виду. Давайте разрешим ситуацию мирно — вы нальете мне чашку чаю, я почищу свою верхнюю одежду и уйду.

— Моя жена вам ее почистит, — сказал Маргачев и пытливо поглядел на Эллу, ожидая, очевидно, какой-нибудь особой реакции.

— Отлично! — заявила та. — Йод для уха, щетка для одежды и чашка горячего чая — все, что мне нужно.

— Может быть, лучше отвезти вас *к вам* домой? — нервно спросил Маргачев, делая поворот за поворотом.

— Я живу очень далеко, в Зеленограде.

— Ух ты! — воскликнул он. — А я устал после спектакля.

— Видела, видела вас в роли оборотня! — игриво сказала Элла.

— И как вам? — Маргачев потер глаз рукой, и новый отряд мурашек пробежал у его пассажирки по позвоночнику. Жест был дико, дико знакомый!

— Очень достоверно, — пискнула она.

Все это время Элла как-то не задумывалась о том, что, возможно, сидит в непосредственной близости от убийцы. Смуглые руки с тонкими запястьями, что лежат сейчас на руле, скорее всего, держали ту злосчастную сковородку, в которой за год супружества были приготовлены килограммы омлета и солянки!

— Вот мы и приехали, — сказал исполнитель роли оборотня и заглушил мотор. — Пойдемте в дом, машину я отгоню в гараж после.

Элле всего-то и требовалось узнать его адрес. Все остальное — обвинения, разоблачения — она собиралась оставить на потом. Не дура же она, чтобы один на один с убийцей затеять выяснение отношений!

Маргачев тем временем завел ее в подъезд и начал подталкивать к лифту, приговаривая:

— Сейчас, сейчас. Еще минуточка — и все.

— Что — все? — спросила Элла, подумав, что, возможно, совершает большую ошибку.

Интуиция ее не подвела — она вляпалась по полной программе. Потому что когда Маргачев открыл дверь и они вошли, навстречу Элле из комнаты вышла... Надя Степанец! Та самая Надя, которая сидела в студии Григорчука и нагло рассказывала о том, что у нее с Астаповым многолетний роман. Сейчас она была без грима и без прически и выглядела такой, как всегда. Какой привыкла видеть ее Элла по субботам.

— О, господи! — воскликнула Надя и прижала руки к груди. — Вот это да! — И потрясенно замолчала.

Элла тоже понятия не имела, что говорить. Демонстрировать оскорбленную добродетель было бы очень кстати, останься Игорь жив. Но теперь, когда его нет, все эмоции потеряли смысл. Кроме того, если Маргачев — убийца, Надя наверняка его сообщница. Или, вернее сказать, заказчица. Скорее всего, она сама послала Маргачева к Астапову после того, как тот, приехав после спектакля домой, позвонил ей по телефону. Он позвонил и закатил истерику, он орал и даже ругался матом, как поведала трепетная поэтесса Юлия.

— Ничего страшного, — сказал Маргачев, скидывая куртку и вешая ее на плечики. — Надя, я толкнул эту даму своей машиной, когда выезжал со стоянки. Ее следует привести в порядок и отпустить.

Элла очень сомневалась, что Надя захочет ее отпустить.

— Что вам от нас надо? — спросила между тем Надя, предварив вопрос странным, почти что журавлиным клекотом. — Зачем вы явились?

— Надя, ты что? — изумился Маргачев и замер, разведя руки. — Веди гостью в комнату.

— Это не гостья! — ответила та раздраженным тоном. — Это жена Астапова — Элла.

— Вдова, — подсказала Элла, чувствуя, что Маргачев дышит ей прямо в затылок. Убьют, как пить дать убьют. Завернут в кусок целлофановой пленки и засунут вниз головой в мусорный контейнер. Впрочем, ей будет все равно — вниз головой или нет, она будет труп.

— Так вы все это специально? — мгновенно догадался Маргачев. — Втерлись ко мне в доверие. Но зачем? Что вам от нас надо? — повторил он Надин вопрос.

— Нам от вас ничего не надо, — ответила Элла высоким хрустальным голосом. — Это просто дикая случайность! Стечение обстоятельств!

Надя приподняла руки, а потом опустила их вниз. Это был жест полной безнадежности.

— Саша, я все поняла! Она была на твоем спектакле! Она обо всем догадалась.

Терять было нечего, поэтому Элла не стала больше отпираться и сказала:

— Ну, да! Была. Догадалась. Игорь тоже догадался, не правда ли? Шурик так похож на своего отца, что грех не догадаться. На своего *настоящего* отца! — добавила она, не скрывая сарказма. — Человек, который просто видел Шурика, может, и не догадался бы. Но я-то, я-то проводила с ним каждую субботу! Я отлично знаю все его жесты и повадки! Так же, как их знал Игорь.

Маргачев часто задышал у нее за спиной, а Надя взялась двумя руками за горло. Однако Элла не собиралась останавливаться.

— Не хотите ли, Надя, еще раз сходить на ток-шоу? — продолжала она. — Публика будет писать кипятком, когда вы ей расскажете правду! Вы лгали моему мужу, своему любовнику, что у вас от него ребенок. И он взял вас на содержание, купил вам квартиру, заботился о вас. Тогда как ребенок, — она остро взглянула на Маргачева, — должен благодарить за свое появление на свет совсем другого дяденьку

Она повернулась к Маргачеву лицом и направила в его сторону обвиняющий палец:

— Шурик хмурится точно так же, как вы, точно так же откидывает голову, когда смеется, и точно так же поправляет чуб. Игорь в тот вечер приехал домой и сразу же бросился звонить Наде. Он был не просто зол, он был в шоке.

Надя повела себя совсем не так, как должна была. Она сцепила перед собой руки и завела вверх наполнившиеся слезами глаза.

— Я в тот вечер смотрела по телевизору запись передачи и очень ругала себя — зачем я туда пошла, на телевидение? Но сделать уже ничего было нельзя, я же не распоряжаюсь эфиром. И когда Игорь позвонил и начал кричать, я думала, что все дело в ток-шоу.

— С какой стати вы вообще решили обнародовать свою историю? — спросила Элла, в которой запоздалая ревность окончательно заглушила страх. — Жили бы себе спокойно...

— Да как же спокойно? — с душераздирающей интонацией спросила Надя. — Я ведь не замужем!

— Ну и что? — опешила Элла. — Сейчас знаете сколькие не замужем? Если всех незамужних выстроить по экватору, выйдет как минимум три оборота!

— Женщина должна хотя бы побывать замужем! — упорствовала Надя, сделав угрюмое лицо.

— Почему бы вам не побывать замужем вот за ним? — требовательно спросила Элла, кивнув подбородком на Маргачева.

Тот стоял посреди коридора в позе провинившегося дитяти, зато губы кусал с байроновской страстью.

— Что же, вы совсем ничего не понимаете? — неожиданно рассердилась Надя. И тут же объяснила: — Саша прекрасный человек, но он мало зарабатывает. Мы с Шуриком не сможем жить на актерскую зарплату!

— Тогда и Шурика надо было рожать не от актера! — выговорила ей Элла.

Отчего-то ей стало казаться, что убивать ее здесь не собираются. Эти двое не были похожи на злодеев, а Маргачев меньше всего годился на роль убийцы, хотя злого оборотня играл очень правдоподобно.

— А алиби у вас есть? — спросила Элла, голос которой обрел, наконец, присущую ему звучность.

— У меня есть! — тотчас сказала Надя тоном прилежной ученицы. — Я была у подруги с еще двумя подругами.

— А у меня нет, — эхом откликнулся Маргачев. — Я спал дома после спектакля. Один. — Он поднял голову и посмотрел на Эллу просительно: — Но я не убивал вашего мужа, честное слово!

— Что мне ваше честное слово? — расстроилась та. — Меня в убийстве подозревают, а за что, собственно? У всех кругом мотивы, которых на три убийства хватит, а я, как дура, бегай от милиции!

— Так вы тоже не знаете, кто убил Игоря? — спросила Надя.

— Пока не знаю, но узнаю! — неизвестно кому пригрозила Элла. — Кстати, вы когда-нибудь видели у Игоря коричневый портфель? — спросила она, с трудом перешагнув через собственную гордость.

— Не-ет, — проблеяла Надя. — Никогда не видела. Ко мне он никогда с портфелем не приезжал, — добавила она и неожиданно покраснела.

Из-за того, что она покраснела, Элла слегка смягчилась.

— Тогда еще один вопрос. После спектакля Игорь заявил, что поедет через Садовое на Маяковку. У вас не возникает никаких ассоциаций? Все-таки вы были с ним знакомы гораздо дольше, чем я! — великодушно признала она. — Может быть, он там кофе пил или заходил в какой-нибудь фирменный магазин за любимыми сигаретами?

Надя собрала лоб в гармошку, несколько секунд рассматривала потолок, потом радостно объявила:

— На Маяковке живет его друг Рома Хоменко. Мы часто ездили к нему в гости... — Надя прикусила язык, и в коридоре повисло неловкое молчание.

— Правильно вы меня по телевизору дурой назвали, — похвалила ее Элла. — Вы вот что, — ей понравилось чувствовать себя великодушной, — вы сейчас позвоните этому Роме и скажете, что я к нему через полчаса приеду для приватного разговора. А вы, — обратилась она к Маргачеву, — меня к нему отвезете.

Возражать ей никто не стал, и в назначенное время Элла уже стояла перед железной дверью, за которой обитал неведомый Хоменко. Когда он открыл дверь, то выглядел очень, очень смущенным.

— Здрась-те! — сказал он и сделал такой широкий приглашающий жест, что даже стукнулся рукой о стену. — Я — Рома.

— А я жена Астапова! — жестко сказала Элла, решив не сюсюкать с человеком, который водил дружбу с любовницей друга, а не с его законной женой. — У меня к вам есть несколько вопросов. — Она сделала выразительную паузу и добавила: — Если вы не возражаете.

Хоменко не возражал и потрусил впереди нее на кухню, чтобы заварить чай. Он был довольно упитанным мужчиной с круглыми щечками, каких изображают на красочных этикетках немецкие пивовары. И еще носил нерусские усики и домашний костюм из толстого плюша. Он принес Элле свои соболезнования, которые запил большим глотком чая и заел пряником в шоколадной глазури.

— Что вас интересует? — спросил Роман, почувствовав, что Элла не расположена к задушевной беседе и не собирается угощаться сладостями, томящимися во всевозможных корзинках и вазочках.

Она несколько секунд думала, а потом выстрелила наугад:

— Коричневый портфель!

И попала в точку. Хоменко выронил из рук пустую чашку, и она, шлепнувшись на блюдце, опасно закачалась и тревожно задинькала. Щечки его обвисли, а губы сжались до размеров пуговки. Он схватил со стола салфетку и промокнул совершенно сухой лоб. Потом жалко улыбнулся и сказал:

— Надеюсь, он попал в ваши руки!

То же самое он недавно говорил Наде Степанец, и сейчас испытывал нечто похожее на угрызения совести.

— Нет, — ответила Элла с сожалением, — портфель пролетел мимо меня. Но я о нем знаю. Так что вы там в него положили?

— Как что? — изменился в лице Хоменко. — Деньги, разумеется! Вы что, сомневались?

— Много? — продолжила допрос Элла.

— Тридцать пять тысяч.

— Рублей или чего? — опешила та.

— Долларов, долларов, конечно! Это была его доля. Несколько лет назад он вложил в меня деньги! Не такую большую сумму, конечно, но она за это время выросла.

— В каком смысле — в вас?

— В мой маленький бизнес! — торопливо пояснил Хоменко. — Но недавно — очень удачно для меня, надо признать! — Игорю вдруг срочно потребовалась довольно крупная сумма. Я под это дело выкупил у него его долю. В тот вечер он заехал ко мне и забрал деньги. Они были в коричневом портфеле.

— С серебряными замочками? — уточнила Элла.

— Просто с металлическими, — растерялся Хоменко.

— Я имею в виду — под серебро, а не под золото? С беленькими замочками, а не с желтенькими?

— С беленькими, с беленькими, — мелко закивал тот. И подобострастно спросил: — Вы что, не можете его найти?

Элла не ответила. Вместо этого она откусила полватрушки, прожевала и вперила в Хоменко прокурорский взор:

— Алиби у вас есть?

— Ка-какое а-алиби? — У Романа пропал аппетит, и он отложил в сторону большую, обсыпанную корицей булку. — На когда?

— На тогда, когда убили Игоря. Думаю, вы не могли себе позволить выплатить ему такую сумму денег. Поэтому просто сделали вид, что выплатили. То есть выплатили, но решили ее потом назад вернуть. Поэтому поехали к нам домой, стукнули Игоря по голове и забрали свой портфель обратно.

— Да вы просто дура какая-то! — рассвирепел Хоменко. — Чего вы придумали? Я отдал деньги, говорю вам — отдал!

— Но вы ведь не захотели рассказывать милиции про портфель, а?

— Конечно, не захотел! — пробурчал Хоменко и надулся. — Я ж им должен буду объяснить про налоги, то да се... Мне это надо?

— Но милиция должна знать, что пропал портфель с деньгами! — закричала Элла и хотела топнуть ногой, но остереглась — каблук уже был чиненый.

— Пусть она узнает это как-нибудь по-другому, не от меня, — быстро сказал Хоменко и предупредил: — Я показаний давать не буду, даже если вы на меня легавых наведете.

— Если у вас есть алиби, то легавые не придут.

— Я был в клубе «Патриот». Там столько народу может это подтвердить, у-у!

— Учтите, алиби будут проверять, — сказала Элла, рассчитывая, естественно, на Овсянникова.

— И пусть! — обрадовался Роман. — Я все время был в зале, никуда не выходил!

— Ну хорошо, — смилостивилась Элла. — Можете вызвать для меня такси.

— А это правда, что Игоря убили сковородкой? — шепотом спросил Хоменко, которому подобная расправа казалась совершенно фантастической. — Пистолет там или нож — это еще туда-сюда. Но умереть от удара сковородкой — это так унизительно...

— Поверьте, ему все равно, — оборвала его Элла. — Это нам не все равно, а ему — без разницы.

Хоменко проводил ее до двери, убежденный, что жена Игоря — бесчувственная и наглая женщина. Надя лучше. Надя веселая и всегда старалась во всем угождать приятелю своего друга.

Глава 8

Когда Овсянников вошел в квартиру, Элла жарила оладьи. Оладьи получались толстенькие, воздушные и пахли замечательно. Она жарила их не для того, чтобы заслужить похвалу сыщика, а просто потому, что проголодалась, а его все не было и не было. Идти в магазин она боялась, в кафе тоже, поэтому, обнаружив в холодильнике пачку кефира, решила быстренько сварганить ужин.

— Что это? — спросил Овсянников, тревожно поводя носом.

— Оладьи будешь? — крикнула Элла из кухни и разогнала полотенцем дымок, облагородивший воздух холостяцкой квартиры. — С вареньем!

— Буду, конечно, — сыщик выглядел раздосадованным. — Но мы, кажется, договорились, что ты ради меня не напрягаешься.

— Я и не напрягаюсь, я, можно сказать, наоборот — отдыхаю. А что, твои жены никогда не жарили оладьи? Ах, да! Их же интересует только процесс производства младенцев!

— Ну да! — фыркнул Овсянников. — А откуда ты узнала про жен? Как всегда, дядя проболтался?

— Да нет, тут одна приходила, плакалась.

Овсянников наколол на вилку угощение и целиком засунул в рот.

— Вкусно! — похвалил он. — А ты была замужем?

Элла втянула голову в плечи и сказала:

— Была. Мы развелись. А ты уходишь от ответа. Ничего не говоришь про своих жен.

— А что про них говорить? — пожал тот плечами. — Они есть, и одно это говорит само за себя. Если ты однажды вписал женщину в свой паспорт, будь уверен, ее ничем оттуда не выскрести.

— Ты обещал рассказывать мне все о поисках Астаповой, а сам ничего не рассказываешь! — укорила его Элла.

— Да ну ее к черту! — свирепо ответил тот. — Понятия не имею, куда она делась. Сегодня весь день звонил по межгороду, просил своих друзей проверить дом ее тетки в Саратове и квартиру университетской подруги в Одессе. Потом еще двоюродная бабушка в Твери. В общем, одна головная боль.

— И что? — со скрытым торжеством спросила Элла.

— По нулям. Так что рассказывать почти нечего. Кроме того, на мне висит бракоразводный процесс, и в деле полно осложнений. Я нанял девицу, чтобы она соблазнила мужа и собрала компромат, но этой дуре так понравился этот муж, что она решила стать его постоянной любовницей и показала мне кукиш.

— Ты занимаешься такими грязными делами? — разинула рот Элла.

Овсянников снисходительно посмотрел на нее:

— Девочка моя, это один из самых невинных приемов,

которые только можно придумать. Если ты хочешь стать матерой секретаршей частного детектива, тебе придется с этим примириться. А что там у тебя? Все сделала, как я просил?

— Сделала, — кивнула Элла и быстро отчиталась. Потом отвернулась налить чаю и как бы между прочим сказала: — Знаешь, мне кажется, что в том портфеле были деньги.

Овсянников, надо отдать ему должное, не стал удивленно ломать брови и спрашивать — в каком портфеле. Он только спросил:

— С чего ты взяла?

— Сам подумай: Астапов год назад купил своей любовнице Наде квартиру. И отдал он за нее не меньше сороковника.

— Я узнавал. Астапов заплатил за нее без малого шестьдесят тысяч долларов, — поправил Овсянников.

— Шестьдесят? — ахнула Элла, у которой при живом муже не было даже приличной обуви. — Где же он их взял? Зарплата у него ведь была не такая, чтобы скопить на квартиру. Я так думаю, — спохватившись, добавила она. — Кроме того, сын на стороне...

— Не знаю, откуда он их взял, — признался Овсянников. — Меня Борька не уполномочил вести следствие по делу об убийстве, понимаешь? Я Астапову ищу.

— Чтобы сдать бедную женщину милиции!

— Если в портфеле, как ты говоришь, были деньги, то она вовсе не бедная.

— Ты думаешь, она убила мужа, взяла бабки и смылась? Разве такое поведение соответствует ее характеру? Мне кажется, она совсем другой человек!

— Вот поймаю ее, тогда скажу, — пообещал Овсянников.

В этот момент позвонили в дверь.

— Чего ты так испугалась? — удивился он, когда Элла вскочила и заметалась по кухне, как слегка помятая бабочка.

— Вдруг это твои жены? — выдавила из себя та.

— Пришли делать детей? — с иронией спросил сыщик. — Вряд ли.

Он отправился открывать, и через минуту весь коридор заполнил сочный голос Бориса Михальченко:

— Жека, ты один? Жека, мне надо с тобой посоветоваться. Мне кажется, следователи начинают копать под нас.

— Под кого — под вас?

Элла, которой путь в комнату был отрезан; присела, точно вратарь, ожидающий нападения, потом рванула с места и, пулей влетев в ванную комнату, заперлась на задвижку. Прижала ухо к двери, чтобы не пропустить ни одного слова. Она рассчитывала, что Овсянников поведет своего дружка пить кофе, который сам хлестал с утра до вечера, точно жнец квас. Так и вышло. Один за другим оба протопали по коридору и загромыхали кухонными табуретками.

— О, у тебя тут оладушки! — обрадовался Борис.

— Это моя секретарша нажарила, — с тайной гордостью сообщил сыщик и добавил: — Думаю, она будет не против, если ты угостишься.

— С удовольствием, только сначала руки вымою.

Он подергал дверь в ванную и удивленно сказал:

— Жень, закрыто!

— Наверное, там моя секретарша! — шепотом ответил тот.

Борис тоже перешел на шепот:

— У тебя с ней... того?

— Не того, — ответил Овсянников, и Элла в ванной почти легла на пол, чтобы не упустить ни одного слова — под дверью была небольшая щель. — Она такая... Такая... какая-то неприступная. Я даже не знаю, как к ней подкатиться.

— А ты бы хотел?

— Она у меня живет. Это было бы удобно, и вообще...

— Так что, ты хочешь сказать, что спасовал перед бабой?

— Да нет! — Элла представила, как Овсянников сморщил нос. — Она шведовская племянница. Он сказал, что нельзя. Я пообещал. — Помолчал и добавил: — Теперь жалею.

— Я тогда руки здесь, в кухне помою, — уже в полный голос сказал Борис. — Так слушай дальше. Эти следователи стали моей жене такие каверзные вопросы задавать. Где она была? Видел ли кто-нибудь ее у гаража той ночью? Ну, ты понимаешь. Как ты думаешь, что делать?

— Да ничего не делать, — произнес Овсянников тягучим лентяйским голосом. — Убийцу искать!

— Ты сначала Элку найди! — с чувством ответил Борис и, снова перейдя на шепот, поинтересовался: — А что эта твоя секретарша делает в ванной? Читает? Там так тихо, и вода не течет.

— Может, прыщи выдавливает, — предположил Овсянников, и Элла, скрюченная, как дворняжкин хвост, состроила рожу.

«Придется рискнуть, выйти и прошмыгнуть в комнату», — решила она. Благо, что когда сидишь в кухне за столом, коридора не видно. Она бесшумно отодвинула щеколду и сделала три осторожных шажка. В тот же миг табуретка отъехала в сторону и на кухне кто-то зашевелился. Элла мгновенно открыла дверь в туалет, который был теперь прямо по левую руку, и заперлась уже в нем.

— Элка тоже такие оладьи жарила — на кефире, — сообщил Борис. — Один в один. Она вообще хорошо готовит.

— В данной ситуации, Борь, ей это не поможет.

— Ума не приложу, куда она могла деться! — посетовал тот. — Сроду у нее не было таких друзей, которые могли бы ее спрятать так надолго. Кроме Лариски Трошиной, конечно. Но у Лариски ее точно нет.

— Найдем, — пообещал Овсянников. — Так что ты собираешься делать со следователями? — поинтересовался он с набитым ртом. Оладьи, должно быть, подходили к концу.

— Пока буду надеяться на их здравый смысл, — ответил Борис.

— Кстати, Борь, по моим данным, в вечер убийства у Астапова при себе был портфель с деньгами. А после убийства исчез. Ты ничего про это не знаешь?

— Нет, ничего. Может быть, милиция знает? Даже надеюсь, что знает.

— Почему же ты надеешься?

— Потому что из-за денег Элка бы никогда никого не убила. И не взяла бы их, голову дам на отсечение!

— Не будь так уверен в женщинах! — посоветовал Овсянников. — Женщины, как кошки — мягкие только на ощупь. Их подлинная сущность — когти, зубы и инстинкты.

Ради выживания женщина совершит любой поступок и при этом даже не будет считать его аморальным. Тебе еще кофе налить?

— Налей, только я на минутку в туалет зайду, — сказал Борис и уже через секунду дергал дверь в вышеназванное заведение. Дверь, естественно, не поддавалась.

— Там занято, — снова перешел он на шепот. — Наверное, твоя секретарша успела перебежать из ванной в уборную.

— Тогда потерпи, — предложил Овсянников. — Когда она выйдет, я тебя с ней познакомлю.

«Выходить ни за что нельзя, — поняла Элла. — Буду сидеть тут, пусть они про меня что хотят, то и думают».

— У нее, наверное, опять живот болит, — предположил Овсянников через некоторое время.

— Тогда я с ней в другой раз познакомлюсь, — решил Борис. — Поеду домой, а то там Дана совсем небось извелась одна.

Элла ждала, что сейчас хлопнет дверь и она, наконец, сможет выбраться на волю. Но в тот момент, когда друзья начали прощаться, запиликал мобильный телефон Бориса. Элла отлично знала его «голос» — он исполнял «Чижика-пыжика».

— Алло! — немедленно отозвался Борис. Послушал несколько секунд, потом как закричит: — Что-о-о? Когда? Где?

Элла так испугалась, что чуть не свалилась на унитаз.

— Что случилось? — тут же рявкнул Овсянников, и Борис тихо ответил:

— Юрку Поповского убили.

* * *

— Его ночью столкнули с крыши торгового центра, — сказала Римма.

Элла позвонила ей сразу после того, как ушел Борис, и рано утром они встретились в метро. Римма не плакала, но была очень бледной и постоянно поеживалась. Неподалеку от метро, возле дома Поповских совсем недавно выстроили огромный торговый центр, крыша которого летом превращалась в кафе и служила одновременно обзорной площадкой. По периметру ее обнесли высокой загородкой, но все равно подходить к краю было жутковато — этажи высокие, а внизу каменные плиты с заостренными столбиками. На эти плиты Юра и упал. Вернее, был сброшен. Какая-то припозднившаяся парочка видела, как он черной кляксой полетел сверху, и тут же бросилась на помощь. Перед тем как потерять сознание, бедняга открыл глаза и сказал:

— Она выскочила...

— Она! — воскликнула Элла. — Наверное, та тетка в черном пальто, которую соседка приняла за меня. Говорю тебе, в деле замешана женщина.

— Теперь я тоже так думаю, — Римма опустила глаза вниз. Потом тихо сказала: — Когда я приехала в больницу, мне отдали Юркину одежду. От дубленки и шарфа пахло духами. Не знаю, что это за духи, их сейчас столько! Какие-то душные и сладкие. Значит, он был с женщиной. Достаточно долго, раз успел пропитаться ее запахом.

— Знаешь что? — решительно заявила Элла. — Я, пожалуй, перестану прятаться. Наверное, убийство моего мужа и покушение на твоего связаны между собой. Милиция должна знать, что это не я входила в свою квартиру накануне убийства Игоря. И не я заманила Юрку на крышу торгового центра. А без моих показаний ничего у милиции не получится.

— Получится, не бойся! — резко ответила Римма. — Сиди там, где сидишь. Мы вообще не знаем, что происходит. Вдруг на тебя тоже станут покушаться! Нет, Элка, не появляйся пока, я тебя прошу!

Впрочем, долго просить ей не пришлось — Элла боялась милиции до смерти и готова была жить на нелегальном положении до тех пор, пока Овсянников ее не вытурит из квартиры. Кроме того, жизнь в непосредственной близости от него неожиданно стала казаться ей довольно волнующей. Ничего, собственно, не произошло — Овсянников не превратился в прекрасного принца и вообще бывал довольно противным. Однако Элле почему-то стала нравиться его челка, и его чисто выбритое лицо, и даже слегка свернутый на сторону нос. Втайне ее покоряли его физическая мощь и рыцарское отношение к обеим бывшим женам.

Накануне Овсянников купил ей мобильный телефон,

потому что решил, что связь со своей секретаршей должен держать круглосуточно.

— Давай паспорт, — потребовал он, заведя Эллу в салон.

— А у меня его нету! — испугалась та.

— У тебя, я вижу, проблемы не только с жилплощадью, но и с документами, — покачал головой сыщик и зарегистрировал телефон на себя.

Было очень досадно, потому что по этому телефону Элла не могла позвонить ни сестре, ни матери, ни подруге — Овсянников в любой момент мог затребовать распечатки всех звонков.

— Как же теперь жить? — спросила Элла у Риммы и заплакала. Она плакала горько, потому что Юрка Поповский ей очень нравился — вне зависимости от того, на ком он женился. Он нравился ей просто так — без всякой задней мысли.

— Господи, ладно! — неожиданно резко сказала Римма и схватила ее за шарф. — Я тебе скажу, хотя мне обещали оторвать язык. — Элла перестала рыдать и настороженно посмотрела на нее сквозь мокрые ресницы. — Юрка жив. Его и в самом деле столкнули с той крыши, но он не умер. Состояние у него тяжелое, но врачи говорят, что шансы есть.

Вместо того чтобы успокоиться, Элла расплакалась еще горше. Римма некоторое время молчала, потом присоединилась к ней. Они рыдали до тех пор, пока к ним не подошла работница метрополитена и не погнала их к эскалатору.

— Людей пугаете! — сочувственно сказала она. — Подышите воздухом, если у вас уж горе такое.

— А мама знает? — спросила Элла, когда они вышли из метро и остановились возле лотка с книгами.

— Никто не знает — ни мама, ни Борис, вообще никто. Только я, ты и милиция.

— Это милиция придумала сказать всем, что Юрка умер?

— Ну не я же!

— Обычно делают наоборот. Когда человек умер, говорят всем, что он жив, чтобы убийца пришел и попробовал прикончить его еще раз.

— Наверное, сейчас они хотят, чтобы убийца не пришел, — сказала Римма. — Элка, но если ты кому-нибудь скажешь...

— Господи, кому я скажу? Раз уж даже мама не знает!

Римма достала из сумочки сигареты и пробормотала:

— Я потом брошу.

— Рим, признайся, из-за чего Юрка дрался с Астаповым? — неожиданно спросила Элла. — Я имею в виду ту грандиозную драку возле банка. Из-за чего она случилась?

— Понятия не имею, — мрачно ответила ей сестра. — Сколько я ни спрашивала, муж молчал, как партизан. Астапов потом уже мне доложил: «Мы дрались из-за моей жены». Без подробностей.

— А почему ты мне ничего не сказала?!

— Ревновала потому что! Сама не можешь догадаться?

— Это такая глупость!

— Глупость? — Рима выпустила дым через ноздри, как дракон. — Юрка ведь не сам ушел от тебя ко мне. Я его увела. Это две большие разницы.

— Я давно тебя простила, — сказала Элла, помахав перчаткой возле лица. — Терпеть не могу, когда ты куришь!

— Я сама терпеть не могу, — пробормотала та.

— И что теперь делать? — спросила Элла.

— Наверное, надо просто ждать. Вот Юрка придет в себя и все расскажет. Кто завел его на эту крышу и спихнул вниз.

— Должно быть, убийца, — сказала Элла. — Она, кто же еще?

— Женщина? — переспросила Римма. — В черном пальто? Не знаю, не знаю. Эта женщина в пальто похожа на подставную фигуру. Может быть, убийца специально подослал ее под каким-нибудь предлогом на место преступления?

— Что ты! Это слишком сложно. Получается, что убийство было запланированым, а не случайным.

— Ну и что?

— Ты бы могла запланировать убить кого-нибудь сковородкой?

— Да, действительно. Как-то некругло. — Римма помолчала. — Может, теперь, после покушения на Юрку, милиция поставит все наши телефоны на прослушку. Звони только из автомата и говори: «Это Оля? Нет? Простите, я ошиблась номером». Я буду знать, что ты хочешь со мной встретиться. Встречаться будем здесь, примерно через два часа после звонка. Устроит?

Они обнялись, и Элла поехала выполнять поручения Овсянникова. Она была рада, что Римма рассказала про Юрку правду — невзирая на строгое предупреждение милиции. Как бы она продолжала этот свой маскарад и притворялась племянницей Шведова, думая, что Юрка умер? Врачи сказали, что есть шансы, а они слов на ветер не бросают!

Троллейбус, в который она села, застрял в пробке на узенькой улочке и встал насмерть. Пешком идти было слишком далеко, тем более что на дворе похолодало. Через полчаса сидения в промерзшей насквозь железной коробке у Эллы окоченели ноги. Она била сапогом по сапогу и ничего не чувствовала. Благо любимая подруга Лариса Трошина жила у той же самой станции метро, что и Римма, и мама. Девочки родились, выросли и учились в этом районе. Лариска вряд ли выздоровела, поэтому сидит дома и сможет принять ее и хотя бы напоить горячим чаем.

Элла вылезла из троллейбуса, который к этому времени покинули почти все пассажиры, и пешком доплелась до Ларисиного дома. Позвонила в дверь и неожиданно испугалась — вдруг оттуда выскочит милиционер и защелкнет на ней наручники? Однако из двери выскочила лохматая Ленка. Сегодня ее короткие волосы были розово-рыжими, как грейпфрутовая кожура.

— За тобой гонятся? — с преувеличенно серьезной физиономией спросила она. — Можешь спрятаться в кладовке — там уютно. По крайней мере, кошке нравится. И консервов там до фига.

— Как Лариска? — спросила Элла, стягивая с того, что должно было считаться ее ногами, задубевшие сапоги. — Как ее горло?

— Ба! — воскликнула нахалка. — Ты пришла проведать любимую подругу, рискуя жизнью и свободой?

— Иди в болото, — пробормотала Элла и прошлепала в комнату.

Лариска сидела на пуфике перед трюмо и увлеченно расчесывала волосы. Элла разинула рот — они тоже были розово-рыжими, как у Ленки.

— Девки, вы чего, о-офигели?! — ахнула Элла.

— Не бойся, это просто оттеночный шампунь! — успокоила ее Лариса свистящим ларингитовым шепотом. — Правда, клево?

Элла решила, что не будет сейчас разыгрывать душераздирающую сцену под названием: «Поповского убили». Раз Лариска не знает, пусть лучше не знает.

— Клево, — сказала она, плюхнулась на диван и принялась растирать ноги. — Чай у вас в доме водится? Я, собственно, забежала чайку попить.

— Это ты офигела! — тотчас заметила Лариса. — За тобой гоняются федеральные власти, а ты ходишь по подружкам и распиваешь чаи. Что ты вообще делаешь для того, чтобы спасти свою шкуру?

— Пытаюсь выяснить, кто на самом деле убил моего мужа.

— Расскажи! — потребовала Лариска, увлекая ее на кухню. — Хоть что-нибудь сдвинулось с места?

— Игоря убили из-за денег, — заявила Элла. — Это я теперь точно знаю. У него было с собой тридцать пять тысяч баксов в коричневом портфеле. Вероятно, за ними и охотился убийца.

— Но откуда ты это взяла? — уставилась на нее Лариска, замерев с полным чайником в руках.

— Я же тебе еще в тот раз сказала, что веду собственное расследование. Думала, я так, языком чешу?

— Кто угодно может сказать, что он ведет расследование! — возразила Лариска. — Просто я не ожидала, что у тебя появятся серьезные результаты. А деньги — это уже серьезно. Это не семейные страсти какие-нибудь.

— Как ты не права! — возразила Элла, чувствуя, что ноги начинают колоть злые иголочки. — Семейные страсти — это самая благодатная почва для убийств. А в нашей семье в последнее время страстей было — хоть ведром вычерпывай.

— Вообще-то да, — согласилась Лариса. — Одно то, что твоя родная сестра вышла замуж за Поповского, потянет на мелодраматический сериал. А теперь еще вскрывшаяся измена Астапова!

— Это ты еще не все знаешь! — подначила ее Элла. — Любовница Игоря, оказывается, его обманывала. И ребенок у нее вовсе не астаповский.

Лариса присвистнула и чуть не села мимо табуретки. Элла рассказала ей новости.

— И еще я получила кирпичом по репе! — заявила она под конец с оттенком гордости. — Правда, это событие, скорее всего, никак не связано с моим расследованием. Я просто по улице шла и завернула в проходной двор. Там меня и приложили! Наверное, хотели кошелек отнять!

Ленка носилась из комнаты в ванную с какими-то шмотками, одним ухом улавливая фрагменты рассказа и бормоча:

— Запредел!

В конце концов Лариска не выдержала и крикнула:

— У тебя сегодня что, нет первой пары? Ты видела, сколько времени?

— Меня подвезет Алексей!

— Это что еще за зверь?! — рассердилась Лариска. — От твоих кавалеров просто нет спасу! Кто такой Алексей?

— Очень приличный мужик! Вон Элка его видела!

— Это тот, с которым ты познакомилась во время нападения на господина Лаппо?

— Какого нападения? — опешила Лариска.

— Это он! — прокричала Ленка из коридора и уронила на пол что-то грохочущее. — Правда, классный? Большой человек!

— Насколько большой? — мрачно спросила Лариска.

— Точно я не знаю, но у него джип.

— Наверняка бандит какой-нибудь! — всполошилась старшая сестра, которая, совершенно ясно, уже упустила бразды правления. Ленка неслась по жизни сама по себе, словно норовистая кобыла, а Лариска, как ошалевший кучер, сидела позади в санях и время от времени вопила во все горло.

Дверь хлопнула, и подруга махнула рукой:

— Ведьма, а не девка! Колька от нее стонет!

— Кстати, а что у тебя с Колей? Ты ему призналась в том, что стащила деньги и не смогла вернуть?

— Знаешь, — шепотом сообщила Лариса. — Произошла ужасно странная вещь. Колька мне ничего не сказал. Он отправился оформлять документы, достал деньги и уехал. Потом вернулся довольный, сказал, что все тип-топ, оборудование закуплено и он теперь в деле. Принес бутылку шампанского, мы обмыли это дело, но он ни словом не упомянул о том, что денег не хватило. Наверное, он обо всем догадался и решил сделать вид, что ничего не понял. И часики я нашла! Представляешь, засунула их в старую косметичку. Так что все утряслось.

— Я тебе так завидую! — призналась Элла, на лицо которой набежали тучи. — Хорошо, когда все утрясается.

— Элла, чем я могу тебе помочь? — сочувственно спросила Лариса, привычным движением заправляя за ухо прядь волос.

— Пока ничем, — вздохнула та. — Но когда понадобится, я попрошу. А сейчас мне пора — я уже отогрелась.

— Ты на шоссе выгляни! — посоветовала Лариса. — Посмотри, какая пробка! До метро не доедешь! А на параллельных улицах машину не поймаешь. Так что сиди пока.

— И сколько же я буду сидеть? У меня дел выше крыши!

Овсянников, который не мог догадаться о ее душевных переживаниях относительно Юрки Поповского, надавал ей сегодня заданий сверх всякой меры. Самое забавное заключалось в том, что необходимо было снова встретиться со Шведовым и передать ему очередное письмо. «Что-то незаметно, чтобы у Жеки была напряженная профессиональная жизнь. Наверное, Дима прав, и он просто придумывает для меня всякие ерундовые поручения».

Тут ее внезапно осенила хорошая идея. Она позвонила Шведову в рабочий кабинет и решила потребовать, чтобы он забрал ее от Лариски.

— Привет, дядя!

— Какой я вам дядя? — раздался из трубки раздраженный донельзя голос Шведова.

— Как какой? Любимый! Это я, твоя племянница, узнаешь?

— Какая племянница? — тупо спросил Шведов, занимаясь, вероятно, каким-то делом и не слишком внимательно слушая.

— Гасперлакова, — заявила Элла, которая насмерть забыла фамилию шведовской сестры.

— А-а! — оживился тот. — Как дела, лапочка?

— Плохо, дядечка! — голосом пятилетней кокетки, которой не купили дорогую куклу, прохныкала она.

— Что такое? Ушко болит?

— И это тоже. А вообще-то мне надо, дядечка, передать тебе от мамочки записку.

— Опять?! — рассердился Шведов. — Что же твоя мамочка, в самом деле, позвонить не может?

«Он еще будет на меня орать!» — рассердилась Элла и мрачно сказала:

— Она оглохла.

— Да? — переспросил Шведов, немного помолчав. — Этого я не знал. Хорошо, у меня через полчаса ленч, я подъеду. Объясняй, как до тебя добраться.

Элла заявила, что он должен забрать ее от супермаркета, и рассказала, где тот находится. Она имела в виду супермаркет в соседнем с Лариской доме.

— А ты не боишься, что твой шеф кому-нибудь проболтается? — осторожно спросила Лариса. — Все-таки ты ему не любовница?

— Я ему не любовница, но он меня не сдаст. Зачем бы он тогда стал меня прятать? — задала резонный вопрос Элла.

— Кстати, где он тебя спрятал?

— Лучше тебе этого не знать, — покачала та головой. — Спасибо за чай, желаю тебе поскорее выздороветь.

— Элка! — уже на пороге неожиданно прошептала Лариса. И когда та повернулась, прочувствованно сказала: — Ты моя самая лучшая подруга!

Элла секунду растроганно смотрела на нее, потом попросила:

— Тогда дай чем-нибудь подушиться на дорожку.

— Ты знаешь, а у меня сейчас ничего нет. Духи как-то неожиданно закончились. Могу полить тебя дезодорантом, если хочешь.

Элла согласилась на дезодорант и в машину к Шведову села, благоухая.

— Что случилось с Жекой? — тотчас же задал он вопрос.

— Ничего, — удивилась Элла.

— Но ты сказала, что он оглох! Ты же имела в виду, что он — мамочка?

— Это я просто так сказала, потому что мне надоело с тобой по телефону пререкаться!

— Ну, Астапова, ты даешь! И Жека тоже дает. Где его дурацкая записка?

— Вот она.

Элла подала шефу красивый подарочный конверт с раз-

бросанными там и сям маленькими птичками, который тот
безжалостно растерзал.

— Вот! — злобно воскликнул он, добыв из конверта содержимое и пробежав его глазами. — Я же говорил, что он
дурака валяет! Посмотри, что он мне прислал.

Элла нетерпеливо взяла записку и прочитала: «Димыч!
Если у нее красивые ноги, я погиб. Сделай что-нибудь».

— Как ты думаешь, Дим, у меня красивые ноги? — тотчас же загорелась Элла.

— Даже не думай вступать с Жекой в интимную связь! —
заревел Шведов. — Во-первых, по отношению к женщинам
он дикая свинья, а во-вторых, если ты залезешь к нему в постель, он тотчас же найдет на тебе родимое пятно и шрам
под коленкой.

— Откуда ты знаешь про мой шрам и про мое родимое
пятно? — опешила Элла.

— От верблюда! Ты забыла, что сама сообщила мне свои
особые приметы. Так что тебе, Астапова, как предполагае-
мой преступнице, секс противопоказан.

Элла тут же надулась. Но через минуту ожила и спросила:

— А что ты выяснил про Никиту?

— О-о! — протянул Шведов. — Шаталов оказался темной лошадкой. Он похудел уже на двенадцать килограммов!

— Ну и что?

— Как это «ну и что»? Ты соображаешь? Мужчина, обладающий такой силой воли, которая позволяет ему отказаться от жареной картошки и пива, способен совершить
самое страшное преступление! Может, он и впрямь убил
твоего мужа?

— Господи, какие глупости! — отмахнулась Элла. — Из-
за таких, как я, мужики не занимаются смертоубийством.
Я же не Лариска!

— Какая Лариска?

— Моя лучшая подруга. Она совершенно классная. Мы
с ней как два пальца на одной руке. Или как два глаза на одном лице...

— Я все понял. Вы как две гланды в одном горле, —
буркнул Шведов. — Но Никита в тебя влюблен и у него нет
алиби. Может, ты с ним переговоришь один на один?

— Ни за что! — ответила Элла. — Во-первых, я в розыске, а во-вторых, вдруг он и в самом деле начнет объясняться мне в любви? Что я тогда буду делать?

— Ну, сделаешь что-нибудь! Что в таком случае делают женщины? Хлопают мужчину по руке и неискренне заявляют: «Давай останемся друзьями!»

— Нет, это не для меня! — Элла покачала головой. — Не хочу искушать судьбу. Кроме того, со мной что-то давненько ничего не происходило. Стоит мне решиться на столь ответственное дело, как разговор с Никитой, и немедленно произойдет какая-нибудь гадость.

— Послушай, Астапова, не будь пессимисткой!

— Знаешь что? Если твой любимый Жека его заподозрил, пусть он сам его и допрашивает. Тем более они с Шаталовым находятся в одной весовой категории. Даже если подерутся, драка будет честной. Кстати, куда это ты меня привез?

— Как куда? В «Старую липу». Я же тебя сразу предупредил, что у меня ленч. В полдень я должен перекусывать сладким. Иначе со мной случается гипогликемия, и все, я не работник.

— Ну а мне-то что делать в твоей «Старой липе»? Кроме того, я ужасно рискую — тут вокруг полно народу из нашего здания.

— Остынь, Астапова! Ты так размалевалась, что тебя не узнает даже родная мама!

Элла тут же с тоской подумала о маме и позволила усадить себя за столик и заказать марципан и чашечку ирландского кофе.

— Мне кажется, что на меня все смотрят, — пожаловалась она и исподлобья оглядела зал.

— Это на меня все смотрят, — успокоил ее Шведов, где-то заразившийся, по всей видимости, манией величия. Впрочем, старые девы действительно стреляли в него подведенными глазками из каждого угла.

Слопав марципан, Элла вспомнила о том, что ей необходимо опустошить абонентский ящик, который арендовал Овсянников в почтовом отделении. Она оставила Шведова наслаждаться собственным величием и поехала на почту. В ящике оказалось двенадцать писем — и все от женщин. Элла посмотрела некоторые на свет, но ничего не было видно. Тогда она немедленно вспомнила о записке к Шведову.

Если, дескать, у нее, Эллы, красивые ноги, то он — пропал. Ей очень захотелось, чтобы Овсянников пропал. Поэтому, побросав конверты в сумку, она отправилась в большой магазин одежды и провела там несколько часов, потратив энное количество денег из своего стратегического запаса.

Она преследовала, ясное дело, одну-единственную цель — поразить Овсянникова своими ногами. Для этого было куплено короткое черное платье и интригующие ажурные колготки. Продавщицы, которые вились вокруг Эллы, словно мошки вокруг герани, уверяли, будто эти колготки такие прочные, что, зацепившись ими за гвоздик, можно отойти от стула на полтора метра и ничего не почувствовать. Колготки только растянутся, но не порвутся. Потому что французские. Колготки стоили уйму денег, и Элла, которая круглый год ходила в брюках именно потому, что на ней постоянно все рвалось, решила-таки рискнуть. Ей очень хотелось, чтобы Овсянников, как он сам выразился, пропал.

Когда она вышла на улицу, короткий зимний день закончился, и сумерки уже разгуливали по улицам, зажигая фонари и кичливые витрины магазинов. Элла огляделась по сторонам — поблизости не было никого подозрительного. Ни одной машины с дремлющим шофером, ни одной женщины в черном пальто с капюшоном, ни одного праздного незнакомца, разглядывающего старые концертные афиши.

Тут она неожиданно подумала, что, если вернется домой достаточно рано, будет глупо сидеть на кухне в новом платье и ажурных колготках. Овсянников поймет, что она нарядилась специально для него, а этого нельзя допускать ни в коем случае. Следует войти в квартиру, когда он уже переоденется в домашнее и выйдет встретить ее в коридор. Получалось, что нужно провести где-то еще хотя бы часа полтора — желательно с пользой для дела.

Из магазина тем временем вышла тощая фифа в длинной шубе и достала из сумочки сигареты. Элла сделала вид, что ждет кого-то, а сама принялась разглядывать ее краем глаза. Есть девицы, которые сразу же привлекают к себе внимание, хотя не так уж красивы и не делают ничего особенного. Интересно, в чем тут секрет?

Пока Элла пыталась раскрыть этот секрет, фифа покончила с одной сигаретой и взялась за другую. В этот момент из дверей вышла ее подруга, и она, бросив недокуренную сигарету в снег возле урны, взяла ее под руку и потащила прочь. Элла поглядела на то, что после нее осталось, и неожиданно выпрямилась.

Когда Юрку Поповского скинули с крыши, он пробормотал: «Она выскочила!» Возможно, Юрка поднялся на крышу торгового центра один. Зачем? Наверное, убийца назначила ему встречу, а сама спряталась неподалеку. Когда он подошел к краю крыши, она выскочила и столкнула его. Конечно! Иначе была бы борьба и довольно сильный Юрка справился бы с нападавшей.

Но если она поджидала его, продолжала рассуждать Элла, значит, провела некоторое время в засаде. Если отыскать то место, где она предположительно пряталась, можно найти следы ее пребывания. Вдруг она курила и оставила окурки со следами губной помады? Или обронила платок? Или еще что-нибудь? Она же не профессиональный убийца, которого готовили спецслужбы к выполнению некой миссии, поэтому вполне могла допустить ошибку.

Элла решила подъехать к торговому центру, забраться на крышу и поискать ее убежище. Если улики обнаружатся, она найдет способ пригнать туда следователя. Можно действовать через Римму или сделать анонимный звонок. «Если замерзну, снова зайду к Лариске», — подумала она. Ни к маме, ни к Римке теперь не зайдешь. Кроме того, Римка наверняка в больнице у постели мужа.

Торговый центр еще работал, внутри шла бойкая торговля, но крыша, естественно, была пуста. Забраться туда можно лишь по лестнице с другой стороны центра, где никто не ходил и было довольно темно. Летом другое дело, а сейчас с той, необитаемой, стороны лежали сугробы, и лестница вся заледенела, словно ее поливали водой.

Взбираясь наверх, Элла двумя руками держалась за перила. Не хватало еще поскользнуться, загреметь вниз и сломать себе что-нибудь важное — ключицу, например, или голову. Когда же она оказалась на крыше, то не удержалась и длинно присвистнула: на крыше не было ничего. Никаких строений. И прятаться тут было решительно негде. Единственный вариант — Юрка стоял прямо возле лестницы, а убийца поднялся — или, что гораздо правдоподобнее, поднялась по ступенькам очень быстро, он не успел правильно среагировать и полетел вниз, потому что его изо всех сил толкнули.

Элла осторожно приблизилась к балюстраде и заглянула вниз. Ерунда какая! Внизу были девственные сугробы. Римма сказала, что Юрка упал на плиты рядом с ограждающими стоянку столбиками, а такие плиты и такие столбики можно увидеть только перед входом. Значит, Юрка стоял вон там, на противоположной от лестницы стороне крыши. Убийца взбежала по ступенькам и прошла огромное расстояние. А он ее, выходит, не заметил? Стоял спиной? Не слышал шагов? Как-то все странно.

Как бы то ни было, но ее теория не подтвердилась. Элла решила, что на улице слишком холодно для того, чтобы болтаться здесь и дальше и строить версии относительно случившегося. Она решила, что пора убираться прочь. Повернулась — и едва не грохнулась в обморок. По лестнице кто-то поднимался.

Сердце Эллы забилось так сильно, что она перестала слышать посторонние шумы — только этот грохот в ушах. Ноги сделались слабенькими, точно косточки в них расплавились от ужаса. Над краем крыши тем временем появились голова, плечи и, наконец, весь мужчина. На нем не было шапки, и волосы ерошились от ветра.

Вместо того чтобы немедленно взять себя в руки и позвать на помощь, Элла мгновенно потеряла присутствие духа. Она почувствовала, что язык приварился к нёбу и не шевелится.

Мужчина между тем стремительно преодолел разделявшее их расстояние и оказался Никитой Шаталовым — похудевшим, а потому незнакомым и страшным. На его губах играла отвратительная улыбочка, которую Элла никогда раньше не видела.

— Это я, — сказал он, держа руки в карманах. — Я тебя выследил.

— Мя-мя, — промякала Элла, поняв, что язык не приварился к нёбу, а распался на атомы.

— Я даже и помыслить не мог о такой удаче — иду и вижу через стекло, как вы со Шведовым пьете кофе в «Старой липе».

«Жаль, Шведов никогда не узнает, какая он гадина, —

пронеслось в голове у Эллы. — Говорила же ему, что нас могут увидеть».

— Я ведь даже представления не имел, где можно тебя найти. Что ты на меня так смотришь? А-а! Ну конечно, я похудел. Шведов распустил слух, что это из-за тебя.

«Распустил слух? — тотчас насторожилась Элла. — Но зачем ему это надо? Какую он преследовал цель? Навешал мне лапши на уши...»

— Надо со всем этим кончать, — сказал между тем Никита. — Ты со мной согласна?

Элла быстро закивала. Она была согласна на все, даже на казнь через повешение, только бы все произошло скорее. Интересно, если во всем виноват Никита, каким образом его приняли за женщину? Он что, надевал длинное черное пальто с капюшоном? Даже в таком пальто поэтесса Юлия никогда бы не смогла принять его за Эллу. Значит, у Никиты есть сообщница. Мысль не успела сформироваться до конца, когда Никита снова подал голос.

— Ты что, сильно устала? У тебя прямо ноги подламываются.

Элла опять энергично закивала, догадавшись, что у нее самой на губах тоже блуждает кретинская улыбка.

— Мя, — сказала она, не в силах смотреть в это странное лицо, приобретшее яркие, крупные черты.

— Что у тебя в пакете? На это можно сесть?

Он отобрал у нее пакет, сложил внутри его письма стопочкой и водрузил на широкий парапет. Потом взял Эллу под мышки и посадил сверху. Там, под ней, ходили люди, таская за собой детей и собак. Они покупали продукты, чтобы их есть, и одежду, чтобы ее носить. А вот ей больше не понадобится ни то, ни другое.

— Наверное, я кажусь тебе странным, — продолжал Никита, — но это потому, что я очень волнуюсь. Мне нужен твой совет. Понимаешь, что произошло? Катя подумала, что я тебя люблю.

Черное небо рухнуло на Эллу сверху, словно разбился стеклянный потолок, на котором лежали лохматые тучи и блеклая луна, похожая на вареное яйцо. Она захлебнулась всем этим и не сразу пришла в себя. А когда поняла, что Никита вовсе не собирается ее убивать, закинула голову вверх и захохотала, как гиена.

— Смешно! — тотчас улыбнулся Никита. — Я тоже ей сказал — это просто смешно. Но она не стала слушать. Это Шведов во всем виноват. Все-таки он кретин. Понимаешь, один раз я дрался с твоим мужем... Когда-то. Мы хотели в праздничном выпуске журнала дать фотографии сотрудников редакции, это Калугин придумал. Тебя нащелкали на всяких корпоративных мероприятиях, и я стал выбирать, какой снимок лучше. А тут — твой муж. Он так мне хамил, что я не сдержался.

Элла перестала хохотать и стала икать.

— Если ты заметила, я всегда был неравнодушен к Кате́. — Элла об этом даже не догадывалась. — Она должна была это чувствовать. Но ты ведь понимаешь, что я не мог ей об этом сказать — к ней тогда еще муж то ходил, то не ходил, и было непонятно, как у них все сложится. А тут я узнал, что она подала на развод, ну и подумал — что, если я похудею? Вдруг она отнесется ко мне благосклонно?

Кажется, Никиту вовсе не интересовало, что Элла с момента их встречи не произнесла ни одного внятного слова. Он находился в таком душевном смятении, что слышал только самого себя.

— И вот я сел на диету. А потом Катя вдруг подошла ко мне и завела разговор. Я сказал ей, что влюблен в женщину, которую знаю давно и ради которой готов на все. Раньше она была несвободна, но теперь все изменилось... Я, конечно, имел в виду ее, но она, кажется, все не так поняла. И Шведов еще... Со своей интерпретацией! Так вот я искал тебя для того, чтобы попросить — у тебя с Катей хорошие отношения. Не могла бы ты сама поговорить с ней? Тебя она, по крайней мере, выслушает. Поговоришь? — Элла в третий раз энергично закивала. — Я знаю, что тебе сейчас слегка не до этого, но я просто не могу жить, зная, что Катя... — Он не договорил.

Элла уже пришла в себя настолько, что могла бы, пожалуй, выдавить из себя какое-нибудь связное предложение. Однако Никита не дал ей такой возможности. Наклонился, чмокнул в щеку и, развернувшись, почти побежал к лестнице. Элла не хотела его так отпускать. Она хотела крикнуть: «Никита, подожди!» И даже дернулась вперед.

В этот момент стопочка писем, на которой она сидела, неожиданно развалилась. Нижняя часть писем выскользнула из-под верхней, и Элла, взмахнув руками, как дирижер, опрокинулась на спину и полетела вниз головой и вверх попой с третьего этажа на те самые плиты, о которые едва не до смерти разбился Юрка Поповский.

И только вся невезучая жизнь начала проноситься перед ее глазами, как земля неожиданно перестала стремительно приближаться и остановилась где-то далеко внизу. Потом немного попружинила и снова остановилась. Элла, разинув рот в немом крике, смотрела на охранника, который вышел из дверей торгового центра, чтобы помочь какой-то мадам докатить нагруженную товарами тележку до машины. Очки куда-то улетели, и охранник был совсем-совсем нечеткий.

Элла даже не сразу сообразила, что с ней произошло. А произошло с ней нечто совершенно невероятное — она повисла на больших часах, зацепившись за чугунную стрелку резинкой колготок. В момент падения пальто задралось, а следом за ним задралось и новенькое короткое платье. Поэтому колготки беспрепятственно зацепились за возникшее по дороге препятствие. Пакет тоже за что-то такое зацепился и уныло повис рядом.

Однажды Элла была свидетельницей того, как пьяный рабочий вывалился из окна недостроенного дома на кучу строительного мусора. После чего встал и пошел по своим делам. Пожалуй, он не смог бы объяснить, каким образом ему удалось упасть так удачно. Вот и Элла сейчас не смогла бы объяснить, как получилось то, что получилось. Она висела на колготках и качалась, словно шарик на резинке, какие продают в цирке на Цветном перед началом представления.

Охранник там, внизу, двинулся обратно, катя перед собой пустую тележку.

— Эй! — жалобно крикнула Элла и в ту же секунду почувствовала, что колготки сказали «Р-р-р».

Она испугалась, что они сейчас порвутся, и отчаянно зажмурилась. Потом открыла глаза и тотчас увидела Никиту, который как раз вывернул из-за угла.

— Никита! — не сдержалась и пискнула она, и колготки тотчас же ответили предсмертным хрипом.

«Кричать нельзя! — тотчас поняла Элла. — И дышать глубоко тоже нельзя». Она понятия не имела, что в этот самый момент ее заметила одна супружеская пара.

— Леш, погляди, что это такое болтается на часах? — спросила жена, притормаживая.

Леша посмотрел и фыркнул:

— Похоже на большого таракана. Наверное, какое-нибудь украшение.

— Уже к Новому году готовятся! — восхитилась его жена и, еще немного поглазев на Эллу, переключила свое внимание на что-то более интересное.

«Неужели это только отсрочка?» — в ужасе подумала та, когда порыв ветра налетел на нее и сильно толкнул в грудь. Колготки снова издали какую-то раздраженную тираду. Элла решила, что надо как-нибудь исхитриться и схватиться руками за стрелку. Стрелка была огромной и должна выдержать вес даже больший, чем Элла успела накопить к тридцати годам. Пока она примеривалась, как лучше совершить смертельно опасный рывок, на площадь перед торговым центром въехали грузовики, с них ссыпались рабочие в оранжевых комбинезонах и принялись суетиться, совершая непонятные маневры.

Элла собрала волю в кулак и всем телом рванулась в сторону стрелки, на острие которой висела. Она вцепилась в нее руками и ногами и заплакала. Потом сквозь слезы глянула вниз, увидела идущих людей и закричала:

— Па-ма-ги-те!!!

Однако в тот самый миг, когда она закричала, над площадью пронесся дикий рев — это рабочие начали разбивать асфальт. «Мне, как всегда, не везет!» — подумала Элла и засмеялась сквозь слезы. Потом сообразила, что надо дождаться перерыва — не могут же они долбить все время без остановки. Как только рев смолк, она снова вдохнула и завопила:

— Лю-ди!!!

На первом же слоге рев раздался снова. Поиграв в эту игру некоторое время, Элла решила, что придется придумать что-нибудь другое. И тут у нее в кармане пальто зазвонил мобильный телефон. Он пиликал так весело, как будто с его хозяйкой не происходило ничего особенного.

Элла совершенно забыла про мобильный. Она не привыкла к нему, поэтому и забыла. Она отпустила одну руку и достала аппарат, мимоходом подумав, что может его выронить. Руки заледенели и не слушались, однако ей удалось принять вызов и поднести телефон к уху. Звонил, конечно же, Овсянников.

— Когда ты приедешь? — спросил он домашним голосом, который наводил на мысль о чашке чая и шерстяных носках.

— Не знаю, — ответила Элла и сглотнула.

— Что это у тебя там ревет? — повысил голос Овсянников.

— Это... Асфальтодробилка, — тотчас сообщила она. — Послушай, ты не мог бы мне помочь? — Слезы потекли у нее не только из глаз, но и из носа.

— А что такое? — тут же насторожился тот.

— Я попала в беду, — выдавила из себя Элла, чувствуя, как металлическая стрелка леденит ее кожу сквозь одежду. — Ты не мог бы приехать и меня забрать?

— Ладно, — секунду подумав, согласился Овсянников. — Я сейчас возле «Сухаревской», а ты где?

— Я совсем рядом! — закричала Элла. — Знаешь новый торговый центр у метро?

— Ну? Ты возле центра?

— Да. Вернее сказать, — пролепетала она, — я как бы сверху. Как бы снаружи и наверху.

— А как бы поподробнее можно? — весело переспросил Овсянников.

— Понимаешь, там снаружи часы и, понимаешь, я упала и...

— Часы что, стояли на полу? — изумился Овсянников и громко бибикнул кому-то, чертыхнувшись. — Мне ехать еще две минуты. Так что? Где ты там упала? Кто там поставил эти часы?

— Это торговый центр поставил, — почти что застенчиво сообщила Элла. — Они украшают фасад. Над входом.

— Так ты что, упала и лежишь под часами при входе в торговый центр? — уже вовсю веселился Овсянников. Его забавляла неспособность новой секретарши объяснить такую простую вещь — где она находится.

— Я сижу на стрелке, — выдохнула Элла.

— А с кем у тебя стрелка?

— Понимаешь, — сказала Элла, решив, что надо говорить всю правду, — я упала с третьего этажа, но не разбилась, а зацепилась за стрелку часов над входом в торговый центр.

В трубке повисло короткое молчание, потом Овсянников захохотал:

— Ты меня разыгрываешь!

— Да нет же! — закричала Элла и снова заревела.

— Финт в духе Эллы Астаповой! — мрачно заявил Овсянников. — Не нужно тебе было лезть в это дело! Видишь, с тобой тоже начали случаться всякие гадости.

Однако когда он явился и увидел все своими глазами, все сравнения вылетели у него из головы. Элла сидела в обнимку со стрелкой и наблюдала, как Овсянников что-то говорит охраннику и показывает вверх. Как охранник задирает голову и, секунду помедлив, срывается с места. Как из центра выбегают люди и начинают пялиться на нее. А из окон третьего этажа высовываются головы персонала.

В конце концов приехали пожарные и втащили ее обратно на крышу. Как оказалось, она вовсе и не летела вниз, а всего лишь перекувырнулась и сразу же повисла в воздухе, зацепившись колготками за часы. Когда Овсянников засунул ее в машину и тронулся с места, она так расплакалась, что он был вынужден остановиться и попытаться ее утешить.

— Господи, какая ты холодная! — воскликнул он и стал утешать ее активнее.

Сначала обнял, а потом и поцеловал. Поцелуй оказался самым действенным согревающим средством, поэтому они пошли именно по этому пути и задержались на обочине минут на тридцать.

Когда приехали домой, Овсянников стащил с Эллы пальто, сапоги и перчатки, поцеловал в ладошки и сказал:

— Сейчас ты примешь ванну и успокоительное, а потом залезешь под одеяло. А завтра мы начнем развивать наши взаимоотношения.

Однако утром он умчался и где-то пропадал целый день, а Элла в это время пыталась забыть вчерашние приключения с помощью коньяка, который она нашла в буфете. Когда Овсянников вернулся и крикнул: «Я дома!», Элла вышла из комнаты в длинном халате и с бутылкой наперевес.

— О! — сказал Овсянников, вовсе даже не разочарованный. — Дама в слегка раскисшем состоянии!

Он быстро принял душ, переоделся и полез к ней с нежностями. Элла икнула и сказала:

— Я согласна на все, только у меня есть условия.

— Да-да? — спросил сыщик. — Все, что ты скажешь, котеночек.

— Ты не будешь снимать с меня халат, а также трогать меня за коленки и заглядывать за уши.

У Овсянникова непроизвольно вытянулось лицо.

— Знаешь, киска, — пробормотал он. — Я ужасно современный парень и с пониманием отношусь к женским эротическим фантазиям, но даже для меня это чересчур!

Глава 9

Рано утром в дверь позвонили. Как только Овсянников открыл глаза и зашевелился, Элла, словно вспугнутая лань, умчалась в ванную комнату накладывать на лицо косметику. Когда она оттуда вышла, то обнаружила на кухне ослепительную блондинку. Та держала двумя пальцами кофейную чашечку и что-то оживленно говорила. Заспанный Овсянников сидел напротив и смотрел на нее совершенно глупыми глазами.

— О! Вот и вы! — сказала блондинка и наиаккуратнейшим образом приземлила чашку на блюдце. — Я — Наташа, бывшая жена Евгения Константиновича.

— Бывшая жена... Это та, которая мать? — уточнила Элла.

— Значит, ты ее предупредил? — просияла Наташа, одарив Овсянникова благодарным взором. — Да, я именно мать. А вы?..

— А я секретарша.

— Это отлично, что вы себя именно так позиционируете, — сказала начитанная Наташа и закинула ногу на ногу. — Дело в том, что мы задумали вернуться.

Овсянников зевнул, не открывая рта, и сладко зажмурился.

— Кто — вы? — уточнила Элла. — Вы вместе с Оксаной... с хлястиком?

— С Хлястиком? — нахмурилась Наташа. — Я не знаю, кто такой Хлястик. Она что, сошлась с каким-то татарином?

— Нет, — ответила Элла. — Она хочет вернуться и делать детей с Овсянниковым.

— Фу! — воскликнула та. — Бред какой-то. Женя, — обратилась она к бывшему мужу. — Ты хочешь делать детей с Оксаной?

— Нет, — честно признался Овсянников и полез в холодильник за колбасой.

Его хваленое благородство очень смахивало на пофигизм.

— Надеюсь, что, когда мы с Мусей въедем, вы найдете себе другое жилье, — оживилась Наташа и посмотрела на Эллу с любопытством — как-то она среагирует?

— Я подумаю, — ответила та, смутно догадываясь, что подобные сцены разыгрываются здесь довольно часто. По крайней мере Овсянников ничуть не расстроился и даже подмигнул ей, давая понять, что Наташу не стоит принимать всерьез.

— Муся — это моя дочь, — пояснил он. — Вообще-то ее зовут Марусей, но Наташа почему-то придумала ей собачью кличку.

— Где ты видел собак по имени Муся? — тотчас рассердилась Наташа. — Как бы то ни было, но Муся не может больше жить без родного отца!

— Когда ты убегала со своим Ибн Рашидом, — ехидно заметил Овсянников, — то говорила совершенно обратное.

— Я заблуждалась! — охотно признала свою вину Наташа и сложила руки на животе. — Но теперь, когда Муся подросла, отец нужен ей, как кусок хлеба!

— Сколько же ей лет? — поинтересовалась Элла и тоже отрезала себе колбасы, потому что очень хотела есть, а визит не обещал быть коротким.

— Четырнадцать, — охотно сообщила Наташа. — Но выглядит она на все семнадцать. Такая рослая, хорошо оформившаяся девочка. Можете себе представить, она уже носит мои вещи! Так что если ты, Женя, не возражаешь, мы приедем завтра. Мою комнату, конечно, уже освободят?

— Я возражаю, — сказал Овсянников. — Я собираюсь снова жениться, и твою бывшую комнату уже застолбили.

Наташа некоторое время молчала, потом шумно втянула в себя воздух и заявила:

— Ну это вообще ни в какие ворота не лезет!

— Птичка моя, я ведь тебя в прошлом году предупреждал — не ходи ко мне посольством, я не поддамся. Переговоры я готов вести только по поводу денег. Если ты хочешь, чтобы я увеличил содержание на ребенка...

— Хочу! — тут же заорала Наташа, и ее лицо вернуло прежнее приятное выражение. — Если повысишь сумму выплаты, я разрешу твоей секретарше остаться.

— Спасибо, — сказал Овсянников вместо Эллы. Та с задумчивым видом смотрела в окно. — Она тебе весьма признательна.

— Тогда я, пожалуй, пойду! — сообщила Наташа и встала. — А то Муся меня, наверное, уже заждалась.

— Почему же ты не взяла ее с собой?

— Я подумала: а вдруг у тебя женщина? Муся могла смутиться.

Она игриво схватила Овсянникова за щеку и потрепала, оставив на ней лунки от твердых, выращенных на искусственном кальции ногтей.

Когда дверь за ней закрылась, Элла встала и потусторонним голосом провещала, продолжая глядеть в окно:

— Я знаю, кто убил Астапова!

— Да ну? — спросил сыщик, не принимая ее слов всерьез. — Ты только что догадалась?

— Только что, — согласилась Элла и, неожиданно сорвавшись с места, бросилась в свою комнату.

Овсянников пошел за ней и стал в дверях, наблюдая, с каким остервенением она натягивает на себя одежду.

— Ты можешь объяснить, что случилось? — потребовал он.

— Я объясню, только позже! — бросила она, запихивая в сумочку все подряд. — И ты меня не подвози, мне нужно по дороге все обдумать.

— Хотя бы скажи, куда ты едешь!

— В гостиницу к Лаппо! Это тот тип, с которым Астапов ходил на спектакль «Дневник оборотня».

— Да уж я помню! — нахмурился Овсянников. — Начнешь допрашивать его по второму разу?

— Мне нужно уточнить только один маленький фактик.

— И ты будешь готова разоблачить убийцу? — не поверил он. — Что-то как-то быстро. А потому сомнительно. Нет, ты не шутишь? Не хочешь мне рассказать?

— Мне нужен еще один факт. Если он ляжет в мою версию, то расскажу. В любом случае постарайся сегодня пораньше вернуться домой.

— Хорошо, — пожал плечами Овсянников. — Я и так собирался вернуться пораньше. Развод, которым я занимался, не состоялся. Стороны передумали, и я должен получить компенсацию. Получу — и сразу обратно.

* * *

Когда Элла возвратилась из поездки в гостиницу, настроение у нее было отвратительным. Она легла на постель и долго плакала в одну из дюпоновских подушек, которыми неженка Овсянников наводнил дом. Потом насухо вытерла глаза и позвонила матери.

— Эля! — простонала та трагическим голосом. — У нас случилось ужасное — Юрочка умер!

— Мам, успокойся, пожалуйста. Он не умер, он жив. Говорят, завтра его можно будет проведать.

— Что-о-о? — страшным басом переспросила Дана. — Меня что, обманули, как девочку?

— Это было сделано в интересах следствия, — усталым голосом ответила Элла. — Мам, вы с Борисом можете приехать к его другу Овсянникову? Часам к семи? Ты ведь знакома с Овсянниковым, да?

— Знакома. Только Борис как раз сегодня на пару с твоим шефом Шведовым собирался ехать искать тебя в Истру, в наш летний домик.

— Ну, теперь, когда меня не надо искать, пусть они оба едут к Жеке Овсянникову, хорошо? И ты, конечно, тоже приезжай.

— Эля, мне не нравится твой тон! — тотчас же сказала Дана. — У тебя что-то случилось! Ах, да! — тут же спохватилась она. — Действительно случилось. Я как-то все время упускаю из виду.

Потом Элла позвонила Римме, приказала ей явиться к семи и продиктовала адрес.

— Я тебе очень нужна? — спросила Римма.

— Очень. То, что я хочу сделать, требует не только мужества, но и поддержки. Надеюсь, ты будешь на моей стороне, что бы ни случилось.

— Я же твоя сестра! — воскликнула та. — А кровь сестер всегда течет в одну и ту же сторону.

— Ну не скажи... — пробормотала Элла и набрала еще один номер.

Последний звонок был Ларисе Трошиной.

— Ларис, я влюбилась, — сказала она и подняла глаза вверх, чтобы не пролились слезы. — Его зовут Евгением, Жекой. Хочу сегодня вас познакомить. Ты ведь моя лучшая подруга!

Она снова продиктовала адрес, потом тщательно оделась, распустила волосы и, достав бутыль с очищающим молочком, сняла с себя всю косметику. Поскольку новые красивые очки, которые ей выбрала жена Шведова Вера, улетели куда-то во время акробатических этюдов на уличных часах, Элла по дороге купила другие, специально выбрав круглые, как раньше. Чтобы Овсянников, узнав о ней правду, ни на миг в этой правде не усомнился. Чтобы не бегал вокруг и не вопил: «Этого просто не может быть! Не могу поверить! Какой я болван!»

И вот наконец Овсянников возвратился домой. Элла стояла в коридоре, опустив руки по швам, и глядела прямо на него мятежным взором. Она была готова к борьбе.

— О! — сказал сыщик, снимая ботинки и стряхивая с челки снег. — Ты сегодня какая-то другая!

Он протиснулся мимо, поцеловав ее в пылающую щеку, и заперся в ванной, включив воду на всю катушку. Он плескался, полоскался, пел, хрюкал и гремел флаконами. Элла дождалась, пока вода перестанет течь, и встала уже возле двери ванной. Ароматный Овсянников вышел оттуда, снова поцеловал ее в ту же самую щеку и прошел на кухню. Элла пошла за ним и остановилась в дверях.

— Жень, посмотри на меня внимательно! — потребовала она, сообразив, что иначе можно таскаться за ним до самой ночи.

Овсянников посмотрел и сказал:

— Выглядишь потрясающе! — И улыбнулся, как полный кретин.

— Тебе лучше надеть футболку, — посоветовала Элла. — У нас сегодня будет много гостей. У тебя, конечно, роскошный торс, но мне не хочется, чтобы он отвлекал присутствующих от дела.

— Отвлекал присутствующих? А что, будут женщины?

— Гости.

— Ты наприглашала гостей? Я их знаю?

— Знаешь, — успокоила его Элла. — По крайней мере, большую и лучшую их часть. Будет Борис с семьей...

— Я не был на его свадьбе, поэтому с семьей незнаком. У нас с Борькой мужская дружба. Холостяцкая. Не дружба домами, если ты понимаешь, о чем я говорю...

— Как же, как же. Собираетесь у кого-нибудь на квартире, чтобы выпить хорошего коньяку, поговорить о футболе и рыбалке. А сами пьете водку, играете на деньги в поддавки и обсуждаете баб.

— Перегибаешь! — не согласился Овсянников. — У меня даже шашек нет.

— Значит, с семьей Бориса ты незнаком? — еще раз переспросила Элла.

— Я поэтому и Астапову живьем не видел.

— Жаль, — сказала та. — Сегодня это тебе очень помогло бы.

— А кто еще придет? — Глупый сыщик пропустил ее замечание мимо ушей.

— Еще придут Шведов и двое моих коллег по работе, а также моя подруга. — Она хотела добавить — лучшая, но язык не повернулся.

— Ой-ой-ой! — пронял Овсянников. — Нам не хватит кофе, там почти ничего не осталось. И конфеты кончились, и вафельный торт.

— Уверяю тебя, собравшимся будет не до сладкого. Разве ты ничего не понял? Я собираюсь разоблачить убийцу.

— У тебя страсть к мелодраматическим эффектам? — поинтересовался Овсянников, быстро поедая то, что нашел в сковородке. — Не лучше ли тебе было выложить все, что ты накопала, профессионалу, то есть мне, а я бы уже разобрался, что к чему. А то, смотри, сядешь в лужу!

— В нынешней ситуации я была бы рада сесть в лужу, — печальным голосом заявила Элла. — То, что я знаю, разрушает меня.

— Не хочешь же ты сказать, — Овсянников даже жевать перестал, — что убийца — кто-то из тех, кого мы ждем сегодня вечером?

— Перестань паясничать, — рассердилась она. — Конечно, именно это я и хочу сказать. Перед кем бы мне тогда выступать и, главное, зачем? Я ведь хочу добиться признания!

— С помощью чего?

— С помощью логики, разумеется. И неопровержимых улик.

Только Овсянников собрался было что-то ответить, как в прихожей прозвенел звонок, и он отправился открывать. В коридор, галдя, словно пернатые на птичьем базаре, ввалились Борис, Дана, Римма и Шведов.

— Доченька! — крикнула Дана своим мощным капитанским голосом и бросилась обнимать Эллу.

Она немного потискала ее, словно плюшевого зайку, и отбросила, крепко поцеловав в лоб. Шведов снял ботинки, надел тапки с помпонами и глупо хихикал, понимая, что сейчас ему предстоит объяснение с Овсянниковым. За Бэллу Гапсержакову придется отвечать.

— Ты все-таки нашел ее! — крикнул Борис и со всего маху шарахнул Овсянникова по плечу. — Вот чертяка! А говорил, что шансов почти никаких!

— Доченька! — пробасила Дана.

— Какая доченька? — не понял Овсянников. — О чем вы? Кого я нашел?

— Да Эллу же!

Овсянников вопросительно посмотрел на Шведова, и тот зашелся в приступе икающего смеха:

— Обманули дурака на четыре кулака! Это я все придумал! Я тебе подсунул Эллу под видом Бэллы! Твоей секретаршей была Элла Астапова!

— Так ты — Элла Астапова? — вскричал Овсянников, повернувшись к виновнице всей этой смуты.

— Астапова, — подтвердила Римма, расцеловавшись с сестрой. — Она у вас тут пряталась.

— Не может быть! — воскликнул Овсянников и всплеснул руками. — Значит, меня обвели вокруг пальца? С ума можно сойти! А я-то, я-то! Надо же было так лажануться!

Если бы объявили конкурс лжецов, Овсянников бы засыпался на отборочном туре. Он был неубедителен, как Ричард Гир в роли обманутого мужа.

— Значит, ты — Элла Астапова! — понизив голос, сказал он, подойдя к ней вплотную. В глазах у него сверкали крохотные искорки. — Как я мог так долго обманываться на твой счет?

Элла решила, что разберется с ним позже. Тем более что приглашенные продолжали прибывать. Пока они тусовались в коридоре, явилась Катя Бурцева — безумно смущенная и безумно взволнованная. Следом за ней появился Никита Шаталов — такой же смущенный и взволнованный, как она.

— Мы встретились возле метро, — поспешно объяснила Катя, снимая сапожки. — Эля, я очень рада, что дело завершается и ты не прячешься от своих родственников.

Ее познакомили с Даной, с Риммой и с Овсянниковым. Дима Шведов сказал, с гордостью показывая на Катю и Никиту:

— Мои сотрудники! — будто бы это были выставочные поросята, вскормленные им самолично.

Овсянников между тем смотрел на Никиту с таким откровенным подозрением, будто тот когда-нибудь уже таскал у него из буфета серебряные ложки. Вероятно, ему пришлась не по душе могучая Никитина фигура. Тот ничего не замечал, его глаза следили за Катей Бурцевой, как винтовка снайпера за приговоренным к смерти.

— А вот и моя лучшая подруга! — излишне громко сказала Элла, услышав, что в прихожей снова зазвенел звонок.

Однако когда она открыла дверь, то обнаружила за ней не только Ларису, но и Ленку. Элла испуганно заморгала. Меньше всего ей хотелось, чтобы сегодня здесь присутствовала Ленка. Это будет слишком больно. Слишком.

— Вы чего — обе? — спросила она, пятясь.

— Она непременно решила ехать, — пояснила Ленка, — хотя у нее еще температура. Куда я ее одну отпущу, когда ее от слабости мотает во все стороны? И обратно довезу, если ты, конечно, меня впустишь и позволишь поприсутствовать. — Собственно, Ленка ни секунды не сомневалась, что ее впустят. — У вас тут что, вечеринка?

— Вечеринка, — пробормотала Элла.

— Моя дочь вычислила убийцу своего мужа! — громовым голосом провозгласила Дана. — Надеюсь, дорогая, тебе удалось собрать доказательства и наша семья вернется, наконец, к нормальной жизни.

— Доказательства соберут следователи, — тихо сказала

Элла. Однако ее все услышали. — Я поняла, кто убийца, выяснила мотив убийства и нашла ту самую ошибку, которую совершил преступник. И в связи с этим очень рассчитываю сегодня на чистосердечное признание.

— Что-то я не понял, — нахмурился Борис. — Убийца среди нас? Ты это хочешь сказать?

— Ну конечно! — всплеснула руками Дана. — Такие убийства происходят только в узком кругу!

— Так ты собрала всех вовсе не для того, чтобы порадовать хорошей новостью? — растерялся Шведов.

— Для большинства развязка будет самой хорошей новостью, — ответила вместо сестры Римма. — Кроме убийцы, разумеется.

— Мы же тут все друг друга знаем! — продолжал упорствовать Шведов. — Я не верю, что среди нас есть убийца!

— И я не верю, — испуганно сказала Катя Бурцева. — Так не бывает, чтобы среди знакомых людей вдруг затесался убийца. В кино только. А в жизни не бывает.

— Не бойся, — сказал Никита и, обняв ее за плечи, поцеловал в волосы. — Все будет хорошо. Я буду рядом.

— Ну так что мне-то делать? — спросил Овсянников. — Как хозяин квартиры я должен предложить обществу пройти в гостиную, да?

— Мы сами пройдем, — буркнул Борис, который был раздосадован происходящим и не скрывал этого. — Какой-то спектакль, право слово! Я страшно не люблю самодеятельности!

— Неужели? — спросила Элла и посмотрела на него с печальной пристальностью. — Тебе бы в суде работать.

— Рассаживайтесь! — прервал их Овсянников. — Можете садиться сюда, на диван, и сюда, в кресла, и вот на эти стулья. Можно сесть на шкуру, она уже лет десять как не кусается. А ты, девочка дорогая, как? Будешь разоблачать убийцу стоя?

— Нет, уж я-то в первую очередь сяду, — сказала Элла. — У меня ноги подкашиваются. Думаете, легко бросаться обвинениями? Здесь нет ни одного человека, который не был бы мне близок.

— Но ты уверена? — настороженно спросила Дана. — Ты точно знаешь, что не ошиблась?

— Я не могу ошибиться, потому что есть свидетель.

— Свидетель? — переспросил Овсянников изумленно. — Не может быть свидетеля!

— Ты просто не знаешь.

— Я тебе всегда говорила, что у моей девочки хорошая жизненная хватка, — с гордостью сказала Дана своему мужу. — Если она за что взялась, то ни за что не отступит. Вот хоть режь ее!

— Это положительная черта характера или отрицательная? — пробормотал Овсянников. — Я ничего такого не заметил, но, возможно, я был слеп по совершенно понятной причине.

— По совершенно понятной причине? А клялся! — возмущенно сказал Шведов, как будто действительно был дядюшкой Бэллы Гаптержаковой и пекся о ее чести.

— Я не знала, что попаду на криминальное шоу! — воскликнула Ленка, которая забралась в кресло с ногами и сверкала оттуда зелеными глазищами.

— Не произносите при мне таких слов! — с отвращением сказала Римма. — Шоу, ток-шоу... Меня от них в дрожь бросает.

— Не тебя одну, — буркнул Борис.

— Может быть, начнем? — спросил Овсянников, демонстративно положив руки на колени. — Я напряжен, как будильник за минуту до звонка.

— Мне кажется, вы не принимаете меня всерьез, — растерялась Элла и оглядела собравшихся. Потом вздохнула и махнула рукой. — Ну и ладно! Я расскажу вам все, что мне удалось узнать, а выводы пусть каждый делает сам. Кстати — возражения по ходу дела принимаются. Дополнения, замечания и чистосердечные признания тоже. Начну с того, что, пожалуй, никому из вас не известно. Кроме убийцы, разумеется.

— Разумеется! — поддакнул Шведов, и все с осуждением поглядели на него.

Все, кроме Эллы. Она не дрогнула, лишь выдержала небольшую паузу. Потом отчетливо произнесла:

— У моего мужа была не одна, а две любовницы!

— У тебя там не закрытый, а открытый перелом! — с той же интонацией провозгласил Дима Шведов.

— Дурак! — рявкнул на него Борис. — Нашел время «Бриллиантовую руку» цитировать!

Со всех сторон тем временем посыпались изумленные восклицания. Никита Шаталов пробормотал:

— Да быть того не может!

Женя воскликнул:

— Вот это новость так новость!

Лариса и Ленка просто выкатили глаза и переглянулись, Катя Бурцева прижала кулачки к сердцу, а Дана удивленно пробасила:

— Как у него только сил хватало, у засранца?

Овсянников тут же сразу поинтересовался:

— А эти две любовницы — они знали друг о друге?

— Хороший вопрос! — мигом повернулась в его сторону Элла. — Первая любовница, Надя Степанец, ничего не знала о том, что у Астапова есть кто-то еще. А вот вторая его любовница о Наде знала очень хорошо.

— И кто, кто она, эта любовница? — спросила Лариса, усаживаясь поудобнее.

— Я потом скажу, — Элла выставила руки перед собой. — Терпение, дамы и господа. Я жутко нервничаю, поэтому если рассказ получится несколько путаным, вам придется меня извинить. Кстати, о существовании Нади Степанец и ее месте в жизни моего мужа знал кое-кто еще из близких мне людей.

— Да? — удивилась Римма. И тут же воскликнула: — Наверное, это мой муж! Вот почему он подрался тогда с Астаповым возле банка! Он узнал о Наде!

— Ошибаешься, сестричка. Как раз о Наде твой муж ничего не знал. Но о Юрке мы поговорим позже, хорошо? И о том, что он знал, тоже.

— Так кто же в семье знал о том, что Надя — любовница Астапова? — нахмурив брови, переспросил Борис.

— Ты, — просто ответила Элла.

Все глаза устремились на него, и он немедленно растерялся.

— Но откуда ты... С чего ты взяла?

— Когда я строила свою версию, мне о многом пришлось догадываться, — заявила Элла. — Однако в каких-то вещах я абсолютно уверена. Борис, ты знал, что у Игоря есть любовница, Надя Степанец. Знал, что у Нади от него ребенок. Ты даже сделал благородный шаг и попробовал помочь моему мужу разрулить ситуацию.

— Эля, у тебя жар! — безапелляционно заявила Дана.

— У меня нет жара, мамочка! Не знаю, то ли Астапов придумал сказочку о том, что Надя готова отпустить его на все четыре стороны, если он купит ей и Шурику квартиру, то ли Надя действительно высказывалась в этом духе и сама верила в свои благородные намерения... Как бы то ни было, Астапов принял решение выполнить ее требование. Квартира была куплена. Она обошлась ему — без копеек — в шестьдесят тысяч долларов. Думаю, он и в самом деле считал, что это отступные.

— Деньги! — неожиданно вскинулся Никита Шаталов. — Никакая не любовь. Вот как! «Пэкуниэ обэдиунт омниа» — деньгам все повинуется.

— Конечно, деньги! — подтвердила Элла. — Любовь отдельно и деньги отдельно, возможно, и не натворили бы бед. Но, соединившись, они образовали гремучую смесь, которая взорвалась в самый неожиданный момент.

— Ты обвинила меня в том, что я знал о любовнице и ребенке! — недовольным голосом заявил Борис.

— Конечно, знал. Тебе сам Астапов рассказал. Именно у тебя он занял часть денег на квартиру для Нади. Если моя версия верна, то ты одолжил ему не всю сумму. А половину или большую половину. Тысяч тридцать — тридцать пять. И Астапов собирался отдать тебе эти деньги. Именно в вечер убийства они у него появились. Когда-то он вложил энную сумму в дело, которое начал его друг. И теперь этот друг, Роман, выкупил у него свою долю.

— Да с чего ты взяла? — раскипятился Борис, стараясь смотреть мимо нее.

— Помнишь, в вечер убийства Игоря, перед тем, как начать смотреть ток-шоу «Затруднительное положение», мы все сидели в комнате и Римка спросила, отчего ты такой веселый? А ты сказал: «Мне должны отдать старый долг, я твоей матери машину куплю». Речь как раз шла о тех деньгах, которые собирался вернуть Астапов. Не спорь!

Вместо того чтобы спорить, Борис сжал руку в кулак и закусил зубами указательный палец.

— Так! — сказала Дана. — Это что-то новенькое. Борис! В такой трагической ситуации ты просто не имеешь права молчать.

— Хорошо, хорошо! — Борис поднял руки над головой. — Все так и было. Астапов рассказал мне о Наде, о том, что она вцепилась в него, как энцефалитный клещ, и отравляет жизнь. Я, конечно, был заинтересован, чтобы он освободился от этой зависимости и начал нормальную семейную жизнь, — он бросил на Эллу косой взгляд. — Он сказал, что Надя подобрала себе квартирку и ему нужно только заплатить за нее. И тогда — свобода, гуляй, рванина! Всей суммы у меня не было, но Игорь просил хоть сколько-нибудь. Я смог дать половину. — Он воинственно вздернул подбородок и добавил: — Не думаю, что хоть кто-то из присутствующих здесь посмеет меня за это осудить!

— Спасибо за откровенность, — кивнула ему Элла. — Хочу только добавить, что ту же самую историю Игорь рассказал свому последнему, роковому увлечению — своей второй любовнице. Вероятно, между ними разгорелась нешуточная страсть. Не знаю, о чем грезила эта женщина — выйти за него замуж или просто помочь ему освободиться от шантажистки Нади, однако она решила ему помочь. И дала вторую половину суммы.

— Богатая дамочка! — недоверчиво покачал головой Овсянников. — Она что, тоже вице-президент какого-нибудь банка?

— В том-то и дело, что у нее самой за душой нет ни копейки! — оживленно ответила Элла. — Она взяла деньги у близкого человека. Без спросу. Она рассчитывала в скором времени их вернуть. Фишка в том, что вернуть их нужно было к определенному сроку. Иначе бы денег хватились и случился бы грандиозный скандал. А вернуть она их не смогла, потому что Астапов ее продинамил. Просто подставил, и все.

Элла в упор посмотрела на Ларису, которая медленно облизала губы и аккуратно заправила волосы за уши.

— Я скрупулезно, по минутам восстановила все, что происходило в вечер убийства, — продолжила Элла и достала из кармана сложенный вчетверо листок. — Если вы не против, я буду подглядывать в свою шпаргалку.

Никто не был против, и она, развернув листок, начала:

— Тем вечером из офиса Игорь вышел вместе с господином Лаппо Леонидом Игнатьевичем, гостем руководства банка, который приехал в столицу на несколько недель и просил организовать ему культурную программу. Его сводили куда полагается, а потом продолжали уже развлекать так, по мелочи. Игорю поручили сопровождать Леонида Игнатьевича на спектакль «Дневник оборотня» в Театр современной пьесы.

Элла сделала паузу, криво улыбнулась и сказала:

— А сейчас многие из вас узнают нечто шокирующее.

— После спектакля Астапов и Лаппо стали любовниками! — «догадался» Шведов. Все посмотрели на него с осуждением, он страшно смутился и постучал себя рукой по губам, показывая, что больше не будет.

Элла решила, что на Шведова не стоит обращать внимания, и продолжила:

— Господин Лаппо уверял меня, что в театр Игорь приехал в хорошем настроении. Но во время спектакля настроение у него резко испортилось. Он не разговаривал по телефону и ни с кем не встречался во время антракта. Следовало понимать так, что настроение ему испортила непосредственно пьеса. Вот я и решила поглядеть — что там за пьеса такая. Купила билет и отправилась на представление.

— И что? — с придыханием спросила Дана. — Что ты узнала?

— Я узнала, что Надя Степанец обманывала Астапова. Что ребенок у нее — вовсе не от него, а от актера Театра современной пьесы Александра Маргачева. Очень талантливый, к слову сказать, тип!

Слушатели ахнули, а глупая Ленка захохотала в голос. Элла подробно рассказала, как она выяснила всю правду про то, кто отец Надиного ребенка. Как у нее заглохло такси, как она сделала вид, что Маргачев задел ее своей машиной, как он и повез ее к себе домой, а там обнаружилась Надя Степанец и стала выяснять отношения, и как она, Элла, быстренько прижала ее к ногтю.

— Именно Надя вывела меня на человека, с которым Игорь встречался в тот вечер после спектакля.

— Ты бы лучше заглядывала в шпаргалку, — осторожно посоветовал Шведов. — Когда рассказываешь по порядку, гораздо понятнее.

На этот раз Элла на него не стала сердиться и спокойно продолжила:

— Итак, спектакль закончился в половине десятого вечера. В десять часов Игорь довез господина Лаппо до гостиницы и распрощался с ним. Он пылал яростью. Он знал, что у Нади есть старинный друг актер. Но ему никогда и в голову не приходило, что, увидев этого актера, он едва не лишится рассудка от гнева. Однако гнев пришлось некоторое время сдерживать. Ему необходимо было попасть на Маяковку. Друг Роман приготовил и должен был отдать ему обещанные деньги — выплату за его долю в бизнесе.

У Романа Игорь задерживаться не стал. Как вы понимаете, он не был расположен к дружеским беседам. Ему не терпелось возвратиться домой и разобраться с Надей.

— А почему он не поехал к ней лично и не разобрался тет-а-тет? — с любопытством спросила Римма.

— Думаю, что из-за портфеля с деньгами. Таскать с собой такую сумму, знаешь ли, не очень легко. Не в том смысле, что деньги тяжелые, а в том, что нервы сильно напрягаются.

— Не отвлекайся, пожалуйста! — попросил Дима.

— Я и не отвлекаюсь! — огрызнулась Элла. — Деньги лежали в коричневом портфеле, куда их уложил Роман. — Она снова заглянула в шпаргалку. — Примерно без пятнадцати одиннадцать Игорь приехал домой и сразу же бросился звонить Наде. Он так орал на нее, что это услышала Юлия Юшкина, соседка, которая пошла выносить мусор. Игорь сыпал нецензурными словами, и как раз в этот момент в квартиру вошла, скажем так, роковая женщина — его вторая любовница. Особо отмечу, что она открыла дверь своим ключом. Астапов был так ею увлечен, что сделал для нее дубликат. Наверное, они обманывали меня с завидным постоянством. Не думаю, что тем вечером у них было назначено свидание. Но она знала, что меня нет дома.

— Откуда? — спросила Римма.

— Думаю, что от меня. Я запросто могла рассказать, что еду к маме на весь вечер и вернусь не раньше полуночи.

— Ты говоришь ужасные вещи! — заметила Дана.

Никита и Катя переглянулись, и Никита взял ее за руку, крепко сжав пальчики. Римма покачала головой, а Лариса обхватила себя руками за плечи.

— Итак, она вошла в квартиру. Она была в длинном черном пальто с капюшоном. Таком, как у меня. Ларис, ты помнишь, мы вместе купили такие пальто? — спросила Элла, не глядя на подругу.

Лариса ничего в ответ не сказала. Она таращилась на Эллу и судорожно сглатывала слюну.

— Так вот, она вошла и застала конец разговора с Надей. Было что-то без десяти одиннадцать. Пока Игорь все еще занимал телефон, она разделась и сняла часики, положив их, вероятно, под зеркало. Часики были не простые — именные, с бриллиантами. Да еще на свободном браслете. Я заметила, Ларис, что это у вас семейное: когда ты куда-нибудь приходишь, то всегда первым делом идешь мыть руки. И снимаешь часики. Потому что браслет у них очень свободный, он падает почти на ладонь, в механизм может попасть вода.

Ужас мигом выбелил Ларисино лицо. Ленка тоже побледнела и, спустив ноги на пол, зажала рот обеими руками. Глаза у нее стали совершенно дикими.

— Честное слово, я не хотела, чтобы она приходила! — пробормотала Элла, кивая в ее сторону. — Напрасно ты ее привела, Ларис.

— Напрасно? — шепотом переспросила та. — Наверное, да. Наверное. Напрасно.

— Итак, — переборов себя, продолжила Элла. — Астапов заканчивает ругаться с первой любовницей, а вторая тем временем выходит из ванной и натыкается на коричневый портфель. Открывает его и видит деньги. Астапов бросает трубку, и она спрашивает у него, неужели он, наконец, расплатится с ней. И он отвечает — нет. Он говорит, что у него есть еще и другие обязательства. Поднимает трубку и звонит Борису. Он ведь звонил тебе еще раз, не так ли? — спросила Элла Бориса. — В тот момент, когда все обсуждали шоу Григорчука?

— Да, он звонил, — тотчас ответил тот. — Он сказал: я собрал деньги, завтра отдам. Они при мне. Очень коротко и ясно.

— Этот звонок был его ошибкой. Если раньше она думала, что сможет его уломать и положить деньги на место вовремя, то теперь поняла, что ошибалась. Было одиннадцать часов вечера.

— Вряд ли теперь нужны иносказания, — перебил ее Овсянников. — Перестань говорить — она. Называй ее по имени — Лариса.

— Ты ошибаешься, Жека, — грустно сказала Элла. —

Никакая не Лариса. Я все поняла, когда пришла твоя жена. Она сказала — моя дочь Муся уже такая большая, что носит мои туфли и мою одежду. И тут меня словно током ударило. Сестры тоже часто меняются одеждой. И берут друг у друга вещи напрокат.

Все перевели глаза на Ленку. Она скрючилась в кресле и смотрела в окно, продолжая зажимать руками рот.

— Лариска не могла понять, где потеряла свои часики, которые муж подарил ей в день свадьбы. На самом деле это не она их потеряла. Это Ленка забыла их у Астапова. Она разругалась с ним в дым. Она знала, где Ларискин муж хранит деньги. У него был хитроумный тайник, которому он доверял больше, чем банковскому сейфу.

— Однажды у него уже сгорели в банке деньги, и с тех пор он ни за что не желал рисковать, — потусторонним голосом заметила Лариса, переводя взгляд с подруги на сестру.

— Ленка подглядела, где тайник, когда ты туда лазила, — сочувственно обратилась к ней Элла. — Но ты позаимствовала у Коли всего пять тысяч. Потом в ту же кубышку запустила лапу Ленка. Только взяла она гораздо большую сумму — тридцать тысяч. Вторая половина платежа за Надину квартиру. Насколько я понимаю, Коля Трошин не одержим манией вскрывать время от времени свой тайник и пересчитывать деньги. Он не скрывал, что все его сбережения пойдут на закупку оборудования для нового бизнес-проекта. И выплаты нужно будет сделать в конце ноября. И вот — конец ноября, деньги у Астапова есть, но отдать он их собирается вовсе не Ленке, которая так отчаянно рисковала ради него, а своему тестю. Тесть для него важнее, понимаете ли.

— Я не собиралась его убивать, — хриплым голосом сказала Ленка, отняв, наконец, руки от лица и вскинув голову. — Я действительно была в бешенстве. Я стукнула его... первым, что попалось под руку. Я не знала, что он умер. Думала, что он просто в отключке. Я оделась, взяла портфель с деньгами и выбежала из дому.

— Но дверь за собой закрыла? — уточнила Элла.

— Машинально. Не могла же я его оставить без сознания с открытой дверью! Ты правильно догадалась — я забыла в квартире часики. Я действительно сняла их, когда мыла руки. Я забыла их потому, что они больше не попались мне на глаза. Когда я открывала портфель, то положила его на тумбочку. И, вероятно, столкнула часики на пол. Они упали за ящик для обуви.

Состояние возбуждения у нее сменилось апатией, и Ленка говорила, вперив невидящий взгляд в ковер и зажав руки между колен.

— Ты не пересчитывала деньги, когда клала их обратно в Колин тайник? — спросила Элла.

— Нет, — покачала головой та. — Я так перепугалась, что мне было не до этого. Я просто переложила деньги из портфеля в тайник, и все. Я же слышала, как Игорь сказал по телефону: «Я готов вернуть тебе твои тридцать тысяч».

— В портфеле было не тридцать, а тридцать пять тысяч. Его доля в бизнесе Романа составляла тридцать пять тысяч. Вот почему, — обратилась Элла к Ларисе, — твой муж не поднял шума, когда вскрыл свой тайник. Денег в нем было ровно столько, сколько он туда положил.

— Когда ты хватилась своих часиков, — сказала Ленка, по-прежнему не глядя на сестру, — я сообразила, что произошло. Решила вернуться и отыскать их. Я была уверена, что они по-прежнему там. Элка скрывалась от милиции, а, кроме нее, никто бы не обратил внимания на эти часики. Подумали бы, что они ее, Элкины. Правильно ведь? Женская вещь, ничего такого.

Ей никто не ответил. Лариска уставилась в потолок, стараясь справиться со слезами.

— Значит, это ты устроила погром в квартире? — спросила Римма.

— Я была не в том состоянии, знаете ли, чтобы раскладывать вещи по местам, — ответила Ленка. Это могло прозвучать дерзко, если бы не ее совершенно убитый голос.

— А зачем ты ездила в гостиницу к Лаппо? — спросил у Эллы Овсянников, который не упускал ни одной детали. — Ты сказала мне, что тебе нужен еще один маленький фактик, чтобы твоя версия получила подтверждение.

— Понимаешь, когда я поняла, что это Ленка, — она сверкнула на нее глазами, — то подумала, что в том проходном дворе меня, наверное, не бандиты по голове кирпичом стукнули.

— Да ты что! — крикнула Лариска. — Ленка не могла тебя по голове! Зачем ей, ты что?!

— Помнишь, я заезжала к тебе по делам? Я тогда еще сказала, что сама взялась за поиски убийцы Игоря. И что мне помогает знакомый частный детектив. И что у нас уже есть первые результаты. Ленка страшно перепугалась. Она стала думать, как вывести меня из игры. И решила напугать. Организовать нападение, чтобы я бросила расследование. А лучше всего — сдалась милиции. На милицию она возлагала, наверное, самые большие надежды. Меня посадят — и все будет шито-крыто.

Она уже придумала, как именно меня напугает, вот только не знала, где меня найти. Я ведь никому не говорила, где скрываюсь. В тот, первый мой приход она не могла за мной проследить, потому что под окнами торчал какой-то тип, претендующий на роль жениха. Зато вскоре представился другой случай. Я позвонила и попросила ее помочь мне и съездить вместе со мной в гостиницу к Лаппо.

Видимо, она еще по дороге решила, что настало время инсценировать нападение. Поэтому, когда к ней привязался какой-то тип в гостинице, она сделала вид, что собирается ехать с ним кататься или в ресторан — я уж не помню. Сама же быстренько его отшила и спряталась. Дождалась, пока я переговорю с Лаппо и выйду на улицу. Она наступала мне на пятки. Выбрала подходящий момент, зашла вслед за мной в проходной двор, подняла кирпич и врезала мне по уху. Очень надеюсь, что у нее не случайно рука дрогнула, а замысел такой был — только шишку мне поставить.

— Замысел, — сказала Ленка. — Я не собиралась причинять тебе зло. Я действительно надеялась, что ты перестанешь заниматься расследованием.

— Когда я заподозрила Ленку, то подумала — только у нее одной была возможность меня выследить. Как раз после встречи с Лаппо. Как я рассуждала? Если моя версия верна и кирпичом меня угостила действительно Ленка, значит, ни с кем она из гостиницы никуда не поехала. И тот парень, который пристал к ней в холле, остался с носом. Я решила отыскать этого парня и спросить его прямо. В тот день я видела, как он общался с персоналом гостиницы. Скорее всего, он был постояльцем, как и Лаппо. Я обратилась к Лаппо за помощью — благо его в Москве задержали дела, — и мы выяснили, где остановился тот парень и как его зовут

— И как его зовут? — равнодушно спросила Ленка.

— Сергей Петрович Котенков. Сергей Петрович готов присягнуть, что не видел тебя с тех пор, как ты убежала от него, едва только вы вышли в тот день из гостиницы. И уж, конечно, ты никуда с ним не ездила. Ни кататься, ни обедать. Помнишь, Ларис, — обратилась она к подруге, — когда я приезжала к вам в следующий раз, Ленка сказала, что внизу ждет Алексей. Дескать, тот парень, с которым она познакомилась в гостинице. Она даже имени его не знала! Ибо он никакой не Алексей, а, как я уже сказала, Сергей Петрович.

— Зачем вообще врать, когда можешь попасться? — покачал головой Овсянников. — Вранье — дело тонкое и требует большого мастерства. Также беспорядочные попытки замести следы часто приводят к провалу.

— Я не виновата! — заплакала Ленка. — Я просто жертва обстоятельств!

— Да что ты говоришь? — желчно спросила Римма. — Мало того, что ты завела шашни с Элкиным мужем, ты еще его и убила. А потом добралась и до моего.

— Действительно! — с удивлением вспомнила Дана. — Мы Поповского как-то упустили из виду!

— Мы не упустили, — успокоила ее Элла. — Мы просто еще до него не добрались.

— Я Поповского не убивала! — закричала Ленка, наклонившись вперед всем корпусом. — Это кто-то другой сделал!

— Конечно, ты его не убивала, — согласилась Римма. — Он жив.

Ленка вскочила на ноги, но Лариса быстро сказала ей:

— Сядь!

Она неохотно села и стала шумно дышать, показывая, что возмущена до глубины души. То ли она не поверила, что Поповский жив, то ли готова была опровергнуть любое обвинение в покушении на него.

— Примерно за месяц до убийства Игоря, — Элла снова взяла инициативу в свои руки, — Юрка Поповский повстречал эту сладкую парочку в ресторане — Астапова и Ленку. Он решил выяснить с Астаповым отношения, хотел заступиться за меня. Встретил моего беспутного муженька возле банка и спросил, что все это значит. Астапов принялся вешать ему на уши лапшу. Сказал, что это вовсе не то, что Юрка подумал. Он просто водил ужинать лучшую подружку своей жены, ничего такого. Но Юрка был не дурак и в эти байки не поверил. Он видел, как они целовались, и вообще...

Слово за слово, они с Астаповым подрались. Драка была образцово-показательной, о ней знали все, кроме меня. После убийства Игоря Юрка стал думать, а не причастна ли та женщина к его смерти. Та, с которой он видел Игоря в ресторане. Есть ли у нее алиби, например? А если алиби у нее есть, то, может быть, она знает что-то важное, что поможет снять подозрения с меня?

Ленка молча плакала, уставившись на свои ноги в слишком больших тапках, которые ей сосватал Овсянников. Все остальные напряженно следили за рассказом.

— Итак, Юрка решил встретиться с этой женщиной.

— Господи, почему он не доверился мне? — возопила Римма.

— Потому что ты немедленно начала бы его ревновать, — отрезала Элла. — Ты так плохо знаешь своего мужа! Юрка самый порядочный человек, каких я только встречала в своей жизни! Раз он женился на тебе, значит, он подарил тебе свое сердце. А ты вела себя как дура! Да-да, и не смотри на меня большими глазами. Как полная дура! Ты заставляла его бояться проявлять добрые отношения к женщинам.

— К кому это?! — возмутилась та.

— Да вот ко мне, например. Если бы он сказал тебе, что собирается действовать, защищая мое достоинство, как бы ты отреагировала?

— Плохо, — вместо Риммы ответила Дана. — Она пилила бы его до тех пор, пока не остался бы один пень.

— Вот, оказывается, что! Это я сама, значит, виновата! — надулась было Римма, но тотчас спохватилась, что дуться не время, и сказала: — Ну, ладно. Виновата так виновата. Я здесь сижу, а Юрка — там, — она неопределенно мотнула головой. Было неясно: где — там.

— Если ты помнишь, Рим, Юрка однажды встречался с Ларисой и с Ленкой. Был какой-то праздник, вы заехали к нам, а девочки уже сидели за столом. В ресторане же Юрка толком не разглядел женщину, которая ужинала с Игерем. Поэтому поверил ему на слово, что это лучшая подруга его жены. Думаю, он заглянул в твою записную книжку, нашел там Ларискин телефон и позвонил. Узнав, в чем дело, она тотчас назначила ему встречу.

— Элла, ты ошибаешься! — подала голос Лариса. — Он мне не звонил.

— Звонил, звонил. Только к телефону подошла не ты, а Ленка. Астапов наверняка рассказывал ей, какой бэмс устроил Поповский после того, как видел их в ресторане. И каким образом он выкрутился.

Так что когда Юрка позвонил — уже после смерти Игоря — и представился, Ленка сразу же смекнула, что ему нельзя давать разговаривать с Ларисой. Если они станут докапываться до правды, ничего хорошего не будет. Ленка в тот вечер была в ресторане в Ларискином платье, и Лариска, если бы Поповский описал это платье, конечно, узнала бы его. Да мало ли что могло произойти? Ленка не была уверена, насколько хорошо Поповский рассмотрел ее при встрече. До сих пор о ее связи с Астаповым никто не знал. Она не могла допустить, чтобы все выплыло на поверхность.

— Господи, ты говоришь так, будто моя сестра — закоренелая преступница!

— Да нет, просто молодая дура, попавшая в переплет. Она спасалась, как умела, Ларис. Я знаю, что ты старалась вложить в нее только хорошее...

— Да я не делала ничего плохого! — закричала зареванная Ленка. — Я же сказала — Игоря стукнула в запале, я не хотела его убивать! И Элку не хотела — просто пугала!

— И Юрку не хотела... — с обидной насмешкой подхватила Дана. — Просто взяла и столкнула его с третьего этажа!

— Он сам поскользнулся! — запальчиво возразила та. — Потерял равновесие и полетел вниз!

— Врешь! — вскочила Римма. — Прежде чем потерять сознание, Юрка сказал: «Она выскочила!» Ты подстерегла его, подбежала и толкнула изо всех сил!

— Ошибаешься, — усмехнулась Элла. — Она ниоткуда не выскакивала. Ленка назначила ему свидание возле торгового центра. А потом они вместе поднялись на крышу — вероятно, она сказала, что там безлюдно и им никто не помешает поговорить по душам.

После этого она стала плакать и умолять его ничего никому не рассказывать. Она была так убедительна и плакала так горько, что он ей поверил. Он даже стал утешать ее. Она прижалась щекой к его груди...

— И провоняла ему весь шарф своими духами! — рявкнула Римма.

— Ларискиными духами, — поправила Элла, подняв вверх указательный палец. — Несмотря на возраст, опыта общения с чужими мужьями нашей девице не занимать. Она все обдумала и Ларискины духи по возвращении домой выбросила. Так, на всякий случай. Чтобы никто из заинтересованных лиц ничего не унюхал.

— Элка! Ты представляешь меня монстром! — закричала Ленка. — А я не монстр! Я не трогала вашего Поповского!

— Честное слово, — вмешалась Дана. — Не представляю, как она его перевернула. Он такой здоровый!

— Могу объяснить, — тотчас ответила Элла. — Честный Юрка, засмущавшись того, что девица пала ему на грудь, попытался как-нибудь ускользнуть. Навалился животом на перила и стал задумчиво смотреть вниз. Эта маленькая мерзавка наклонилась, взяла его за ноги и перевернула. От неожиданности он даже не успел закричать.

— Ты все это придумала! — завизжала Ленка, которая ни за что не желала быть маленькой мерзавкой.

— Действительно, откуда ты все это знаешь, Астапова? — подал голос долго молчавший Дима Шведов.

— Юрка сам мне рассказал, — пожала плечами та.

— Что-о? — закричала Римма.

— Несколько часов назад он пришел в себя и сейчас дает показания. Я успела переброситься с ним парой фраз.

— Но как же его слова: «Она выскочила»? — неожиданно спросил Овсянников, по-прежнему проявляя пристальный интерес к деталям.

— Он хотел сказать: «Она выскочила у меня из головы», — пояснила Элла. — Он имел в виду, что совершенно забыл про Ленку. Хотя еще во время самого первого знакомства заметил, что она строила глазки моему мужу.

— Он тоже был в этом отношении парень не промах! — пробурчал Борис. — Еще неизвестно, кто кому глазки строил.

— Кстати! — Элла встала, подошла к шкафу и достала с полки разноцветный пластиковый пакет. — Борис! Хочу вернуть тебе твою собственность.

Увидев знакомый рисунок на пакете, Борис тотчас посерел.

— Не волнуйся, — успокоила его Элла. — Шантажист деморализован, разоружен и лишен всякого желания напоминать о своем существовании.

— Шантажист?! — воскликнула Дана. Все остальные были поражены не меньше нее. — Что ты имеешь в виду? Моего мужа шантажировали?

— Борис, может, ты сам расскажешь? — спросила Элла.

— Ну и расскажу, — он повел бровью. — Когда в тот вечер мне позвонил Астапов и сказал, что деньги при нем, я как-то сразу напрягся. Подумал: зря он это, так сказать, прямым текстом. Мало ли кто услышит.

— Как в воду смотрел, — поддакнул Шведов.

— Ну а потом, когда вся семья уже посмотрела ток-шоу этого Григорчука, я подумал, что Астапова вообще-то надо предупредить. — Римма ахнула, и Борис тотчас поправился: — То есть я имел в виду, что лучше, если бы я ему сказал, что его жена все знает.

— Ну правильно! — одобрил Шведов. — У тебя ведь тоже рыльце было в пуху: ты знал про эту Надю. Поэтому и поехал к нему один.

— Да. Я поехал к нему один. Я хотел попросить Астапова не говорить девочкам, что я знал. Мне было неловко.

— А как же морально-этические законы, Борик? — с пафосом воскликнула Дана.

— Мужикам закон не писан! — заявил Шведов. — Ты, Даночка, не переживай! Борька просто хотел оградить вас от лишних переживаний. Правда, Борька?

— Правда, — согласился тот и сделал важное лицо.

Этого выражения лица Дана всегда побаивалась. Вот и сейчас мгновенно пошла на попятный.

— Ты ведь нам расскажешь, что было на самом деле? — требовательно спросила Элла.

— Раз ты докопалась до шофера, утаивать смысла нет, — дернул щекой ее отчим.

— На самом деле он не шофер, а директор магазина, — просветила его Элла. — Фамилия Дундилов.

— О, боже! — завел глаза тот. — Даже как-то стыдно попасться на крючок Дундилова.

— Просто ты очень испугался, — пожалела его Элла.

— Конечно, испугался! Этот гад сначала подвез меня до места, а потом поперся за мной в подъезд. И увидел, как я открыл дверь и вошел в квартиру.

— Вошел? — не поверила Дана. — Вошел? И что ты там делал?

— Ну... что? Проверил, жив ли Игорь. Это во-первых.

— А во-вторых, он деньги искал, — тотчас подсказал Овсянников. — Астапов же сообщил ему по телефону, что у него деньги при себе.

— Я не искал! — оскорбился Борис. — Я просто глянул одним глазом.

— Он глянул одним глазом — нет ли денег, — поддакнул Шведов, и Борис недовольно зыркнул на него.

— И этот Дундилов, — Дана с отвращением произнесла фамилию директора магазина. — Он тебя шантажировал? Он подумал, что это ты убил Игоря?

— Естественно, он так подумал, — ответила вместо Бориса Элла. — Ты бы, ма, что подумала, увидев, что человек открыл дверь собственным ключом, вошел в квартиру, побыл там некоторое время, затем вышел, запер за собой дверь, после чего принялся звонить в звонок, заглядывать в окна и вообще делать вид, что он страшно волнуется, не случилось ли чего с человеком, который должен быть внутри!

— Действительно, — пробормотала Дана. — Выглядит очень подозрительно.

— Короче, — снова завел Борис, — этот Дундилов меня вычислил. Ума не приложу — как.

— Что ты говоришь? — не поверила Элла. — Ты сказал ему не только свою фамилию, но и место работы, а также должность.

— Вероятно, я страшно нервничал... — смутился тот

— ... И задумал подавить его своим величием! — подхватила Дана. — Когда мой муж хочет произвести на кого-то впечатление или взять над кем-то верх, то всегда начинает с должности! — пояснила она.

— Конечно, я нервничал! — вспылил Борис. — Не каждый день находишь на полу мертвого зятя!

— Значит, ты, моя бесстрашная леди, — подытожил Овсянников, обращаясь к Элле, — наехала на шантажиста и заставила его отдать выманенные у отчима деньги?

— У меня есть еще один боевой трофей! — не сдержалась и похвалилась та. — Я его на балконе спрятала.

— Я его перепрятал, — тотчас же остудил ее пыл Овсянников. — Положил в твой комод за коробку с носовыми платками.

Элла покраснела и спросила:

— А это не опасно? Вдруг он выстрелит?

— Ничего! — ласково ответил он. — Помажешь синяк зеленкой — и все дела!

— Какой синяк? — опешила Элла.

— Пистолет игрушечный! — улыбнулся Овсянников. — Стреляет пластмассовыми пульками. Кота, пожалуй, можно пристрелить, если, конечно, охотиться всерьез и целиться в глаз или в ухо.

— Фу! — скривилась Элла. — Какой садизм.

— Ну, вы тут можете продолжать беседовать, — неожиданно вскочила Ленка, — а я, пожалуй, пойду.

— Куда это ты пойдешь? — неуверенно спросила Лариса.

— Может быть, вы меня судить станете? — спросила та, сочно сморкнувшись в крошечный платочек. — Я ведь сказала, что все произошло случайно. Я находилась в состоянии аффекта. Ты бы тоже находилась в таком состоянии, Лара, если бы твой муж в конце концов обнаружил недостающие тридцать пять штук баксов!

— Насколько я знаю, — вступил Никита Шаталов, — в состоянии аффекта ручки у сковородки не протирают и за ноги людей с крыши не скидывают.

— Ну... Я ничего такого не помню, — сказала Ленка. — Вам меня не удержать.

— Я не понимаю! — обратилась к ней Лариса. — Почему ты все это проделывала? С какой целью? Ведь вместо того, чтобы начать убивать людей, ты могла прийти ко мне и все рассказать! Астапов же не отказывался от своего долга. Он бы когда-нибудь его отдал!

— А ты! — звонко крикнул Ленка. — Ты бы продолжала относиться ко мне по-прежнему? А Колька? Он бы возненавидел меня! Нет-нет, меня такая жизнь не устраивала.

— И ты, чтобы оградить свою жизнь от публичного скандала, убила человека?!

— Не желаю слушать очередную мораль! — резко вскинулась Ленка. — Все, я пойду.

— Лена! Куда ты пойдешь? — пожухлым, как прошлогодняя трава, голосом спросила Лариса.

— Я могу предположить, куда она пойдет, — неожиданно вмешался Овсянников. — На сегодняшний день у нее есть три варианта. Или она отправится к Валентину Валентиновичу Катукову, одному своему хорошему другу, или к Сеньке Бронетранспортеру, второму своему хорошему другу. Или — третий вариант — к турецкоподданному с трудно-запоминающимся именем Яшар Рахми Тахир, который проживает в гостинице «Советская».

— У нее столько хороших друзей? — приняла пас Элла, наблюдая за тем, как Ленка меняется в лице.

— С момента убийства Игоря Астапова она провела огромную изыскательно-ознакомительную работу.

— В каком смысле? — пробасила Дана.

— В том смысле, что Лена отыскала нужных людей и познакомилась с ними, — мило улыбнулся Овсянников. — Валентин Валентинович Катуков — адвокат, один из лучших, между прочим. Имеет необоримую слабость — неравнодушен к молоденьким девушкам. Сенька Бронетранспортер об этом, конечно, не знает. У Сеньки крепкий сплоченный коллектив, каждый член которого беспрекословно подчиняется приказам босса. Врагов Сеньки частенько находят в реке, а иногда и вообще не находят. А Яшар Рахми Тахир подозревается властями в торговле живым товаром. С его помощью русские девушки определенного сорта испаряются из России, точно роса с листьев клевера.

— Ленка, ты с ума сошла? — закричала Лариса, вскочив на ноги и сжав кулаки. — Хочешь в публичный дом?!

— Ты все время на меня орешь! — топнула ногой та. — Мне надоело это слушать. Я уже давно собираюсь уйти, да все что-то медлю.

— Пусть идет, — сказал Шведов. — Каждый человек имеет право бороться за свою жизнь. Пусть она идет и борется.

Пока Ленка одевалась и обувалась, все молчали и смотрели на нее — дверь в комнату осталась открытой, и коридор был весь как на ладони.

— Элка, нет, ты правда ее отпустишь? — спросила Римма, не выдержав напряжения.

— Не связывать же ее! — буркнула та.

Дверь хлопнула, и Римма тотчас ожила.

— Я немедленно еду к Юрке в больницу! — заявила она.

— Я с тобой, — сказала Дана.

— Я, пожалуй, тоже поеду, — промямлила Лариса уставшим голосом. — Моя сестра едва его не убила. Я ведь ее воспитывала. Хотя бы прощения попросить...

— Послушай, — шепотом спросил Шведов, подойдя к Элле вплотную и наклонившись к самому уху. — Какого черта ты позвала на это импровизированное судилище Екатерину и этого Гаргантюа на диете? Какую ты им роль отводила?

— Роль своих друзей, — пожала плечами Элла. — Им же надо наладить отношения. Но при такой нечеловеческой скромности это не так-то просто.

— Скромности? — не поверил Шведов. — Они только что прошмыгнули на кухню и теперь целуются, навалившись на разделочный стол. Кстати, там лежали помидоры, они их все передавили.

— Тебе что, завидно? — одернула его она.

— Подглядывать за влюбленными, — вмешался подошедший Борис, — старым дуракам типа тебя вредно для здоровья.

— Не понял... — У Шведова вытянулась физиономия. — Да Никита младше меня всего на...

Не дав ему договорить, Борис погнал Диму к вешалке.

— Эля, я тобой горжусь! — сказала на прощание Дана. — Мы еще обсудим с тобой все, что случилось.

— Хорошо, мамочка, когда следствие закончится, я приеду.

— Может, тебя подвезти? — спросил Борис. — Ты ведь у нас без машины. Наверное, тебе все же пока лучше пожить у нас.

— Пра-астите! — выступил вперед Овсянников. — Она никуда не поедет. Нам нужно обсудить массу вопросов. Например, вопрос об оплате труда.

— Да, конечно! — воскликнула Элла. — Я же работала на него! Как я могла забыть? Если поделить обещанную зарплату на трудодни, получится, что он должен мне рублей двести или триста. Хватит на колготки «Омса», пакет креветок и банку пива «Балтика».

Борис вышел, выразительно закатив глаза. Последними помещение покинули влюбленные, которые не понимали ни одного слова из тех, с которыми к ним обращались, и виртуально улыбались в ответ.

— Итак, — сказала Элла, когда дверь захлопнулась и они с Овсянниковым остались одни. — Откуда ты узнал про Катукова, Бронетранспортера и турецкоподданного?

— Я сыщик, милая, а это говорит само за себя! — хвастливо заявил Овсянников, заталкивая ее на кухню. — Господи, помидоры действительно передавили!

— Ты тоже заподозрил Ленку? Но ты о ней даже не говорил! Как тебе удалось на нее выйти?

— Ну, что ты так кипятишься, солнышко? Ты шла к разгадке своим путем, а я — своим.

— Каким это — своим?

— Параллельным.

— А рассказать?

— Да мне и рассказывать-то нечего! — засмущался Овсянников. — Помнишь, тебя кирпичом по голове стукнули?

— Ну?

— Я как раз возвращался домой. Хотел тебя догнать, и тут — девица с кирпичом. Я за ней пошел...

— Так ты меня бросил?! — не поверила Элла.

— Тихо-тихо! Я же видел, что «филолог» едет. По крайней мере, помощь тебе окажут.

— Но ты же почти сразу вернулся домой! Мы перед подъездом встретились.

— Выяснил, кто такая эта девчонка, и вернулся.

— Как это ты так быстро выяснил? — не поверила Элла, которая на месте Овсянникова следила бы за Ленкой до самого ее дома.

— Организовал маленькую катастрофу. Налетел на нее, будто бы зазевался, сумочку из рук выбил. Пока она визжала, вытащил из кармашка студенческий билет. Вот, собственно, и все.

— И с тех пор, — зловещим шепотом начала Элла, — ты знал, что Ленка покушалась на мою жизнь? И ничего не сделал? Не предупредил меня...

— Я же видел, что ты перепугалась. Стала на такси разъезжать... Кроме того, я ведь тоже без дела не сидел!

— Но если бы ты вовремя сказал, что это Ленка на меня напала, с Юркой бы ничего не случилось!

— Откуда я мог знать про Юрку? — развел руками Овсянников. — О том, что он видел ее с Астаповым и принял за Ларису. О том, что позвонил и поперся на свидание?

— Но ты врал, что не занимаешься расследованием убийства, а ищешь Эллу Астапову!

— Зачем мне было искать Эллу Астапову, когда каждый вечер я лицезрел ее на кухне, раскрашенную, как новогодний керамический горшок! Ты меня держала за дурака, я не хотел тебя разочаровывать.

— Ты что, сразу догадался, что я — Элла Астапова? — покраснела она.

— Сыщики не догадываются, они строят версии и ищут доказательства.

— И откуда же появилась версия, что я — та, кого ты ищешь?

— Понимаешь, деточка, я был премного наслышан о твоей способности притягивать к себе неприятности.

— И что? — с подозрением спросила Элла, которая положила массу сил и здоровья на то, чтобы не дать Овсянникову заподозрить что-нибудь в этом роде.

— Начнем с того, что у тебя все время болел живот, — Элла фыркнула. — Затем, после того, как ты поселилась у меня, сломался кран на кухне, сгорел чайник, засорился мусоропровод и кто-то насмерть заварил мой почтовый ящик. Да, и еще кактус зацвел! Первый раз в жизни. В общем, обстановка сложилась, прямо скажем, аномальная. Раньше такого никогда не было. Я по жизни — счастливчик!

— Значит, мое биополе сильнее твоего, — мрачно заметила Элла.

Овсянников притянул ее к себе и сказал:

— Я это как-нибудь переживу.

— Как? — шепотом спросила Элла, уткнувшись носом ему в плечо.

— Окончу какие-нибудь курсы по укреплению личной ауры.

— Я рада, что ты относишься к этому с юмором. Если бы ты был суеверным, нам бы пришлось расстаться.

— Я не суеверный.

— Кроме того, — пробормотала Элла, горячо подышав ему в свитер, — в последнее время неприятности перестали происходить. Ты обратил внимание?

— Да, — согласился Овсянников каким-то странно сдавленным голосом.

— Ты что, плачешь? — вскинула голову Элла, почувствовав, как на волосы ей упала сначала одна теплая капля, а за ней вторая.

— Нет, — пропыхтел Овсянников. — Надеюсь, я не слишком огорчу тебя, котеночек, если скажу, что на нас протекли соседи сверху?

Рога в изобилии

ИРОНИЧЕСКИЙ ДЕТЕКТИВ

Мэтт повертел в руках конверт, сделанный из плотной бумаги с тисненым узором, и мимоходом подумал, что убийства всегда заказывают весьма презентабельные личности. Он взял нож и одним точным движением вскрыл конверт. Внутри оказалась маленькая карточка с напечатанным текстом: «Элис Фарвел, дизайнер фирмы «Айсберг». Ниже шел адрес.

Мэтт прочитал его несколько раз подряд и, бросив карточку в пепельницу, поднес к ней зажигалку. Пламя схватило ее за уголок и растерзало за десять секунд. Мэтт подумал, что именно так он и расправится с Элис Фарвел — быстро и беспощадно.

Глава 1

Элис Фарвел в девичестве звали Алисой Соболевой. Несколько лет назад она имела неосторожность влюбиться в американского журналиста, который с деловым визитом приезжал в московское дизайн-бюро, где она тогда работала. Было бурное ухаживание, потом первая поездка в Америку, телефонные переговоры, стоившие ее возлюбленному целое состояние... Потом они с Гарри Фарвелом поженились. Алиса переехала к мужу во Флориду и превратилась в Элис Фарвел.

У них с Гарри был головокружительный роман. Алиса говорила по-английски безупречно, и языкового барьера между супругами не существовало. Конечно, американцы чувствовали в ее речи легкий акцент, но и только. Ее мать всю жизнь работала с иностранцами и приложила максимум усилий, чтобы передать Алисе свой опыт и талант переводчика. «Иностранный язык — это кусок хлеба», — без конца твердила она дочери, заставляя ее выписывать слова на карточки и зубрить их перед сном.

Алиса вспомнила, сколько всего случилось за несколько лет, прожитых во Флориде. Она получила вид на жительство и устроилась на работу по специальности — дизайнером в большую рекламную фирму «Айсберг». Им с Гарри, правда, долго пришлось доказывать свою любовь друг к другу властям США. И вот, когда они ее все-таки доказали, Гарри влюбился в другую женщину. Алиса содрогнулась, пытаясь прогнать озноб, пробиравший ее всякий раз, как она вспоминала об этом. Довольно смешно она выглядит, ежась под жарким сочинским солнцем.

Алиса оглянулась назад и снова увидела того типа, который до смерти напугал ее в поезде. Это был молодой симпатичный парень в ярко-красной рубашке. Он остановился у киоска и теперь гонял по ладони мелочь. Лицо узкое, волосы зачесаны назад, дорогие часы на запястье. Алиса вспомнила, что он пользуется туалетной водой «Испанская ночь», и поежилась. Отныне этот запах всегда будет ее пугать.

В поезде она неожиданно проснулась среди ночи, и первое, что почувствовала, — ужас. И запах «Испанской ночи». Парень склонился над ней с подушкой в руках. Еще мгновение — и он опустил бы подушку на ее лицо. Он хотел убить ее — Алиса была в этом совершенно уверена. Но за что?

— Представляете, подушка свалилась на пол, — шепотом сообщил попутчик, прижимая к груди предполагаемое орудие убийства. — Извините, что побеспокоил. Хорошо, что сам не упал — грохоту было бы гораздо больше. А я не люблю поднимать шум.

Последняя фраза показалась Алисе зловещей. «Надо пойти в милицию, — подумала она. — Но что я им скажу? Мне кажется, меня хотят убить? Они сразу же спросят о фактах, и я отвечу им: с тех пор как я вернулась в Россию, меня преследуют. Еще в Москве, в метро на «Менделеевской» меня чуть было не столкнули на рельсы прямо под поезд. А когда я бродила по переулкам возле Чистых прудов, с крыши сорвался булыжник, я уверена, что не случайно. А здесь, на распрекрасном юге, симпатичный попутчик хотел задушить меня подушкой.

Меня спросят: гражданка, у вас есть враги? Вы везете

что-нибудь ценное? Возможно, это любовная история? — О, нет, что вы, отвечу я: врагов у меня нет, да и друзей-то мало, ценностей сроду не водилось, а что касается любви, так совсем недавно собственный муж напрочь отбил у меня вкус к романам. Иначе зачем, думаете, меня понесло летом в Сочи, ведь я терпеть не могу жару? — И зачем же вас понесло сюда, гражданка? — переспросят они тогда, поджав губы. А я отвечу: — Да чтобы забыться, конечно, отвлечься, решить, как жить дальше. Что может быть лучше — бездумно ехать по стране, насыщаясь новыми впечатлениями? — О, так вы лечите свое бедное раненое сердечко! — воскликнет кто-нибудь из них. И тогда я заплачу, и меня кто-нибудь, наконец, пожалеет».

Пока она размышляла, подозрительный парень сел в машину и уехал, а она отправилась выпить чего-нибудь освежающего, в душе обозвав себя идиоткой. Заняла столик в кафе на открытом воздухе, подперла щеку кулаком и принялась вспоминать свою жизнь во Флориде. Наверное, единственным, кто искренне сожалел о ее отъезде, был Лэрри Солдан. В «Айсберге» их столы стояли рядом, и они относились друг к другу с симпатией. Их сближали общие проблемы: оба почти не имели шансов на продвижение по службе. Лэрри потому, что хоть и любил свое дело, но не умел преподнести себя и был немного растяпа, а Алиса потому, что оказалась не слишком честолюбивой. Она приехала в Америку не для того, чтобы делать карьеру. Нет, она мечтала о семье, детях, домашнем счастье и безрассудно сделала мужа смыслом своей жизни. И вот теперь «смысл жизни» сбежал от нее. И с кем? С ее сослуживицей Кейси Янг. И опять они с Лэрри оказались друзьями по несчастью: именно Кейси ему нравилась.

— Удача пролетает мимо меня, — пожаловалась Алиса Лэрри.

— Ничего подобного, — возразил тот. — Просто у тебя повышенные требования к жизни. Если уж профессиональный успех, то сногсшибательный. А если любовь — то сумасшедшая. Признайся, ты ведь этого хочешь?

— Хотеть не вредно, — грустно сказала Алиса. — Однако мне уже тридцать два, и в каком бы направлении я ни двигалась, Фортуна в своем шикарном авто постоянно оказывается на встречной полосе.

— Может быть, судьба приберегла для тебя что-нибудь особенное?

— Может, и приберегла. — Она помолчала и безрадостно добавила: — Но потом передумала и отдала это Кейси.

В тот вечер Алиса впервые подумала: а что, если бросить все разом и уехать обратно в Москву? Правда, там придется несладко. Надо будет решать квартирный вопрос, да и с работой наверняка возникнут проблемы. Ее школьная подружка Галка уверяла, что Москва кишмя кишит безработными дизайнерами. А те, кто устроился, получают не так уж и много. Сама Галка вот уже два года сидела в рекламном агентстве и до сих пор не заработала даже на подержанную машину.

Алиса хорошо представляла себе процесс: восемь часов за компьютером в прокуренной комнате, бесконечные авралы, неприятности, задержка зарплаты. Черт побери, надо ли сейчас поддаваться настроению и срываться с места? Она потеряла Гарри, но не работу. С другой стороны, для нее всегда был важнее в жизни душевный комфорт, а что ее ждало в недалеком будущем? Одиночество.

В путешествие она отправилась спонтанно. Их с Гарри общий знакомый, владелец туристического агентства, позвонил и предложил поездку в Москву. Он знал, что у Алисы на родине не осталось собственности, остановиться, кроме гостиницы, ей все равно негде, а тут такие великолепные условия и весьма выгодные скидки. Раздавленная бегством мужа, Алиса подумала: «А почему бы и нет?»

Группа оказалась небольшой. Сопровождал ее гид, которого родители увезли в Америку еще в нежном возрасте. По-русски он говорил с ошибками, представления об исторической родине у него были чисто американские, однако это не мешало ему гордиться своими корнями.

По основным достопримечательностям столицы он протащил их за два дня. К тому времени стадность стала Алисе невыносима. Поэтому на третий день она собрала свои манатки и закатилась к Галке, которая при встрече проявила столько восторга, что Алиса даже устыдилась: что же это она сразу не приехала прямо к своей любимой подружке?

А потом начались покушения. Ну, допустим, камень с крыши обрушился совершенно случайно. А происшествие в метро? Алиса почему-то сразу обратила внимание на маленького юркого человечка с маслеными глазами. Он несколько раз прошел позади нее, суетливо потирая руки. Будто торопил время. А когда в тоннеле загрохотал поезд и головной вагон уже подлетал к началу платформы, человечек толкнул Алису что было сил. Так сильно, что, если бы не удача, она не удержалась бы и упала вниз. Ее ждала неминуемая гибель на рельсах, но она успела ухватиться за огромный рюкзак стоявшего рядом студента. По счастью, рюкзак был тяжелым, и когда Алиса вцепилась в него, студент потерял равновесие и завалился на спину, увлекая ее за собой. Алиса тогда здорово расшибла колено и, конечно, испугалась.

Юркий человечек смешался с толпой и исчез. «Вы что, женщина, чокнулись?» — кричала на нее какая-то разгневанная тетка. Как будто Алиса по собственной воле ринулась под состав навстречу собственной гибели.

И парень из поезда, от которого пахло «Испанской ночью». Возможно ли, чтобы убийца ретировался, так и не закончив начатого? Или убийц несколько? После очередной неудачной попытки один передает эстафету другому?

Алиса встряхнулась и приказала себе не думать о плохом. Она приехала в Сочи, чтобы развеяться. Прочь грустные мысли!

— Чего девушка желает? — услышала она голос позади себя.

Подняла голову и увидела официанта. Не мальчишку, до сих пор сновавшего между столиками, а молодого мужчину, который заложил руки за спину в ожидании заказа. Он заговорил с ней с каким-то странным акцентом, и Алиса отметила про себя, что на юге население невероятно разношерстное. Кого только не встретишь, можно только диву даваться.

Надо сказать, что соотечественники, особенно служащие гостиниц, поначалу принимали ее за иностранку. «Наверное, не только потому, что я одета не так, как все, — думала Алиса. — В конце концов, во мне течет американская кровь». Незадолго до смерти мама призналась Алисе, что ее настоящий отец — американец. Во время одной из своих рабочих поездок в Америку мать познакомилась с чертовски обаятельным мужчиной и без памяти влюбилась в него. Результатом этой любви стала Алиса. Алисе очень хотелось узнать фамилию отца и какие-нибудь подробности их с мамой романа. Но та ничего больше не хотела рассказывать.

Она заявила, что тот человек умер, но Алиса ей не поверила. Наверное, мама боялась, что дочь примется разыскивать отца, но та не собиралась заниматься всякими глупостями. Может быть, влюбившись в Гарри, она пошла на поводу у своего подсознания? Отец-американец, возвращение к корням... Да нет, неправда. Она действительно потеряла голову от Гарри.

— Принесите мне орешки, фрукты и кофе.

— Кофе? — Официант почему-то обрадовался и подмигнул ей. Алиса рассмеялась, глядя ему вслед.

Когда заказ принесли, она достала из сумки журнал и принялась за орешки. Зачиталась и забыла о времени. Когда очухалась, то поняла, что кофе давно остыл. Алиса поискала глазами «своего» официанта, но не увидела его. На стуле рядом с баром валялся его фартук, а на стойке стоял поднос с салфетками. Конечно, он мог просто выйти в туалет. Или закончилась его смена. Или еще что-нибудь. Мало ли?

Тем не менее, повинуясь внутреннему импульсу, она подвинула к себе чашку, понюхала, но пить не стала. Потому что ей в голову пришла мысль, будто исчезнувший официант не кто иной, как еще один наемный убийца, сменщик того парня, от которого так несло «Испанской ночью».

Когда мальчишка проходил мимо, она щелкнула пальцами и позвала:

— Эй-эй, подойди сюда!

Он приблизился и уставился на нее, наклонив голову. Алиса заговорила строгим голосом, и этого оказалось достаточно, чтобы быстро все выяснить. Обслуживший ее мужчина не был официантом. Он заплатил хозяину немного денег за фартук и поднос, а в сущности, за возможность поговорить с привлекательной женщиной.

— Он сказал, что хочет назначить свидание, — затараторил мальчишка. — Ведь не обиделись же вы, правда?

Алиса напряглась. В черный кофе очень легко подмешать какой-нибудь яд — даже если почувствуешь горечь, не забеспокоишься. На первый взгляд, перед ней — банальная чашечка кофе, одна из тысяч чашечек, которые выпивают туристы, атакующие черноморские курорты. Но эта — особенная. Эта — приготовлена специально для нее. Господи, что же делать?

Сначала Алиса решила, что теперь-то уж точно нужно обратиться в милицию. Однако она сильно сомневалась в том, что местных милиционеров можно с ходу вызвать в кафе и заставить провести экспертизу содержимого чашечки, объясняя свое требование исключительно подозрительностью. Даже если принести кофе в отделение лично, уговорить их сделать анализ окажется непросто. Алиса представила, как она будет искать бутылку или банку, чтобы перелить туда зловещую жидкость, как она поставит этот трофей на стойку перед дежурным... Нет, такие действия показались ей бесперспективными.

Американский менталитет буквально гнал ее в милицию: он требовал разобраться в деле основательно, раз и навсегда. Русские же гены предлагали наплевать на все и ехать по своим делам. В конце концов они и победили. «Ну, даже если хотели отравить, — подумали бесшабашные русские гены. — Но ведь не отравили же!»

Алиса расплатилась, но, прежде чем уйти, насовала в кофе салфеток, на случай, если им вдруг кто-то соблазнится. Настроение у нее тем не менее испортилось.

Глава 2

У Мэтта была отличная фигура: широкие плечи, литые мускулы, да в придачу вполне сносная физиономия. В своей легальной жизни он работал телохранителем и увеличивал таким образом счет в банке, с которого платил налоги. Он имел отличные рекомендации и вполне мог бы завязать с торговлей чужими жизнями. Но его находили все новые и новые клиенты, и он отчего-то не мог отказаться от их денег.

Нынешняя жертва Мэтту даже нравилась. У нее была красивая осанка и чертовски выразительные зеленые глаза. Он сразу понял, что женщина несчастна. Следуя за ней, он постоянно замечал, как она горестно сдвигает брови.

С того самого дня, как он приступил к слежке, Элис Фарвел не давала ему возможности составить хоть сколько-нибудь приемлемый план действий. Распорядок дня жертвы, ее привычки и пристрастия — все это пришлось отставить, потому что женщина как раз собралась в путешествие. Она оформила тур не куда-нибудь, а в Россию — место, в понимании Мэтта, не столько экзотическое, сколько опасное. Там сейчас сложная обстановка, да и вообще у русских все не так, как у других. Мэтт, объездивший полмира, тем не менее никогда не был ни в России, ни в сопредельных странах. И его раздражала подобная перспектива. Тем не менее выхода не оставалось — Мэтт отправился в турагентство и записался в ту же самую группу, что и Элис Фарвел. «Придется путешествовать вместе с ней, — решил он. — Я согласился выполнить эту работу, а отступать не в моих правилах».

Самым сложным делом оказалось найти себе подходящего попутчика. Мэтт потратил сутки на то, чтобы его связали с нужным человеком. Парень приехал из Майами. У него было восточное лицо с нахальными глазами и труднопроизносимое имя Тенгиз. Но главное — он разговаривал по-русски. Позже Мэтт не раз поздравлял себя с тем, что озаботился взять с собой переводчика. Если бы не Тенгиз, его миссия провалилась бы спустя несколько дней по прибытии в Россию. Он утратил бы контроль над ситуацией и навсегда потерял жертву из виду. Потому что домой, во Флориду, она так и не вернулась.

Вместе с Тенгизом туристическая группа составила девять человек. Все перезнакомились еще в пути. Тогда же выяснилось, что Элис Фарвел — вовсе не американка, что Москва — ее родной город и что на самом деле ее зовут Алиса. Мэтт несколько раз даже попробовал произнести «Алиса» вслух, будто пробуя на вкус: «Алиса, Алиса». Это странное имя как нельзя лучше подходило к ней, и Мэтт мысленно так и стал ее называть.

Алиса явно тяготилась обществом американских туристов, и после двух дней, в течение которых она уныло таскалась по Москве вместе с группой, ее потянуло на свободу. Она отказалась продолжать тур, совершенно не по-американски наплевала на пропавшие деньги и выехала из отеля. Мэтту с Тенгизом пришлось по-настоящему постараться, чтобы не потерять ее из виду. Тенгиз договорился с кем-то из гостиничного персонала об аренде машины, и они тотчас же обменяли доллары на ключи от раздолбанных «Жигулей».

Когда Алиса покидала отель, Мэтт уже перетащил на заднее сиденье свою нехитрую поклажу. Но если бы Алиса даже и заметила его, то ни за что не узнала бы. Потому что молодой мужчина превратился в представительного пожилого господина с пышными седыми усами. Тенгиз ограничился темными очками и кепкой, уверив своего нанимателя, что для русских все кавказцы на одно лицо.

Проследив Алису до пятиэтажки в Тушине, Тенгиз припарковал машину на полысевшем газоне под огромным тополем и, повернувшись к Мэтту, внезапно спросил:

— А вы в курсе, что за нами следят?

— Следят не за нами, а за женщиной, — откликнулся Мэтт. — Со вчерашнего дня.

Наблюдателей было несколько. Они сменяли друг друга на своем посту, и Мэтт сильно нервничал, пытаясь извлечь из памяти всю известную ему информацию о русской мафии. Как ни крути, а ситуация с каждым днем осложнялась все сильнее. Неизвестные ведь тоже в состоянии «срисовать» Мэтта, прояви он хоть каплю беспечности. И кто знает, что тогда может произойти. Что это за люди? Как они узнали, что она вернулась на родину? И главное — какова их цель? Шантаж, убийство, сбор компромата, охрана?

В Москве стояла чудовищная жара, которая доставляла массу неудобств человеку, ненавидевшему потную одежду. Мэтт частенько досадовал на то, что вынужден подчиняться обстоятельствам и тянуть с решением проблемы. Сутки они с Тенгизом провели в «Жигулях», загнав их за железные гаражи напротив нужного дома. Они пили приторную газировку и ели печенье и кексы, продававшиеся в киосках по соседству. Тенгиз не разрешал Мэтту покупать ни жареных кур, ни чебуреков, ни горячих сосисок, уверяя, что это опасно для жизни.

— Но русские покупают! — возражал тот.

— У русских другое строение внутренних органов, — говорил Тенгиз. — В противном случае они давно бы вымерли.

Неизвестные, следившие за Алисой, напротив, почти не прятались и держали свою машину прямо возле подъезда. На следующее утро выяснилось, что «объект» снова собирается в путешествие. Провожавшие Алису мужчина и женщина несли чемодан и сумки. «Может быть, она возвращается в Америку? — с надеждой подумал Мэтт. — Благословенная страна, где все предсказуемо и потому прекрасно». Но нет: она отправилась на вокзал и, взяв в кассе забронированный билет, села в поезд, отправлявшийся в Сочи.

Мэтт вручил Тенгизу деньги, благо доллары здесь были в большой цене, и доверил утрясать детали. Через тридцать минут оба уже внесли свои вещи в купе. От Алисы их отделяло всего два вагона. Чтобы чувствовать себя уверенно, Мэтту необходимо было определить сегодняшний «хвост», следовавший за клиенткой. Обычно это не составляло труда. Вот и сейчас Мэтт быстро понял, кто следит за Алисой. Вон тот парень в красной рубашке. Парень подошел к киоску и поискал мелочь. Когда он повернул голову, Мэтт вздрогнул.

Он знал этого человека. Его звали Тэрри Куэйн, и он отнюдь не принадлежал к русской мафии. Он жил в Чикаго и занимался тем же ремеслом, что и Мэтт. Мэтту как-то показали его во время одной из деловых поездок.

«Клиент что, нанял еще одного киллера для страховки? — раздраженно подумал он, отступая за колонну. — Или эта Алиса наступила на мозоль кому-то еще? И кой черт мне теперь делать?» Мэтту совершенно не светила перспектива пересечься с Тэрри Куэйном. Может быть, дождаться, пока Тэрри прикончит ее — и дело с концом?

Как бы то ни было, а ему предстояло продолжать слежку, оставаясь незаметной тенью женщины, которая вела себя совершенно беспечно. Судя по всему, бедняжка Алиса вовсе не догадывалась, что смерть смотрит ей в спину сквозь две пары темных очков.

* * *

Алиса спустилась в ресторан при гостинице «Морская жемчужина», в которой заранее заказала номер. Сегодня тот тип, которого она запримечала накануне, надел синюю рубашку вместо красной. Но это точно был он. «Он все-таки следит за мной, — подавляя дрожь, подумала Алиса. — Или нет? Или он просто отдыхает там же, где я, и даже не подозревает о моих терзаниях? Надо выяснить наверняка, — решила она. — Оставлю номер в отеле за собой, а сама проведу пару дней в каком-нибудь менее шикарном месте».

Галкин муж с самого начала советовал ей остановиться в маленькой частной гостинице на окраине города и даже написал ее адрес. Поскольку чемодан с большинством вещей Алиса оставила в «Морской жемчужине» и ее ничто не обременяло, до нужного места она решила добраться на автобусе.

Ей дали комнату на втором этаже, маленькую и уютную. Алиса приняла душ и тут же завалилась спать. А когда проснулась, сразу вспомнила, что обещала позвонить Галке, но до сих пор не сделала этого. Какая она свинья! Алиса нашарила телефон, набрала код Москвы и, улыбаясь, приготовилась услышать оживленное Галкино «алло».

Ей ответила незнакомая женщина, голос у нее был усталый. Она сказала, что Галки не будет дома по меньшей мере несколько дней.

— А Денис, ее муж? — переспросила Алиса из вежливости.

— Дениса тоже не будет. Они уехали вместе. В Сочи, — проговорила женщина. — Вчера там погибла их знакомая.

— Сожалею, — пробормотала Алиса, но в ту же секунду спохватилась: — Что вы сказали?

— В Сочи погибла их хорошая знакомая.

— Вы не знаете, какая знакомая? Это очень важно.

— Кажется, Алиса. Я не знаю ее фамилии. Хотя нет, знаю. Соболева.

— Вы ничего не путаете? — Алиса остолбенела. — Я правильно поняла — Алиса Соболева?

— Да, Алиса Соболева. Она погибла. Никаких подробностей я не знаю. Позвоните через несколько дней.

Женщина положила трубку, а Алиса ущипнула себя за руку и хихикнула:

— Наверное, стоит сходить на похороны! Но сначала — в милицию. А еще раньше — в отель.

Она зарегистрировалась именно там. Значит, информация исходит из «Морской жемчужины».

Положа руку на сердце, Алиса здорово перепугалась. Интуиция подсказывала, что вокруг нее что-то все-таки происходит, хотя для этого «что-то» нет абсолютно никаких причин. Во Флориде она жила размеренной и незаметной жизнью и не совершила ни одного опрометчивого поступка, способного спровоцировать убийственные последствия. Адвокат Гарри еще не подавал о себе вестей, но Алиса и так знала, что говорится в брачном контракте. Когда развод состоится, она останется с тем, что у нее есть на сегодняшний день. Иными словами — каждый при своем. Хотя нет, Гарри все равно выиграет. Он похитил ее сердце, и вряд ли расторжение брака сможет вернуть его туда, где ему и положено биться.

Спустившись по ступенькам вниз, Алиса побрела к воротам, пытаясь сообразить, куда свернуть — налево или направо? Неподалеку проходила довольно оживленная дорога, стоянка машин располагалась на другой стороне, и Алиса сразу заметила возле зеленого автомобиля мужчину, который пристально смотрел в ее сторону. Здоровенный детина, коротко стрижен, усы щеточкой, одет в светлые брюки и полосатую рубашку. Возможно, это пятый по счету бандит? Экстерьер по крайней мере у него соответствующий. Такими ручищами можно придушить не только хрупкую тридцатидвухлетнюю женщину, но и дичь покрупнее.

Алиса вышла из ворот и тут же остановилась, тараща глаза на незнакомца. Она была изумлена. Он явно подавал ей какие-то знаки. Между ними сновали машины, Алиса стояла на краю тротуара и не знала, что предпринять.

Незнакомец, ожидавший, что она перейдет дорогу, наконец не выдержал и гаркнул по-английски:

— Элис! Немедленно иди сюда!

Алиса воровато огляделась по сторонам и сказала себе: «В последнее время люди с ума посходили. Или это со мной что-то не так? Кто этот усатый тип? Откуда он знает мое американское имя?»

— Элис! Мое терпение сейчас лопнет! — снова завопил незнакомец, сложив руки рупором.

Представив себе этого бугая в стадии лопнувшего терпения, Алиса решила, что будет меньшим риском поговорить с ним, чем пытаться спастись бегством. Если вдруг он кинется ее догонять, с ней случится нервный припадок. Она внимательным взглядом окинула стоянку. Там было достаточно свидетелей ее возможного убийства. Алиса решила рискнуть. Она плотно сжала губы и шагнула на шоссе.

В тот же миг приткнувшийся неподалеку к тротуару запыленный пикап рванул с места и помчался вперед. Алиса посмотрела в его сторону, чтобы примериться, как лучше перейти дорогу, замедлила шаг, пропуская его, но пикап вдруг сделал неожиданный рывок вправо. Она успела заметить, что усатый со всех ног бежит к ней — Алиса в жизни не видела, чтобы люди так быстро бегали. В последнюю секунду незнакомец совершил гигантский прыжок, буквально выбив кандидатку на тот свет из-под колес. Она упала на асфальт и потеряла сознание.

Когда она открыла глаза, то увидела усатого, который внимательно наблюдал за ней. Она сидела в холле своего отеля в кресле с высокой спинкой, под голову ей насовали подушек. Служащие стояли поодаль. Алиса хотела приподняться, но в затылок ударила такая невыносимая боль, что она со стоном замерла.

— Отлично, детка, — сказал усатый, поднося к ее губам стакан. — Выпей, и станет легче. Скажи, пусть принесут ее вещи, — коротко приказал он стоявшему рядом незаметному человечку.

Тот послушно перевел персоналу:

— Соберите ее вещи и принесите сюда.

Алиса хотела возразить, но язык не слушался.

— Молчи, не разговаривай, — незнакомец похлопал ее по руке. — С тобой ничего страшного. Я дал тебе успокоительное, проспишь всю дорогу. Твой муж заказал для нас частный самолет. Мы возвращаемся домой, в Иллинойс.

— В Иллинойс? — прохрипела Алиса, собрав силы. — Зачем это? И кто вы такой?

Усатый сощурился и пояснил:

— Твои вещи из «Морской жемчужины» я уже взял, можешь не волноваться.

Алиса, вызвав к жизни все имеющееся в наличии мужество, попыталась выкарабкаться из кресла. Незнакомец властно толкнул ее обратно.

— Подгоните машину к самому крыльцу, — велел он и протянул своему подручному ключи. Тот метнулся к выходу.

Сознание Алисы затуманилось от боли и лекарства. Она чувствовала, что ее поднимают на руки и куда-то несут. Через несколько минут автомобиль, в который ее засунули, на полной скорости помчался к адлерскому аэропорту

* * *

Черный лимузин без остановок летел по хайвею. Судя по замечанию, брошенному незнакомцем еще в сочинском отеле, они должны сейчас находиться в Иллинойсе. По крайней мере, это не Россия — достаточно пару минут поглядеть в окно, чтобы убедиться в этом.

Алиса открыла глаза. Усатый сидел впереди, рядом с шофером — она видела лишь их затылки и предпочла за лучшее пока не обнаруживать себя: голова у нее болела невыносимо, а кроме того, саднили сбитые об асфальт плечо, колено и бедро.

Усатый предполагал, что Алиса по-прежнему в беспамятстве, и время от времени перебрасывался с шофером короткими фразами. Безмолвная пассажирка жадно впитывала каждое слово — она пыталась понять, что происходит.

— Как Винсент? — наконец спросил усатый.

— Нервничает, — коротко ответил шофер и спросил в свою очередь: — Слушай, Фред, а что ты сделал с Георгием?

— Георгия с ней не оказалось, как это ни странно. Она была одна.

— Слабое утешение для мужа. Сбежала-то она с любовником.

Алиса съежилась под пледом, лихорадочно пытаясь пустить в дело свое хваленое воображение.

Так, когда они говорят «она», то явно подразумевают именно ее, Алису. Вероятно, произошло вот что. От какого-то Винсента из штата Иллинойс сбежала жена. С любовником по имени Георгий. Муж нанял этих двух придурков отыскать ее и вернуть назад. След привел их в Россию, где произошла какая-то путаница. Вместо жены Винсента парочка отловила ее, Алису.

— Хэрмон, — велел между тем усатый, которого шофер назвал Фредом, — давай двигай прямо к боковому входу. Мы зайдем тихонько, и лучше бы нам никого не разбудить. Затащим ее в дом.

Услышав это, Алиса потеряла самообладание. Затащим ее в дом! Будто бы она трюмо или козетка!

— Эй, вы! — тонким голосом воскликнула она. — Я уже пришла в себя и требую, чтобы меня выслушали.

Фред живо обернулся и сказал:

— Элис, я рад, что ты пришла в себя, но лучше тебе сейчас вести себя смирно. Твой муж не в лучшем настроении, и под горячую руку ему попадаться не стоит.

— Это ужасное недоразумение! — с жаром сказала Алиса. — Вы принимаете меня за другую женщину, друзья мои. Пока не поздно, в этом следует разобраться. Пожалуйста, воспримите мои слова серьезно. Мое имя — Элис Фарвел. Я отправилась в Россию вместе с туристической группой.

А вообще я живу во Флориде. — Про свое происхождение она говорить не стала, чтобы не вносить еще большей путаницы.

Шофер и усатый молча переглянулись. Алиса не могла разглядеть выражения их лиц.

— Элис, мы все обсудим завтра, хорошо? — наконец произнес Фред.

В ту же секунду лимузин затормозил у массивных ворот. Они медленно разъехались, и машина двинулась по посыпанной гравием дорожке к погруженному во тьму громадному особняку. Проехала мимо широкого каменного крыльца, свернула за угол и остановилась. Фред и шофер мгновенно выбрались наружу и открыли дверь с ее стороны.

— Никаких завтра! — выплюнула Алиса, выскакивая на воздух. — Мы будем разбираться немедленно!

— Пожалуйста, Элис, — прошипел Фред, — не сейчас. Думаю, ты не хочешь, чтобы проснулся твой муж.

Он попытался взять ее за руку, но Алиса отпрыгнула и топнула ногой:

— Нет, я как раз хочу, чтобы он проснулся! Он сразу поймет, что я не его жена, и надерет вам задницы!

— Миссис Хэммерсмит! — робоко начал шофер, стоявший прямо под фонарем. Он оказался совсем молодым, с тощей шеей и глазами навыкате.

— Никакая я не миссис Хэммерсмит! — завизжала Алиса. — Подайте сюда вашего Винсента, пусть он сам скажет!

В ответ на ее визг на втором этаже осветилось сначала одно окно, затем второе.

— Господи! — обреченно воскликнул Фред и хлопнул себя по бокам. — Хэрмон, лови ее.

Хэрмон растопырил руки и пошел на Алису с виноватым выражением на лице.

— А-а-а! — завопила та и, ловко увернувшись, принялась петлять по подъездной дорожке, расшвыривая гравий носками туфель.

— Это называется тихонько вошли, — в сердцах воскликнул Фред и бросился в погоню.

При этом он так топал и пыхтел, что Алисе казалось, будто бы за ней гонится динозавр. Почувствовав, что сейчас ее схватят, она что было сил завопила:

— Хэммерсмит, выходи на улицу! Выходи скорее, гадина!

— Гадина давно здесь, — раздался позади нее властный

голос. Тотчас же вспыхнул прожектор, и вокруг стало светло как днем.

Фред и Хэрмон мгновенно остановились, Алиса остановилась тоже и развернулась на сто восемьдесят градусов. Возле двери черного хода стоял довольно высокий мужчина лет сорока с небольшим, засунув руки в карманы брюк. Все в нем выдавало породу. У него были крупные и правильные черты лица, сдвинутые брови и надменно сложенные губы. Казалось, обладатель столь интересно вылепленного лица стремился выражением его развеять всякое очарование.

— Ты что, пьяна? — спросил мужчина, глядя Алисе в переносицу.

— Хэммерсмит? — гневно вопросила та, подходя поближе. И тут же уточнила, наставив на него указательный палец: — Винсент Хэммерсмит из Иллинойса?

— Очень смешно, — холодно ответил тот. — Прекрасное время для шуток.

— Поглядите на меня хорошенько! — велела Алиса звенящим голосом и вытянула шею вперед, словно любопытная черепаха. — Лицо мое видите, да?

— И что?

— Как — и что? — опешила Алиса. — Вы должны сейчас же и во всеуслышанье заявить, что я не ваша жена!

— К сожалению, — процедил Винсент Хэммерсмит, — ты моя жена. Жаль, здесь нет Георгия, чтобы напомнить ему об этом.

— Знать не знаю никакого Георгия. Послушайте, вы! — Алиса подошла совсем близко и так рассердилась, что позволила себе ткнуть незнакомого человека пальцем в грудь. — Прекратите ломать комедию и сделайте что-нибудь!

— Что?

— Прикажите вашим гориллам отвезти меня в аэропорт и оплатите билет до Флориды. Не в Россию же мне возвращаться! Меня вообще вывезли оттуда нелегально!

— Дорогая! — холодно ответил Винсент. — Вероятно, ты перенервничала. Иначе бы не несла всякую чушь.

Больше всего Алису бесило то, что он так невероятно спокоен. Ей захотелось немедленно сбить с него спесь.

— Значит, я ваша жена?! — повторила она с чувством.

— Естественно.

— Ну, тогда получайте!

Она размахнулась и влепила Хэммерсмиту звонкую пощечину. Он даже головой не мотнул и не стал хвататься за щеку. Просто стоял и смотрел на нее. Алиса втянула голову в плечи.

— Фред, — не повышая голоса, велел Хэммерсмит. — Приведи Квэсни, он наверху.

— Ветеринара? — недоверчиво переспросил тот.

— Ветеринар — это именно то, что нужно, — успокоил его Винсент. — У моей супруги нечеловеческая прыть. Кроме того, она вся разбита. Подралась с кем-нибудь в ночном клубе?

— Нет, Винс, она попала под машину, — бросил Фред, скрываясь за дверью.

— Ограда под током, — предупредил Хэммерсмит, заметив, что Алиса оглянулась назад в поисках пути к отступлению. — Смирись с тем, что твои приключения закончились. С сегодняшнего дня я буду заботиться о тебе еще лучше, чем прежде.

— А я о тебе позабочусь прямо сейчас! — закричала Алиса и бросилась на него с кулаками.

Хэммерсмит ловко отразил удар и схватил ее в охапку. Она брыкалась изо всех сил и даже вставляла в свою ругань соленые русские словечки, но тут появился ветеринар.

— Где собака? — озабоченно спросил он, держа шприц наперевес. — Кого колоть? Кто сбесился?

— Моя жена, — прокряхтел Винсент.

— Но я...

— Док, делайте укол, а то она всех нас покусает.

Дальнейшее Алиса помнила смутно. Ее втащили в дом, пронесли по коридору и сгрузили на кровать в темной комнате. После чего она провалилась в сон.

Глава 3

Пробуждение оказалось похожим на похмелье: вчера был веселый кошмар, сегодня — его грустные последствия. Отличие лишь в том, что Алисе не нужно было ничего припоминать — мистические события впечатались в ее память, вероятно, навечно. Она в плену!

Алиса прошлепала к окну, отвела занавеску и почесала затылок. Да уж, если это плен, то чертовски оригинальный.

Бархатные лужайки, террасами поднимающиеся вверх, фонтанчики, миксбордеры и розы под окном.

«Что собирается со мной делать Хэммерсмит? — подумала Алиса. — Не мог же он спутать меня со своей женой! Значит, врал сознательно. Скорее всего, они с Фредом и Хэрмоном в сговоре. Настоящей миссис Хэммерсмит, может быть, уже нет в живых, а я призвана играть ее роль, чтобы оградить их от возмездия!»

Алиса подкралась к двери и дернула за ручку. Дверь оказалась незаперта. Странно. Если ее не собираются держать затворницей в этой комнате, значит, в заговоре должна участовать вся обслуга. Судя по размерам особняка, здесь запросто могли бы жить человек двести, а то и больше. А повара, экономки, шоферы, садовники, дворецкий, уборщики и горничные? Нет, версия с подменой настоящей жены на подставную явно не выдерживает критики. Однако никакой другой у нее не было.

Окинув взглядом помещение, Алиса решила, что знает, с чего начать. Ведь эта комната кому-то принадлежит, в конце концов! Здесь живет реальная женщина, у нее есть документы и масса других вещей, которые помогут пролить свет на это темное дело. Правда, прежде чем приступить к расследованию, Алиса приняла душ и вообще привела себя в порядок. Вот только с одеждой беда — багажа в комнате не было, а сарафан порвался и испачкался. Поэтому первым делом она сунулась в платяной шкаф, чтобы взять себе там что-нибудь напрокат.

Шкаф оказался набит странными нарядами убийственно ярких цветов и напоминал театральную костюмерную. Алиса, привыкшая к классической одежде, долго перебирала брюки, но ей встречались только желтые в крапинку, оранжевые в цветочек, розовые в ромбик — словом, такие, в которых она чувствовала бы себя дурой. Пришлось остановить свой выбор на коротком платье.

Кроме ванной, в апартаментах наличествовал кабинет: дверь туда была приоткрыта, и Алиса уже нацелилась пойти и проинспектировать секретер. Но прежде прикинула, сколько прошло времени с тех пор, как ее контрабандой вывезли из России и когда можно позвонить друзьям.

Подумав про друзей, Алиса тут же вспомнила, что ее подруге Галке сообщили, будто бы с ней в Сочи произошел несчастный случай. Что, если несчастный случай и в самом деле произошел с той женщиной, в комнате которой она сегодня ночевала? Допустим, хозяйка апартаментов невероятным образом оказалась в Сочи и погибла там. Но вот как ее перепутали с Алисой?! И возможно ли, что ее зовут Элис? Всему этому не было никакого объяснения.

В этот момент в дверь постучали и на пороге появился давешний шофер Хэрмон с глазами навыкате. В одной руке он держал чемодан, а в другой — дамскую сумочку.

— Ваши вещи, миссис Хэммерсмит! Фред забрал их из «Морской жемчужины», — выпалил он и, переступив порог, сгрузил свою ношу прямо возле двери. После чего быстренько ретировался.

Алиса сразу увидела, что это совсем даже не ее вещи, но бежать следом за шофером у нее не было никакого желания. Он просто прихвостень Хэммерсмита. Если уж с кем и иметь дело, так только с ним. Впрочем, прежде чем поднимать шум, надо все же попытаться разобраться в происходящем хотя бы в общих чертах, а потом уже убираться отсюда.

Алиса встала и направилась к вещам, оставленным возле двери. Взяла в руки дамскую сумочку. На секунду замешкалась, но потом решила, что другого выхода у нее просто нет. Можно, конечно, закатить истерику на весь этот роскошный особняк, но кто знает — не заткнут ли ей рот самым жестоким образом? Нет, прежде следует выяснить точно, кто живет в этой комнате. Судя по всему, хозяйкой должна быть некая Элис Хэммерсмит. Вероятно, именно с ней произошел несчастный случай, и она погибла. Возможно даже, бедняжку Хэммерсмит убили. Алиса прижала чужую сумочку к груди, боясь открыть ее. Чем дольше она рассуждала, тем более странным казалось ей все происшедшее.

Она, Алиса, отправилась в Сочи и оставила свои вещи в отеле «Морская жемчужина». Элис Хэммерсмит тоже отправилась в Сочи и тоже остановилась в «Морской жемчужине»: ведь лежащие сейчас здесь вещи Фред забрал именно из этого отеля. Да, но почему Фред перепутал не вещи, а хозяек? Он привез вещи настоящей Элис Хэммерсмит, а в качестве дополнения прихватил Элис Фарвел. Причем нашел ее отнюдь не в той самой «Морской жемчужине», а в маленькой частной гостинице! С какой стати он притащил в Иллинойс совершенно незнакомую женщину? И те люди, которые покушались там, в России, на жизнь Алисы — кого они хотели убить на самом деле? Если миссис Хэммерсмит, то, значит, эта дама должна быть чертовски похожа на Алису! Так похожа, что даже ее муж нос к носу не заметил никакой разницы. А вот это казалось уже настоящей чепухой.

Наконец Алиса решилась: взяла сумочку, устроилась на кровати, расстегнула «молнию» и перевернула ее. Водопадом посыпалась на покрывало всякая всячина, среди которой мелькнула драгоценная карточка водительской лицензии. В первую очередь ее интересовала фотография. Алиса посмотрела... и испуганно охнула. Это была ее фотография! Или нет? Трясущимися руками она поднесла ее к самым глазам. Вроде бы это она сама — ее глаза, рот, брови, родинка в уголке губ, но вот прическа — другая. Волосы длинные, она таких никогда не носила. В ушах крупные серьги — у нее таких нет. Ерунда какая, господи!

Она была потрясена до глубины души. Документы, как и предполагалось, оказались на имя Элис Хэммерсмит. Эмоции заставили Алису презреть ее обычную методичность. Она вскочила и метнулась в смежную комнату к секретеру. Ураганом пронеслась по ящикам: счета, письма, фотографии... Фотографии! Вот то, что ей нужно. Она лихорадочно листала страницы альбомов и видела себя — себя! — в чужих домах, с чужими людьми, в чужих платьях. Это был настоящий кошмар.

— Стоп, стоп, успокойся, — принялась убеждать себя Алиса преувеличенно ласковым голосом. — Наверняка этому есть разумное объяснение.

Она снова взяла в руки лицензию и прочитала адрес: Вустер-Сити, Иллинойс. Тогда Алиса принялась ворошить документы и стала быстро просматривать их все. Дата рождения Элис Хэммерсмит по-настоящему шокировала ее — 15 сентября 1967 года. Свое рождение Алиса отмечала в этот же самый день. Но самое главное — Элис, как и она, родилась в России, в Москве, о чем несколько раз упоминалось в каких-то пространных приложениях к пространным договорам.

«Черт побери! Да мы с ней двойняшки!» — поняла потрясенная Алиса. Ничего другого в голову ей просто и не могло прийти. Нет никаких оснований не верить своим глазам — Элис Хэммерсмит как две капли воды похожа на нее, Алису Соболеву. По возрасту женщина на снимках не может быть ни ее матерью, ни теткой, ни бабушкой. Выходит, это ее сестра. Сестра! О существовании которой она даже не подозревала все эти годы.

Выходило, что тридцать два года спустя сестер, которые ведать не ведали друг о друге, случайно перепутали. Это было совершенно очевидно. Что же могло произойти? Они обе родились в России, но потом одна из них оказалась в Америке.

— Ах, мама! Что же такое ты скрывала от меня? — стиснув руки, воскликнула Алиса.

А что, если ее украли? Что, если Татьяна — не ее родная мать? И на самом деле она дочь американцев, которые приехали в Россию, где у них и родилась двойня? Об отечественных роддомах ходило много всяких слухов. Что, если ее настоящей матери сказали, что одна из девочек умерла? А на самом деле она осталась жива, и какая-нибудь алчная медсестра продала ее бездетной Татьяне Соболевой, готовой заплатить за наследницу? А может, было все наоборот? Может, Татьяна Соболева родила двойню и продала одного ребенка богатым иностранцам?

Алиса бросилась на кровать лицом вниз. Невозможно было сосредоточиться и собраться с мыслями. А ведь ей надо срочно решать, что теперь делать: с минуты на минуту кто-нибудь из обитателей дома даст о себе знать. «Вероятно, я нахожусь на пороге открытия какой-то семейной тайны, — подумала она. — Тайны столь серьезной, что она оберегалась много лет...» Кто ее настоящие родители? Знают ли они о том, что их вторая дочь жива и невредима? Или ее настоящая мать — все-таки Татьяна Соболева?

«Я обязательно должна узнать о том, почему мама воспитывала только одного ребенка — меня, и почему она никогда не говорила мне правды», — думала Алиса, стискивая руки. Если сейчас открыто заявить о своей материализации из небытия, сложно даже представить, что произойдет. Как отреагируют окружающие? Что сделают ее родные? Ну, или те люди, что выдавали себя за таковых. Расскажут ли ей всю правду? Не исключено, что настоящей правды она так никогда не узнает. «Лучше сделать вид, что я Элис Хэммерсмит, задержаться здесь и провести самостоятельное расследование. Если выдать себя за сестру, появится шанс действовать внутри того круга, в недрах которого родилась и вызрела эта сумасшедшая тайна».

К историям с похищением младенцев, с разлученными

близнецами Алиса всегда относилась с юмором. Оказаться в центре чего-то подобного было неуютно. Да что там — просто дико. К этим чувствам примешивались страх и огорчение: похоже, что свою сестру Алиса так никогда и не увидит. Кого-то же хоронили в Сочи вместо нее. Нетрудно было догадаться — кого.

— Как бы узнать поточнее, что произошло? — пробормотала она, кусая губы.

Надо позвонить кому-нибудь из друзей. Алиса нахмурилась: судя по всему, никто, кроме нее, не знает, что в России погибла Элис Хэммерсмит, а не Алиса Соболева. Друзья оплакивают ее, вот ужас-то!

Алиса решительно положила руку на телефонную трубку. Хэммерсмиту придется заплатить за ее разговор с Москвой. «Уверена, что он не обеднеет, — мрачно подумала она. — Главное, чтобы Галка была дома».

* * *

— Привет. Кто это? — спросил знакомый голос, ответивший по московскому номеру.

— Это я, — сказала Алиса, почувствовав, что по лицу блуждает идиотская улыбка. — Обещай, что не упадешь в обморок.

— А-а, здравствуйте, — слабым голосом ответила Галка.

— Эй, Галка, это действительно я. Я не утонула в Черном море и ужасно сожалею, что вам пришлось потратиться на самолет.

— Ничего-ничего, зато мы еще раз побывали в Сочи, — странным тоном ответила Галка.

— Ты что, не узнаешь меня?

— Как же, узнаю. Это ведь Алиса. Ты откуда звонишь?

— Из Америки. А ты думала — с того света, да?

— Алиса, это действительно ты? Настоящая ты? Живая?

— Да я это, я.

Галка вдруг всхлипнула и заголосила:

— Где же ты была, дура ты набитая? Я все глаза по тебе проплакала! Я все нервы свои измотала! За это время я выпила столько водки, что в ней можно было бы заспиртовать слона! Алиса, не томи, скажи: с тобой все в порядке? Если ты не утонула, то где болталась столько времени?!

— Ты знаешь, Галка, в Сочи меня украли.

— Чтоб мне провалиться! Террористы?

— К счастью, нет. Вполне порядочные люди.

— Гарри что, заплатил выкуп?

— Никто не требовал за меня выкупа. Меня просто перепутали с другим человеком.

— Алиска, я не могу поверить!

Алиса принялась сбивчиво рассказывать произошедшую с ней историю.

— Господи, Алиса, это невероятно! — через каждые две минуты восклицала потрясенная Галка.

— Я остаюсь в Вустер-сити, — подытожила тем временем Алиса. — Поживу здесь и попытаюсь разобраться со всей этой чертовщиной. Если вдруг как-то проявится Гарри — ему ни слова.

— Но я уже сообщила ему, что ты погибла!

— Вот пусть он и продолжает так думать.

— Я все поняла, не беспокойся. А то, что ты затеяла, — не опасно?

— Не выдумывай, — как можно увереннее сказала Алиса. — Кстати, ты можешь сделать мне одолжение?

— Конечно! Ты еще спрашиваешь! Все одолжения мира просто за то, что ты жива и говоришь человеческим голосом.

— Нужна кое-какая информация.

— Без проблем. А что ты хочешь узнать?

— Естественно, я хочу узнать тайну своего рождения. И рождения сестры. Я сброшу на ваш компьютер послание, где все подробно напишу, лады?

— Лады.

— Буду звонить тебе по мере возможности.

— Алиска! Я так рада, что ты жива. Мне кажется, с моей души свалились тонны неприятностей. Она парит, как воздушный шарик.

— Я тоже тебя люблю. А теперь расскажи мне подробно, что за история произошла в Сочи, кто сообщил вам, что я погибла? И что вы узнали в «Морской жемчужине»? Для меня это очень важно.

— Важно? Тогда запасись терпением и слушай.

* * *

Мэтт все время помнил, что стрелки часов бегут, не останавливаясь, и что с Элис Фарвел, иначе говоря Алисой, тянуть не стоит. Однако эта женщина продолжала выводить его из равновесия.

Оказавшись в России, Мэтт все еще не терял надежды выполнить свою миссию: наверняка бесшабашная девица полезет в какие-нибудь развалины или, решив искупаться в море, заплывет далеко от берега. Ему, Мэтту, и карты в руки. Но, как выяснилось, он рано радовался. Очень быстро он убедился, что за Алисой следят. Позже ее едва не сбил автомобиль, а огромный американец, вытолкнувший ее из-под колес, нанял частный самолет и снова повез ее в Штаты. Мэтту потребовалось все его мастерство, чтобы узнать пункт назначения и не отстать в дороге. Тенгиз уверял, что служащие продаются в любой стране мира, и доказал это на деле. Они расстались с Тенгизом уже в аэропорту «О'Хара», по-деловому пожав друг другу руки. Бумажник Мэтта после прощания стал намного легче. Но это не беда: в конце концов, клиент платит за все.

Самым удивительным оказалось даже не то, что Фарвел приехала не во Флориду, а в Иллинойс, а то, что она носила здесь другую фамилию — Хэммерсмит. И снова в голову Мэтту пришла мысль, что с этой женщиной не все так просто, как кажется. Возможно, за ней следят спецслужбы? Или она — звено какой-нибудь крупной преступной группировки? Черт побери, Мэтту это совсем не нравилось. Он решил выжидать и никому не попадаться на глаза.

* * *

Лэрри Солдан открыл дверь и растерянно моргнул — на пороге стояла Кейси в короткой красной юбочке. Рядом с ней стоял чемодан.

— Приветик! — сказала она и продемонстрировала Лэрри мелкие зубки и ямочки на щеках. — Я приехала на такси прямо из аэропорта. Вернулась из Вермонта, от родителей, и решила, что неплохо было бы тебя навестить.

— Из Вермонта? От родителей? — глупо переспросил Лэрри. — А как же Гарри Фарвел? Ты ведь с ним сбежала...

— Это была ошибка, — поспешно ответила она. — Гарри все время думал только о своей жене, ныл, куксился, и я решила — такая интрижка не для меня. И уехала в Вермонт.

— А Гарри?

— Не знаю, — повела плечиком Кейси. — Мне до него дела нет.

— А вот ему, кажется, до тебя есть дело, — пробормотал Лэрри, втаскивая в дом сначала ее, потом чемодан. — Смотри, это его машина.

Кейси ахнула:

— Лэрри, миленький, мне не хочется с ним встречаться.

— Тогда спрячься в другой комнате.

— Но оттуда я ничего не услышу! Лучше я спрячусь в ванне.

Лэрри затолкал ее чемодан в шкаф и в ответ на нетерпеливый звонок крикнул:

— Иду, иду!

Гарри Фарвел был красавчиком, знал это и держался так, будто за красоту ему полагались некие льготы.

— Я знаю, она у тебя, — с порога заявил он и нажал указательным пальцем на солнечное сплетение хозяина дома. — И хочу с ней поговорить.

— С чего ты решил, что она у меня? — Лэрри поправил очки и вместо того, чтобы расправить плечи, втянул живот

— Потому что больше ее нигде нет! А ты давно положил на нее глаз!

Он оттолкнул Лэрри и, войдя в гостиную, огляделся по сторонам.

— Где она? В спальне?

— Ты совершаешь большую ошибку, — сказал Лэрри и загородил спиной дверь ванной комнаты.

— Ага! — воскликнул тот и оттолкнул его еще раз. Потом дернул за ручку, но дверь не поддалась.

— Не вздумай сломать замок, — предупредил Лэрри, надуваясь, как индюк. — Чего ты от нее хочешь?

— Хочу сказать, что люблю ее и прошу, чтобы она вернулась.

Дверь ванной комнаты тотчас же распахнулась, и разрумянившаяся Кейси громко сказала:

— Я согласна!

— А-а! — крикнул Гарри и отшатнулся. — Это что, твое хобби? — раздраженно спросил он у Лэрри, придя в себя. — Подбирать брошенных мною женщин?

— Они сами подбираются, — пробормотал тот

— В таком случае, где моя жена?

— Зачем она тебе, милый? — проворковала Кейси.

— Твоя жена умерла, — бесцветным голосом ответил Лэрри.

— Как удачно, — пробормотала Кейси, поправляя мизинцем помаду на губах..

Гарри сделал изумленное лицо и развел руки в стороны:

— Но я приехал за ней!

— Что?! — возмутилась Кейси. — Не за мной?

— Господи! — пробормотал Лэрри. — И я мечтал сделать эту женщину своей королевой!

— Не морочь мне голову! — рассердился Гарри. — Где Элис? Она нужна мне!

Он неожиданно побледнел, и Лэрри понял, что до него стало доходить.

— А вот ты ей больше не нужен. — Если бы мог, Лэрри сказал бы это с мстительной интонацией. Но он не мог, и голос его прозвучал печально. — Ее больше нет.

— Что ты говоришь?! — Гарри отшатнулся.

— Мне очень жаль, — повторил Лэрри, бестрепетно глядя на него.

Гарри покачнулся, словно от толчка в спину, и прикусил губу.

«Он очень красивый, — подумал Лэрри. — Красивый и, конечно, ветреный, непостоянный. Как вино, играет в нем эгоистичное, почти противоестественное легкомыслие. Зачем Элис была такой непримиримой? Такой требовательной? Лучше бы она относилась к поступкам этого мужчины легко. Если бы она не так сильно его любила, то, верно, была бы снисходительней. И осталась жива».

— Она что-то с собой сделала? Ведь да? — спросил Гарри.

— Да.

— Как это произошло?

— На следующий день после вашего с Кейси бегства она вытребовала себе отпуск и отправилась в путешествие.

— В Россию?

— Естественно. Хотела хоть ненадолго забыться. Не могу даже представить, в каком она была состоянии, — не выдержал Лэрри. — Она любила тебя.

Гарри только сильнее стиснул зубы.

— Она побывала в Москве, потом отправилась на южный курорт. Мне сказали, город называется Сочи. Твоя жена зарегистрировалась в отеле и ушла неизвестно куда, оставив у администратора письмо, где писала, что ее бросил человек, которого она любила больше всех на свете, и что ей теперь незачем жить. И что море успокоит ее. Позже выяснилось, что она села на прогулочный теплоход вместе с другими туристами. Когда через несколько часов теплоход вернулся в порт, Элис на борту не оказалось. Только ее сумочка. И широкополая шляпа, в которой ее запомнили туристы. Вот и все.

— Вот и все, — повторила Кейси, сообразив наконец, как нужно себя держать. Она сделала скорбную мину и взяла Гарри за руку. — Гарри, милый, твою жену уже не спасти, а я нуждаюсь в мужской поддержке.

Гарри вырвался и вышел вон, хлопнув дверью.

— Обидно, — вздохнула красавица и пристально посмотрела на Лэрри. — Надеюсь, что хотя бы ты мне поможешь?

— Конечно! — воскликнул тот с жаром. — Я вызову для тебя такси.

* * *

Алиса положила трубку, с трудом сдерживая волнение. Теперь она знала, что произошло на прогулочном теплоходе. Представила ярко-голубое море и большую широкополую шляпу, оставленную на палубе. Она вспомнила всех подозрительных типов, пугавших ее в России, и решила, что ничего подобного — ее сестра наверняка жива и здорова. Скорее всего, она просто прячется. Влипла в какую-то историю и, когда дело запахло жареным, инсценировала самоубийство. «Да, но ведь она инсценировала *мое* самоубийство?! Ерунда какая-то. Галка цитировала прощальную записку, и там было сказано о несчастной любви, о том, что ее бросил любимый человек...»

Кстати, записка была написана по-английски. Галка подумала, это из-за того, что Алиса хотела проинформировать о своих мотивах в первую очередь Гарри. Милиция тоже не увидела ничего удивительного в английском тексте. Ведь Алиса приехала из Америки. Чего ж тут еще обсуждать?

Эта шляпа на палубе. Она так и стояла у Алисы перед глазами, будто она сама была на теплоходе и видела ее. Слишком мелодраматическая деталь, чтобы она ей поверила. За ее сестрой охотились. И та не придумала ничего лучше, чем внушить своим врагам, что дело закрыто и убивать уже некого. «Но убийцы, похоже, этого так и не узнают, — пробормотала Алиса. — В команде произошла замена, и в игру вступила некая Алиса Соболева — полная дура, которая вместо того, чтобы в двух словах прояснить ситуацию и уехать домой, предпочла остаться и посмотреть, что из этого получится».

По мнению Алисы, мама не таила в своей душе ни боли, ни раскаянья. Но ведь если она по той или иной причине потеряла вторую малышку, не могла же она никогда не думать и не вздыхать о ней? Нет, все это более чем странно. Особенно удивительно было то, что обеих девочек назвали одинаково. Может быть, родители с самого начала знали, что они никогда не встретятся? Что им предстоит жить в разных странах, и одна из них будет Элис, а другая Алиса?

Сдерживая нетерпение, она вернулась в кабинет и снова принялась рыться в бумагах, надеясь отыскать хоть что-нибудь, что могло бы немедленно утолить ее нетерпеливое желание узнать истину. Ничего не обнаружив, она откинулась на спинку вращающегося кресла и, подняв глаза вверх, окаменела. На верхней полке секретера стояла большая фотография в великолепной кожаной рамке, фотография явно старая. На ней были сняты мужчина и женщина, склонившие головы друг к другу. Они оба улыбались и выглядели необыкновенно счастливыми. Мужчине, на взгляд, было около сорока, а женщина казалась совсем молоденькой. Ее глаза, изгиб губ, линия подбородка — все говорило о том, что Татьяна Соболева была не родной матерью Алисы.

«Господи, я слишком похожа на эту женщину, чтобы сомневаться». Вот ее настоящая мать — улыбается со старого снимка. Улыбается одной своей дочке, не ей. «А как же я? А я?!» — кричало все внутри Алисы. Мужчина на снимке казался очень счастливым. Родители. Ее родители? Это было тяжелым потрясением. Алисе стало так жаль себя!

Она начала трясти снимок перед собой, как трясут за плечи человека, когда хотят добиться от него немедленного ответа: «Почему вы выкинули меня из своей жизни, папа и мама?» Прошло немало времени, прежде чем она успокоилась. Что толку в бесцельных измышлениях? Ей нужны факты. Заявить о том, что она не Элис Хэммерсмит — самое глупое из того, что только можно придумать. Ее появления тут никто не ждал и вряд ли кто ему обрадуется. Сестра долго занимала место, которое они должны были разделить на двоих, ничего не случится, если Алиса теперь немножко побудет здесь под ее именем. Конечно, ей придется нелегко, но она готова на что угодно, лишь бы узнать, с какой стати ее лишили семьи и кто несет за это ответственность.

Алиса еще некоторое время сидела за секретером, продумывая план действий. В первую очередь ей нужно найти членов семьи, узнать о них все, что возможно. Алиса испытывала страх и любопытство одновременно. Нет, любопытство — все же не то слово. Это было нечто иное — острый, жизненно важный интерес, связанный с тайной ее собственного происхождения и с исчезновением сестры. Скорее всего, Элис сейчас далеко, на другом краю земли.

Алиса отдавала себе отчет в том, насколько опасна затеянная ею авантюра. Но она должна ей удаться! Главное, не выдать себя людям, которые хорошо осведомлены о том, что тридцать два года назад на свет появились близнецы. Таких людей должно быть по меньшей мере двое — отец и мать. Настоящие, разумеется. Кто они? И кто такая Татьяна Соболева, женщина, вырастившая и беззаветно любившая ее? Какую она играла роль в этом деле, что знала, чему была свидетельницей? «Тайная и темная история, — думала Алиса. — По крайней мере, незаконная. Иначе мама рассказала бы мне».

В дверь неожиданно постучали, и на пороге возник Фред с нахмуренным лицом.

— Доброе утро, — сказал он и посмотрел на нее с опаской, ожидая, вероятно, очередной порции воплей.

Однако Алиса, решившая играть роль сестры, больше не собиралась буянить. Она мило улыбнулась и тоже пожелала Фреду доброго утра. Он тотчас же расслабился и сообщил:

— Приехала Памела и хочет кое-что обсудить с тобой в библиотеке.

— Отлично, — пробормотала Алиса, лихорадочно размышляя, как бы узнать хоть что-нибудь об этой Памеле. Поэтому спросила: — Как мне лучше себя с ней вести?

— Она мать твоего мужа, тебе виднее. Впрочем... Если ты хочешь продолжать расследование, то лучше, конечно, не начинать теперь никаких серьезных скандалов. В конце концов сделай вид, что раскаиваешься в том, что сбежала с любовником.

«Какое еще расследование? — едва не спросила Алиса, но вовремя сдержалась. — Да уж, у ее сестры точно были неприятности! И, судя по всему, Фред о них отлично осведомлен».

— Когда мне нужно спуститься? — вслух спросила она.

— Через час.

— Кстати, где остальные мои пожитки? — спросила она, вспомнив о сумке, которую собирали в маленьком сочинском отеле без ее участия. Ей так хотелось получить ее обратно: там лежало белье и одно-единственное платье — простое платье из мягкого льняного муслина, которое она могла бы теперь надеть.

— Какие пожитки? А, сумка. Когда мы приехали, я убрал ее в шкаф.

Алиса так обрадовалась собственным вещам, что поскорее спровадила Фреда вон. Правда, напоследок он задал ей еще одну задачку.

— Знаешь, у меня ведь есть для тебя новость.

— Да? Какая?

— Молли Паркер вышла из больницы.

— Правда? — оживленно спросила Алиса и добавила: — Это же просто чудесно!

Фред сосредоточенно смотрел на нее и молчал. Алиса поняла, что он ожидал от нее совершенно другой реакции, и, конечно, не могла понять — какой именно.

— Хм, — сказала она, нахмурившись, словно находилась в раздумье.

— Так что мне делать, Элис? Чек по-прежнему у меня. Ехать к ней?

— Ехать, — оживившись, ответила Алиса.

«Потом разберусь, в чем тут дело», — довольно легкомысленно подумала она.

Глава 4

В Галке Серегиной было полтора метра роста, но вся она казалась налитой и крепкой. Будто кровь в ее теле перемешалась с жизненной энергией и текла по жилам в два раза быстрее. Поэтому она безумно нравилась людям, в том числе и мужчинам, хотя не отличалась особой красотой. Нормальная вроде бы внешность, ничего выдающегося. Но глаза, улыбка, речь — все было чертовски привлекательным.

Сейчас Галка сидела на диване, поджав под себя ноги, и листала «Желтые страницы».

— Боже мой! — воскликнула она, обращаясь к мужу. — Здесь куча детективных агентств. Вот, смотри: «Альбатрос», «Агата», «Детектив-сервис», «Кредо». И вдобавок есть сноска, что можно посмотреть еще на букву С — «Сыскные агентства». Как ты думаешь, куда звонить? Есть смысл выгадывать? Или у них у всех одинаковые ставки?

— Ставки здесь ни при чем, — возразил Денис. — Главное — результат. Может быть, лучше обратиться к детективу-одиночке?

— А где его взять?

— Я могу позвонить своему начальнику. У него недавно украли кейс с документами. И его вывели на какого-то сыщика. Говорят, парень что надо.

— Так он нашел кейс?

— Естественно, нашел. Иначе стал бы я о нем вспоминать.

— Не представляю, как объяснить всю эту фантасмагорию с Алискиными приключениями свежему человеку. История ведь практически криминальная. И в ней, скорее всего, замешана Алискина мать. То есть не настоящая мать, а Татьяна. А может, и настоящая тоже. Ведь неизвестно, что там всплывет...

— Ну, можно поступить и по-другому, — пожал плечами Денис. — Вообще ни к кому не обращаться.

— Как это?

— Выяснить все самостоятельно. В конце концов, у тебя только одна близкая подруга. Я готов расстараться.

— А работа? Ты и так возвращаешься со службы черт знает во сколько, а то и по ночам пропадаешь.

— Наступают другие времена, — неопределенно сказал Денис.

— Что ты хочешь этим сказать? — Галка поглядела на мужа с подозрением. — Тебя что, уволили?

— Еще нет. И речь вообще не об увольнении. Кажется, банковский кризис сказался на нас слишком сильно. Руководство вряд ли станет и дальше издавать представительский журнал.

— И что?

— И мы все ищем себе новую работу.

Галка с мрачным лицом прошлась по комнате.

— У тебя есть какие-нибудь наметки?

— Есть, конечно. Не в безвоздушном же пространстве я живу. Наверное, теперь это будет телевидение. Там перед выборами можно немножко подзаработать. На третьем канале меняется команда, меня пригласили. Но все утрясется только недели через две. Думаю, этого времени хватит, чтобы разобраться с проблемами твоей Алисы.

— А что? Ты вполне сможешь справиться, — задумчиво кивнула Галка. — В конце концов, у тебя полно просроченных удостоверений прессы, масса знакомых и отлично подвешенный язык.

— Тогда тащи сюда распечатки с ее вопросами, мы устроим с тобой военный совет и решим, чем заняться в первую очередь.

Галка ценила мужа за легкий характер. Сумрачные мужчины ей не нравились. Даже очень ответственные и успешные. Денис же отличался энергичностью ума и был снисходителен к людям. Он никогда никого не осуждал за ошибки, быстро прощал обиды и философски относился к житейским неприятностям. Единственное, чего Галка хотела бы от него добиться — это чтобы он бросил курить.

Она метнулась в кабинет, где возле компьютера лежала папка с Алисиным посланием. Потом они с Денисом уселись на диван. Он раскрыл папку у себя на коленях, Галка примостилась рядышком.

— Первое и самое главное — это, конечно, роддом, — заявила она, тыча пальцем в жирные черные буквы. — Девочки там родились, там и надо искать завязку интриги.

— Ты решила мне помогать?

— Естественно! Думаю, тебя одного нельзя отпускать в свободный полет. Ты слишком консервативен. Вот ты приходишь в роддом. Как ты представишься?

— Ну, скажу почти что чистую правду. Что я журналист, хочу написать историю этого замечательного заведения...

— Ха! — презрительно сказала Галка. — Администрация сразу же решит, что ты под них копаешь. Тогда уж тебе точно не сообщат ничего путного. Нельзя говорить, что ты собираешься писать об одном этом роддоме.

— Думаешь?

— Уверена. Тут нужна выдумка. Ну-ка, дай я попробую.

Она схватила телефон, полистала справочник и набрала номер. Только с третьего захода ей удалось узнать, как связаться с отделом кадров.

— Здравствуйте! — милым голосом сказала она в трубку. — Это вас беспокоят из журнала «Женщина и время». Нас интересуют старейшие работники лучших медицинских учреждений столицы. Те, которые проработали на одном месте больше двадцати лет. Ваш роддом может дать нам какие-то фамилии?

На том конце провода ей что-то ответили, и Галка закатила глаза:

— Неужели ни одного человека? Пусть это будет обслуживающий персонал: санитарки, нянечки... Нет? Ну, что ж, извините за беспокойство. Возможно, позже мы еще раз обратимся к вам с вопросами о лучших работниках.

Положив трубку, она удрученно сказала:

— Пустой билет. Кстати, Денис, а ты вообще когда-нибудь слышал что-то конкретное о краденых детях?

— Скандалов с роддомами, дошедших до широкой общественности, на моей памяти всего два, — сообщил Денис жене. — И оба разразились во времена не столь отдаленные. А шестьдесят седьмой год — это просто старина несусветная. Тогда у нас были светлые годы социализма, и все младенцы счастливо рождались под надзором партии и правительства.

— У нас есть совершенно конкретный роддом, — не согласилась Галка. — Там работают конкретные люди.

— И все относительно молодые. Ни одной санитарки или уборщицы старой закалки. Все куда-то подевались.

— Должен же быть у них архив, где хранятся личные дела?

— Тот самый отдел кадров, наверное. Но кто мне даст там покопаться?

— Ну придумай что-нибудь. Ты же у нас голова, — Галка постучала указательным пальцем по Денисову затылку

— Здесь сработает только какая-нибудь афера, — задумчиво сказал тот.

— Допустим. Времена для всякого рода афер у нас благодатные. В стране сумасшедшее количество непонятных организаций, фирм и фондов. Никакой координации, никакого государственного контроля. Полный бардак.

— Надо этим воспользоваться, — согласился Денис.

— Придумай какую-нибудь глупость. Это срабатывает лучше всего. Принцип хорошей рекламы.

— Это что еще за зверь?

— Простой закон нашенского рекламного бизнеса. Чем глупее реклама, тем больше денег она приносит.

— Шутишь?

— Совсем не шучу. Как-нибудь заметь, на что ты лично обращаешь больше всего внимания.

— Хочешь сказать, на всякие глупости?

— Ладно-ладно, не отвлекайся. Предлагаю вот что. Тебе надо перевоплотиться в агента бывшего Госстраха. Якобы ты закрываешь старые повисшие счета. Я недавно видела в кино, как один парень...

— Договорились, — перебил ее Денис. — Завтра я поеду в роддом под видом госстраховского агента. А теперь скажи, что у нас еще есть.

— Еще у нас есть лучшая подруга Алисиной матери — Ольга Авдеенко. Помнишь режиссера Авдеенко? Так это ее муж. А их дочерей зовут Ася и Аня. Они практически наши ровесницы. Дружили с Алиской. Потом разъехались по заграницам. Ася — в Канаду, Аня — в Германию.

— А где сейчас эта Ольга Авдеенко?

— Понятия не имею. Алиса после смерти матери одно время поддерживала с ней связь, но потом все как-то заглохло.

— Думаю, ее адрес нам выдаст адресный стол. Еще что у нас есть?

— Еще у нас есть человек по фамилии Косточкин. Косточкин Олег Михайлович. Алиска думает, что у него с Татьяной, ее матерью то бишь, были, как это раньше называли, отношения.

— Выражаясь более современным языком, у них был роман? — уточнил Денис.

— А если совсем без реверансов, Косточкин был ее любовником. По крайней мере, Алиса так думает. На самом деле Татьяна с дочкой не секретничала. Она ее любила, но никаких личных тем не поднимала ни разу в жизни. И Алису не поощряла на откровения.

— Теперь можно догадаться — почему. Наверное, она просто боялась проболтаться.

Галка покачала головой:

— Чем больше живу на свете, тем больше убеждаюсь, что чужая душа — потемки.

* * *

Поглядев на часы, Алиса решила, что пора спускаться. Но куда идти? Не хватало еще хэммерсмитовской жене заблудиться в собственном доме. Она вышла в коридор и тут же наткнулась на Винсента, который резко остановился и смерил ее ледяным взором.

— У тебя такой взгляд, как будто ты всю ночь продержал свои глаза в морозильной камере, — желчно заметила она.

— Не глаза, а сердце, — не поведя бровью, ответил тот

«Какой он противный, — с раздражением подумала Алиса, спускаясь по лестнице. — В самом деле кажется, что его где-то прихватило морозом. У него, наверное, ледяное тело». Но когда ее так называемый супруг подал ей руку возле лестницы, она оказалась сухой и теплой. И еще — очень крепкой.

Алиса не могла не признать, что, несмотря на высокомерие, Винсент Хэммерсмит наверняка волнует женщин. Даже его отчужденность добавляла ему привлекательности. Если бы Алиса встретилась с ним при других обстоятельствах, она воздала бы ему должное. Но сейчас — нет. Сейчас она испытывала по отношению к нему лишь глухую ожесточенность.

Винсент не поинтересовался, куда направляется его супруга. Вероятно, сведя ее с лестницы, он исчерпал свою галантность, а потому, небрежно кивнув головой, исчез за массивной дверью в глубине холла. Ни слова о том, что случилось ночью. Воспитание, блин!

Алиса представляла Памелу Хэммерсмит длинной, тощей и желчной женщиной с такой же холодностью во взгляде, которую в избытке расточал ее сын. Но та оказалась маленькой стройной брюнеткой. Ее властная осанка, гордо поднятая голова были скорее позой, нежели чертами характера.

Памела по-королевски кивнула Алисе и подождала, пока она сядет. После чего осторожно сказала:

— Дорогая, я весьма огорчена. Так больше продолжаться не может. Не хочешь ли ты... Не согласишься ли ты... Может быть, вам с Винсентом пора подумать о разводе?

Будто устыдившись своей явной заминки, Памела воинственно вздернула подбородок:

— Я подразумеваю, естественно, соответствующую денежную компенсацию конкретно от нас с Артуром.

Алиса ничего не понимала. Вместо того, чтобы требовать для своего сына развода, Памела выпрашивала его. Даже пыталась выкупить. Если жена убегает с любовником, и об этом знают все — родные, знакомые, служащие, — разве развод не становится пустячным делом? Почему Памела так себя ведет?

Алиса боялась вступать в диалог, чтобы случайно ничего не усложнить.

— Я не хочу развода, — тихо, но твердо сказала она, понимая, что развестись вместо сестры просто не имеет права.

— Чего же ты хочешь? — вымученно спросила Памела.

Алиса не успела ответить. Дверь неожиданно открылась, и в библиотеку стремительно вошел Винсент.

— Извините, но я вынужден прервать вашу беседу, — заявил он бесстрастным голосом. — Дорогая, будь любезна оставить нас наедине.

Слово «дорогая» было проформой — просто обращение, носившее оттенок вежливости. Алиса молча встала и направилась к выходу, но уже у самой двери, не совладав, как всегда, со своим ироническим вторым «я», пробормотала по-русски:

— Главное — соблюсти приличия, — и закрыла дверь.

На самом деле уходить она не собиралась, а решила остаться у двери и подслушать что-нибудь полезное для себя.

— Что она сказала? Что это означает? — спросила Памела из-за двери.

— Да ничего особенного, — откликнулся Винсент. —

Всего лишь то, что ее нынешний любовник — русский. Когда она спит с испанцем, то говорит по-испански, ты разве не заметила?

По всему было видно, что Винсент сорвался. На секунду позволил себе выйти из роли, которую почему-то взвалил на себя: покладистый муж, практически всепрощенец. Сейчас в его голосе прозвучали и ирония, и задетое самолюбие.

— Этот Георгий... — с омерзением произнесла Памела. — Зачем она все время ставит тебя в унизительное положение? Почему ты все это терпишь? Я не могу понять, Винс?!

— Мама, ты опять за свое. Давай оставим эти разговоры. Я же не просто так женился на Элис.

— Но у нее другие мужчины!

— Пусть. Я все равно не хочу разводиться.

— Ничего не понимаю...

— Забудь, пожалуйста, о разводе. Мы будем вместе, так сказать, пока смерть не разлучит нас...

Алиса вздрогнула. Пока смерть не разлучит нас? Это что же — зловещее обещание? Что, если Винсент Хэммерсмит и есть инициатор всех покушений? Что, если он, не имея возможности в силу каких-то обстоятельств развестись со своей женой, решил нанять убийц, чтобы избавиться от неудобной супруги? И от этих убийц ее сестра вынуждена теперь прятаться?

Так что, когда Винсент распахнул дверь в холл, он застал Алису полумертвой от страха — она стояла, прислонившись к стене, глаза ее лихорадочно блестели. «Возможно, он собирается меня убить прямо сегодня ночью! Надо соглашаться на развод, может быть, тогда он передумает и не пойдет на преступление. Только придется сказать о разводе как-то повнушительней, чтобы он поверил».

Винсент тем временем с неприятной медлительностью надвигался на нее.

— Ты хочешь мне что-то сказать?

— Ну, да. Знаешь, ты зря меня не выслушал. Дело в том, что в последнее время мысль о разводе кажется мне безумно привлекательной, — совершенно неубедительно ответила Алиса, ежась под пристальным взглядом Хэммерсмита. — Развод — это выход из положения, как я полагаю. Я и раньше думала: хорошо бы нам развестись, да все как-то не могла решиться, понимаешь?

Винсент хмыкнул. Алиса в ответ глупо хихикнула. Внезапно он схватил ее за плечи и прижал к стене.

— Не надо поспешных решений, — пробормотал он. — Я никогда не разведусь с тобой, Элис.

— Я тебя заставлю! — воскликнула она и, вздернув подбородок, птичкой взлетела по лестнице. Хэммерсмит остался стоять внизу. Он горько усмехался, глядя ей вслед. Она могла говорить о разводе хоть каждый день. Однако развод совершенно невозможен. Винсент подозревал, что его жена отлично осведомлена — по какой причине. А подобные сцены — всего лишь мерзкая и отвратительная игра.

Алиса вбежала в спальню и упала на кровать. Кажется, у нее будет передышка. Главное, чтобы Хэммерсмит поверил ей и не пытался устранить ее физически. Она понимала, почему испытывает такое раздражение при виде его. Этот тип был чертовски привлекателен, но она не могла себе позволить положительные чувства по отношению к нему, а эти чувства — подсознательно — возникли у нее с момента первой встречи. Такое противоречие, собственно, и рождало дискомфорт. Она должна ненавидеть его и бояться. Ненавидеть за отношение к своей сестре. И бояться потому, что Винсент, если он действительно решил убить жену, думает, что попытка не удалась. И способен предпринять вторую, а жертвой в этом случае станет она, Алиса.

По правде говоря, она тяготилась тем, что ввязалась в такое опасное дело в одиночку. Ей нужен был кто-то, с кем можно разделить ответственность, а возможно, и опасность. Галка с Денисом были далеко. Они могли обеспечить ей, так сказать, информационную поддержку. Алиса подумала о том, чтобы позвонить Лэрри и все ему рассказать. Но что Лэрри сможет сделать? Конечно, Алиса вспоминала и о Гарри. Ведь формально они еще женаты. Интересно, как он отнесся к известию о ее гибели? Переживает ли он? Алиса почти не сомневалась в этом. Представив скорбящего Гарри, она даже испытала мстительное удовольствие.

Конечно, она не забыла Гарри. Но она больше не могла доверять ему. Один раз он предал, может предать и во второй. Чувства к Гарри до сих пор разрывали ее сердце, но это были уже не те чувства, что прежде, это была боль, как после удачной операции, когда все самое страшное позади и пациент знает, что страдания идут на убыль.

Остаток дня Алиса не выходила из комнаты, задавая себе сотни вопросов. Почему Памела Хэммерсмит собирается заплатить за развод Элис с ее сыном? Откуда Фред узнал, что я уехала из «Морской жемчужины» и меня надо искать не в центре Сочи, а в пригороде? Если он следил за мной, то почему же тогда взял вещи не из моего номера, а из номера настоящей жены Хэммерсмита? Какое расследование вела сестра вместе с Фредом? Кто такой и куда подевался таинственный Георгий, с которым Элис удрала в Россию? И куда подевалась сама Элис?

В конце концов Алиса поняла, что одной ей ни за что не справиться со столь сложным делом. Ей нужен помощник — человек, которому она могла бы безоглядно довериться. Этим человеком мог быть кто-то из ее прошлой, или вернее было бы сказать, настоящей жизни, или кто-то совершенно незнакомый, но понимающий толк в распутывании загадок. Профессионал. Алиса на секунду замерла, обдумывая только что пришедшую в голову мысль, затем широко улыбнулась.

Глава 5

Денис Серегин открыл дверь своим ключом и, сбросив обувь, промчался в кабинет, где его жена корпела над очередным рекламным текстом.

— Как правильнее: не струшу или не перетрушу? — задумчиво спросила она мужа, появившегося на пороге.

— А почему ты не поинтересуешься у меня, как дела?

— Привет! Как дела? — очнулась Галка. — Ты был в роддоме?

— Ну. Я прямо оттуда.

— Вижу, ты не слишком-то доволен.

— Еще бы. Я столько не врал за один присест, наверное, с пятого класса.

— А выяснил хоть что-нибудь?

— Мизер. Только имя и адрес бывшей заведующей.

— И все? — Галка была откровенно разочарована. — Может быть, все-таки нанять частных сыщиков, как Алиска и просила?

— Ты мне не доверяешь.

— Доверяю. Просто... Ты ведь не профессионал!

— Я когда-нибудь тебя подводил?

— Ладно-ладно, я тебя еще не уволила. А теперь расскажи все в подробностях.

— Да рассказывать-то, в сущности, и нечего. Можешь себе представить, что личные дела персонала никто столь долго не хранит. Сначала их свозят в общий архив, а потом уничтожают. Так что персонал роддома тридцатилетней давности — по-прежнему тайна, покрытая мраком.

— Прошло слишком много времени! — с сожалением констатировала его жена.

— Единственное, что мне сообщили, это имя и адрес женщины, которая заведовала всем этим хозяйством раньше. Вот она-то — настоящий старожил. Возможно, это наша ниточка.

— Как ее зовут?

— Все записано в моем ежедневнике. — Денис достал толстую книжицу в мягком переплете и, быстро пролистав первые страницы, зачитал: — Ее зовут Софья Аркадьевна Полевая. У меня есть ее адрес и даже телефон.

— Звони, — приказала Галка.

— Может быть, ты сначала покормишь меня ужином? — обиделся Денис. — Я набегался, как барбос.

— Подумай об Алиске, — покачала головой Галка. — Представляешь, в каком она состоянии? Наверное, кусок не идет ей в горло. А ты тут будешь набивать желудок.

Денис кисло поглядел на телефон и сказал:

— Может быть, напроситься на ужин к Софье Аркадьевне?

— Только попробуй!

— Ей, должно быть, лет двести.

— Это еще надо проверить. Кстати, — Галка нахмурилась, — ты собираешься блефовать или будешь вести с ней осторожную игру?

— Посмотрю по обстановке.

Денис набрал телефонный номер и замер, ожидая ответа. На женщину, которая должна была взять трубку, они оба возлагали большие надежды. Продвижение вперед сейчас зависело от ее желания быть искренней. Денис, как нормальный мужчина, все еще верил в женскую искренность. Галка, как нормальная женщина, естественно, нет

Софья Аркадьевна Полевая оказалась дамой весьма словоохотливой и доброжелательной. Она жила в одной квартире со своей дочерью, зятем и тремя внуками, и Денис решил, что это обстоятельство в большой мере содействовало тому, что старушка не превратилась в злобную каргу. Ей исполнилось 77 лет, и Денис молил бога, чтобы у Софьи Аркадьевны не было досадных провалов в памяти.

— Вы могли бы вспомнить события, которые происходили довольно давно? Больше тридцати лет назад? — спросил он, глядя на нее почти по-юношески пытливо.

— Молодой человек! — рассмеялась старушка. — Если бы вы спросили меня, что произошло две недели назад, я бы, возможно, и не рассказала вам нужных подробностей. А вот прошлое... Это мой конек. Я могу говорить об этом часами. А что, собственно, вас интересует?

Софья Аркадьевна сидела на крошечном диванчике в просторной гостиной. Она была маленькой, живенькой и подкрашивала свои короткие седые волосы чем-то голубоватым. Денис устроился в кресле напротив. Хозяйка предложила ему чаю, но он отказался — так был взволнован предстоящим разговором.

— Руководство журнала заказало мне материал о старейших медицинских работниках. Я решил: а почему бы не сузить тему репортажа до столичных роддомов? В общем, меня интересует ваша работа. Люди, которые были вместе с вами десятилетия назад на боевом, так сказать, посту, какие-нибудь интересные события...

— А конкретнее? У вас ведь на уме что-то совершенно определенное. Думаю, какая-то гадость.

— С чего вы взяли? — опешил Денис.

— Я же смотрю телевизор, молодой человек. Какому журналисту сейчас позволят тратить время на столь некровожадную информацию? Я, конечно, старая, но не тупая.

— Ну ладно, ваша взяла, — после небольшой паузы Денис хлопнул себя ладонями по коленкам. — Дело тут вовсе не в репортаже. Это я немножко присочинил, чтобы придать всему делу солидности. На самом деле я пишу книгу. Художественное произведение, — быстро добавил он. — Там, конечно, полно вымысла, но некоторые детали я просто не могу сочинить. Мне нужна фактура.

— А что там у вас в сюжете? — Софья Аркадьевна склонила голову к плечу, сделавшись похожей на любопытную птичку.

— Там в роддоме крадут ребенка, — как можно небрежнее сказал Денис. — Или, может быть, меняют детей. Мне нужно знать: такое в принципе возможно?

— Конечно, — энергично кивнула старушка. — Жизнь научила меня тому, что в ней возможно абсолютно все. Так значит, вы подозреваете, что из моего роддома похитили ребенка?

— Да нет, я же сказал, я пишу кни...

— Молодой человек! — Софья Аркадьевна посмотрела на него укоризненно. — Как говорит мой старший внук, не вешайте мне на уши лапшу.

— Но я...

— Как бы то ни было, я ни о чем подобном не слышала и не знаю. Странно, что вы явились через столько лет. Кого же, по-вашему, украли? Вашего братишку?

— Вы напрасно иронизируете, — совершенно серьезно ответил Денис. — На самом деле у меня нет никаких фактов или доказательств должностного преступления.

— Тогда что же?

— Представьте себе, что тридцатидвухлетняя женщина внезапно узнает о том, что у нее есть сестра-близнец. По документам они обе родились в вашем роддоме в один и тот же день. Но по тем же документам у них разные матери.

— И эти женщины... близнецы... больше тридцати лет не знали друг о друге?

— Вот именно.

— Но тогда нужно призвать к ответу их матерей!

— К несчастью, ни той, ни другой матери уже нет в живых.

— А папаши?

— С папашами вообще полная неясность.

— С ума сойти можно! И вы пришли ко мне, надеясь, что если я во всем этом участвовала, то просто вот так вот возьму и все вам расскажу?

— Честно говоря, я ни на что не надеялся. Просто хотел поговорить по душам. Возможно, вы могли бы что-то вспомнить. Дело в том, что одной из мамаш была американка.

— Ну и что с того?

— Я думал, иностранная гражданка в советском роддоме в шестьдесят седьмом году — вещь нетривиальная. Может быть, вы бы вспомнили. Вы — или кто-то из персонала, с кем вы поддерживаете отношения.

— Я ни с кем не поддерживаю отношений, это раз. А во-вторых, иностранка именно в нашем роддоме не вызвала бы ни у кого особого удивления.

— Почему?

— А вы хоть знаете, что у нас был за роддом?

— Нет, — сказал Денис. Он злился на себя за то, что упустил инициативу в разговоре и Софья Полевая вела себя с ним совсем уж как с мальчишкой.

— У нас было специальное отделение для высокопоставленных рожениц.

— Управленческий аппарат и все такое?

— Ну да. К нам привозили и обычных женщин, что называется, с улицы, и рожениц особой категории. Ваша иностранка вполне могла попасть в особую категорию, и никто бы не удивился, я вас уверяю.

— К сожалению, медицинские карты уже давно уничтожены.

— Чего же вы хотите? Прошло тридцать два года, уже и власть переменилась!

— А что такого особого делалось для этой особой категории?

— Масса совершенно банальных льгот и удобств. Во-первых, за такими женщинами приезжала наша специальная неотложка. После родов их отвозили на третий этаж, где только одноместные палаты. С холодильниками и телевизорами. В-третьих, у них было усиленное питание. С фруктами, соками и так далее. Ну, и лучшие лекарства. Допустим, обычным женщинам для профилактики мастита раздавали зеленку, а на третьем этаже на каждом столике стояли баллончики с дорогим немецким препаратом.

— А рожали они тоже не так, как простые смертные?

— Да нет, как раз точно так же. Предродовая, родовая — все самое обычное. Заботой их окружали потом.

— Софья Аркадьевна, — Денис в упор посмотрел на задумавшуюся хозяйку. — А вы способны придумать схему, по которой одного из близнецов можно было бы отдать совершенно другой женщине?

Полевая усмехнулась:

— Я могу придумать десяток таких схем. Все зависит от того, кто из персонала был в этом замешан.

— А персонал точно был замешан?

— Безусловно. Иначе как вы представляете себе ход событий? — Старушка помолчала, потом поднялась и сказала: — Знаете что? Единственное, чем я могу вам помочь, так это написать имена тех, кто работал примерно в то время, которое вас интересует. Конечно, нянечек и акушерок я вряд ли вспомню всех до одной, но тем не менее... И вот еще что, молодой человек. Если будете с кем-то из них встречаться, не заливайте про репортаж о лучших работниках прошлых лет. Это неактуально.

* * *

В тот день Энди Торвил отпустил своего помощника пораньше, чтобы тот подчистил наконец хвосты по текущим делам. Дома Том работал продуктивнее и не имело смысла держать его в приемной вместо секретарши, которая на прошлой неделе благополучно вышла замуж. А стоит ли нанимать новую, если он сам еще не решил окончательно, будет ли продолжать дело или закроет агентство. Раздумывая о своем неясном будущем, Торвил закинул руки за голову и прикрыл глаза. У него наконец-то есть деньги, так что не надо думать о хлебе насущном. И если заниматься сыском и дальше, то только из любви к искусству.

Когда внизу хлопнула дверь, Энди моментально занял вертикальную позицию и пригладил волосы. Ему недавно исполнилось двадцать девять, и он был отличным психологом и актером одновременно. Имидж спокойного и доброжелательного, очень уверенного в себе человека привлекал клиентов больше, чем отчеты о профессиональных успехах. Спрятав за дымчатыми стеклами очков серые, вечно прищуренные глаза, глава агентства схватил ручку и разворошил на столе бумаги. В этот момент постучали.

— Прошу вас! — крикнул Энди и уставился на дверь.

Дверь медленно распахнулась, и на пороге возникла молодая женщина, решительные манеры которой находились в явном противоречии с ее глазами. Глаза сомневались. На ней было желтое платье, украшенное кружевными воланами, которое вкупе с привлекательным лицом делало ее похожей на розочку с праздничного торта.

Энди встал, вышел из-за стола и представился. Женщина кивнула и отрывисто спросила:

— Это вы — частный детектив?

Она не улыбнулась, а пытливо посмотрела Энди прямо в лицо.

— Чем я могу вам помочь? — спросил тот, показывая ей на кресло напротив стола.

Как десятки женщин до нее, она немного помолчала, устраивая сумочку на коленях, потом подняла глаза и уставилась в окно позади Энди.

— Послушайте, я попала в затруднительное положение.

«Как будто я не знаю, — про себя подумал тот. — Я только и делаю, что выслушиваю идиотские истории. Если бы я вдруг стал писать правдивые романы, они бы вышли чудовищными, потому что люди разводят в своей жизни такую грязь, что порой в это просто не верится».

— Надеюсь, что помочь вам в моих силах, — сказал он вслух добрым и одновременно твердым голосом, что всегда неотразимо действовало на клиенток.

— Но уж больно моя проблема... э-э-э... нетривиальная.

— Я готов вас выслушать, — осторожно произнес Торвил. Он чувствовал, что женщина колеблется, что она и не хотела бы ничего рассказывать, но не видит другого выхода. — Начните с чего-нибудь, даже несущественного, а потом мы выясним детали.

Энди ждал, что, начав говорить, она выложит все одним махом. Как правило, так происходит со всеми взвинченными людьми.

— Ну, хорошо, — она глубоко вздохнула и передернула плечами. — Недавно меня сбил автомобиль.

— О, мне жаль, — пробормотал Торвил, опустив голову.

— Это было в России. Очнувшись, я поняла, что ничего не помню. Абсолютно. Кто я, почему нахожусь именно там, где нахожусь, кто мои родные и так далее. Я приняла как должное, что муж прислал за мной секретаря. Короче говоря, я не хочу никому говорить, что у меня амнезия.

— А моя задача...

— Ввести меня в курс моей жизни. Я не знаю абсолютно ничего — даже как зовут мою кошку. Все кажется мне чужим и абсолютно незнакомым.

Энди Торвил беспокойно поерзал в своем кресле и прокашлялся.

— За такое дело вряд ли кто-нибудь возьмется без предварительной проверки. Если бы, я подчеркиваю — если бы! — вы вдруг оказались совсем другой женщиной, задумавшей, допустим, провернуть какую-то аферу, то, помогая вам, я стал бы вашим сообщником. А вы ведь знаете, что нельзя выдавать себя за другого человека, это противозаконно.

— Правда? — живо спросила женщина, в ее голосе проскользнуло не то разочарование, не то испуг. — На самом-то деле я та, за кого себя выдаю. Это очень легко проверить, знаете ли. Не могут же десятки людей ошибаться на мой счет, как вы думаете? — Она издала странный смешок.

— Так какие же у вас основания скрывать потерю памяти от ваших родных? Ведь вы можете довериться хотя бы одному из них, и он поможет вам.

— Я не знаю, кому довериться, — проборомтала незнакомка. — Мне кажется, что между мной и моим мужем что-то происходит. Я хочу знать — что. Я хочу знать, как вести себя в своем доме. Я хочу знать, как зовут моих друзей и где они живут. Чем я занята весь день, есть ли у меня счет в банке и если есть важные бумаги, то где я их прячу?

— Неслабая работенка, — усмехнулся Энди.

— Но не невозможная. Учтите, что я буду вам помогать.

— А вы не подумали, что, заказывая такое досье на себя, вы здорово рискуете?

— То есть?

— Мы с моим помощником Томом называем подобный сбор сведений «черными копилками».

— Что вы имеете в виду? — насторожилась леди. — Почему это черными?

— Там неизбежно окажется какой-нибудь компромат. А компромат — это шантаж.

— Вы что же, шантажист?

— Я — нет, но как профессионал могу вам рассказать...

— Ладно, — перебила его женщина. — Вероятно, я действительно дала маху. Придется нам вдвоем с амнезией идти к психоаналитику.

— Вы в самом деле обратитесь к врачу?

— Раз вы настаиваете...

В ее голосе Энди послышалась насмешка. Она встала,

окинула его быстрым взглядом и, махнув на прощание рукой, вышла.

Не успела она свернуть за угол, как Энди понял, что она «зацепила» его. «Ну и что, что деньги мне больше не нужны, — подумал он. — А дамочка эта чрезвычайно занимательная. Спроси себя, Энди, будет ли тебе жаль, если ты не узнаешь продолжения истории? Да, мне будет безусловно жаль. Так чего же я стою?»

* * *

Фред бросил на кровать дорожную сумку и принялся укладывать в нее вещи. Он надеялся, что поездка будет удачной. Хотя в конце пути его могло ожидать что угодно.

Элис Хэммерсмит терзали какие-то злые демоны. Ее отношения с мужем были до того странными, что даже видавший виды Фред пал духом — он никак не мог составить мнения о подводных камнях этого брака. Винсент постоянно афишировал постулат о нетленности брачного союза, однако на деле ничем свое хорошее отношение к жене не подтвержал. Возможно, раньше Элис и пыталась воздействовать на мужа нежностью, но теперь в доме явно установился вооруженный нейтралитет. Винсент не проявлял ни малейшего желания выполнять супружеские обязанности, а Элис, в свою очередь, в пику этому обстоятельству заводила знакомства с разными мужчинами, худшим из которых был Георгий с трехэтажной фамилией, заканчивающейся на «швили».

Все так и шло до того самого дня, когда на горизонте появилась таинственная старуха. Молли Паркер. Она позвонила еще до побега Элис в Россию. Фред отлично помнил тот день. Речь позвонившей была чопорной и тихой. Прежде чем ответить на вопрос, она минуты две молчала, и надо было обладать терпением Элис, чтобы все-таки добиться от нее, с какой стати она желает встретиться «с милой девочкой» с глазу на глаз.

— Фред, я по-настоящему взволнована, — сказала тогда Элис.

— Могу себе представить, — откликнулся он.

Из беседы выяснилось вот что. Недавно в горах трагически погибли дочь и зять Молли Паркер. Разбирая их вещи, старушка обнаружила связку старых писем, которые должны были безусловно заинтересовать наследников Джули Хоккес. В подробности старуха по телефону вдаваться отказалась.

— Знаешь что? Я перезвоню Молли Паркер и договорюсь о цене, а ты съездишь к ней сам и просто привезешь письма моей матери сюда.

— Это неразумно, Элис, — возразил Фред. — Старуха даже не сказала, о каких письмах речь. Может быть, в них совершенно бросовая информация.

— Фред, я тебе доверяю. — Элис подкрасила губы, приблизив лицо к зеркалу. — Поезжай и реши на месте, стоит ли дело тех денег, которых она запросит. Я же не могу вообще никак не отреагировать на ее звонок. А вдруг это какая-нибудь страшная тайна?

Элис легкомысленно хихикнула, а Фред нахмурился. Он опасался тайн. А эта, судя по всему, была тайна из прошлого: старые письма, старые люди.

На следующий день, войдя в кабинет, Фред увидел совершенно другую Элис Хэммерсмит. Она была бледна, растерянна и задумчива.

— Ты хорошо себя чувствуешь? — забеспокоился он.

— Да, все нормально.

— А выглядишь неважно. Ты звонила Молли Паркер?

— Звонила. Можешь ехать, она тебя ждет.

— Много она запросила?

— Терпимо, — Элис протянула ему чек.

Фред быстро взглянул на сумму, потом поднял глаза на свою работодательницу:

— Смеешься? Ты ведь даже не знаешь, что покупаешь!

— Знаю. Она мне сказала.

— Да? Я могу узнать — что?

— Сейчас я не стану обсуждать это, Фред. Сначала привези письма, потом поговорим. Обещаю, что все тебе расскажу, тем более мне наверняка понадобится твоя помощь.

— Ты из-за этого так расстроена? Из-за того, что тебе сказала сумасшедшая старуха?

— Думаю, с ее головой все в порядке. И если честно, да, я расстроилась из-за этого.

— Зря ты не хочешь мне сказать.

— Извини, Фред, я в самом деле не готова к подобному разговору. Не обижайся. — Элис помассировала виски, болезненно сморщившись. — Скажи лучше, когда ты сможешь выехать.

— Думаю, чем раньше я вернусь, тем лучше, ведь так?

— Так.

— Тогда пойду собираться.

— Спасибо, Фред. Возвращайся поскорее.

Но Фред вернулся лишь через полторы недели. И писем с ним не было. Пока он ехал, Молли Паркер, горевавшая по погибшим дочери и зятю, довела себя до приступа и слегла. Когда Фред появился в больнице, старушка находилась в полузабытьи, и через какое время с ней можно было бы обсудить дела, никто сказать не мог. Узнав об этом, Элис безумно расстроилась, и Фред настоял на объяснениях.

— Речь идет о старом семейном деле, — призналась Элис. — Дочь Молли Паркер — Лора Шмидт — была близкой подругой моей матери. Я тебе рассказывала, что моя мать погибла в дорожной катастрофе, когда мне было десять лет. Так вот. После замужества Лора переехала в другой штат, но связи с подругой не потеряла. Они писали друг другу длинные письма, в которых подробно делились всеми новостями и личными переживаниями. Моя мать поведала подруге и историю своей большой любви. — Элис изо всех сил старалась держать себя в руках. — Короче. Дейл Хоккес — не мой настоящий отец. — Фред беспокойно шевельнулся в кресле. — Самое паршивое, что он об этом даже не догадывается. Мать поклялась не говорить ему, — голос Элис сорвался.

Фред быстро встал и, подойдя поближе, сочувственно похлопал ее по руке. Он не знал, что сказать.

— В письмах, которые хочет продать старушка, есть имя моего настоящего отца. Вот за что я собиралась заплатить деньги, понимаешь? Молли Паркер не назвала этого имени, сказала только, что мой настоящий отец был художником. Фред, я не знаю, что делать! — в отчаянье воскликнула она. — Можешь себе представить, как тяжело мне сейчас общаться с папой, узнав такое. Пока тебя не было, мы несколько раз встречались, и я вела себя с ним, как дура. Последний раз думала, что у меня случится нервный приступ. Папа наверняка что-то заподозрил. Знаешь, мне нужно убраться с его глаз хотя бы на какое-то время.

— Может быть, тебе поехать на курорт?

— Я уже думала об этом. Наверное, я так и сделаю. А ты,

Фред, будешь держать руку на пульсе. И как только Молли Паркер придет в себя, сразу же отправишься за письмами. Я уеду, но это не значит, что ты останешься без работы. Надо начинать собственное расследование. Что, если старушка умрет? Что, если я никогда не узнаю, кто мой настоящий отец? А, Фред?

— Я готов тебе помочь, Элис. Думаю, проблема вполне решаема. Сейчас тебе надо отдохнуть, а завтра мы сядем и обдумаем, как действовать дальше. Согласна?

Элис потерянно кивнула.

Возвратившись домой, Фред принял душ и переоделся, затем поднял трубку телефона:

— Алло, Брюс? — взволнованно сказал он. — Мне надо сообщить вам кое-что важное. Да, по нашему делу. Могу я приехать прямо сейчас?

Глава 6

— С роддомом у нас полный пролет, — удрученно сказал Денис Серегин, когда они с Галкой в очередной раз устроили обмен мнениями по поводу своего стихийного расследования. — Все, кого вспомнила Софья Полевая, либо в глубоком маразме, либо уже умерли. Из чего следует совершенно очевидный вывод: статистика врет о продолжительности жизни в нашей стране.

— А что это у тебя некоторые фамилии подчеркнуты фломастером? — с любопытством спросила Галка, заглядывая в Денисов еженедельник.

— Я подчеркнул мертвые души, у которых остались близкие родственники. С ними в принципе можно поговорить. Может быть, они что-то слышали, что-то видели... Хотя я лично в этом глубоко сомневаюсь.

— Тогда что мы будем делать дальше? Пойдем по знакомым?

— Из перспективных вариантов у нас остался любовник Татьяны, господин Косточкин. Ему шестьдесят два года, прописан он на Фестивальной улице и числится вдовцом. У него взрослая дочь, которая живет с мужем и детьми в Казахстане.

— А подруга Татьяны? Ольга, кажется?

— Это второй наш перспективный вариант. С режиссером Авдеенко она развелась два года назад. Да ты наверняка знаешь эту историю.

— Конечно, знаю. Старик Авдеенко влюбился в свою студентку, и она родила ему ребеночка. Об этом писали все журналы. Обсасывали тему.

— Выходит, эта Ольга, как и Косточкин, живет сейчас одна. Дочери-то за границей.

— Выходит. Хотя наверняка сказать нельзя. Большую часть жизни она вращалась в киношных кругах. Богема, так сказать. Возможно, она выглядит на двадцать пять и коротает дни с молодым любовником.

— Допускаю. Но Алиса говорит, она хорошая женщина.

— А хорошая в твоем понимании — одинокая и опустившаяся?

— Может быть, съездим к ней вдвоем? Все-таки ты близкая Алисина подруга. Сумеешь ее разговорить по-настоящему. Если возникнет душевная ситуация.

Но душевная ситуация не сложилась. Ольга Авдеенко жила за городом, в собственном двухэтажном кирпичном доме под Гжелью.

— Дорого же ее бывшему мужу обошелся роман с моленькой студенткой, — с иронией обронил Денис, паркуя машину на обочине.

Участок вокруг дома был просто загляденье. Все свои сотки хозяйка засеяла канадским газоном, и лишь пространство перед домом было по-настоящему возделано. Но зато как! Здесь находился потрясающий розарий, какого ни Денис, ни Галка сроду не видывали.

Ольга выглядела очень хорошо. Ей трудно было дать ее пятьдесят семь. Галка сразу поняла: чтобы иметь такую внешность в столь зрелом возрасте, надо было с юношеских лет вкладывать в нее большие деньги.

Они с Денисом заранее договорились, что не будут ничего сочинять. Расскажут все как есть и зададут прямые вопросы. Не может же она и в самом деле ничего не знать? В те годы они с Татьяной были не разлей вода. Алиса говорила, мать не раз рассказывала ей об этой тесной дружбе. У нее остались альбомы, набитые старыми снимками, где две очаровательные молодые женщины постоянно вдвоем. Галка прикинула, что у задушевных подружек не могло быть друг от друга по-настоящему серьезных секретов. А здесь речь шла о ребенке! Возможно, Ольга отлично знает подноготную этой аферы. И раз все уже и так раскрылось, расскажет, что помнит.

— Алиса Соболева? Татьянина дочка? Конечно, как я могу ее забыть? Она с моими девчонками росла. Почти родня, если честно.

Ольга провела гостей на веранду, приготовила хороший кофе, закурила, откинувшись на спинку плетеного кресла.

— Даже не знаю, как начать, — смущенно сказала Галка. — Понимаете, недавно Алиса узнала, что в Америке у нее есть сестра. И не просто сестра, а сестра-близняшка...

При этих словах Ольга сначала выпрямилась на своем месте, после чего обессиленно откинулась на спинку кресла, опустила веки и, наверное, целую минуту молчала. Потом открыла глаза и с усилием выговорила:

— Как же она могла узнать? Кто ей рассказал?

— Никто. Все произошло абсолютно случайно. Вы в курсе, что несколько лет назад Алиса вышла замуж за американца?

Ольга отрицательно покачала головой:

— Когда мои девочки разъехались, мы с Алисой не слишком долго держали связь. Все-таки разница в возрасте... Мы испытываем друг к другу теплые чувства, но не настолько, чтобы общаться постоянно. Вот если бы ей понадобилась помощь, я не раздумывая отдала бы все, что у меня есть.

— Алисе как раз сейчас нужна ваша помощь. Ей необходимо выяснить, каким образом они с сестрой были разлучены и кто ее настоящие родители. Из-за всей этой семейной путаницы у нее большие проблемы. Именно поэтому Алиса не смогла приехать сама.

— Я рада, что она не приехала, — мрачно произнесла Ольга. — Мне было бы неприятно отказать ей в просьбе.

— Отказать? — не поверил Денис. — Вы сказали: отказать?

— Да, я так сказала. — Ольга с королевской надменностью поглядела на него. — И я, конечно, объясню, почему.

Галка и Денис молча ждали.

— Я поклялась Татьяне незадолго до ее смерти, что ничего не скажу Алисе. Понимаете? Я дала клятву своей лучшей подруге. И не могу ее нарушить.

— Но все уже и так выплыло наружу! — возмутился Денис. — Вы не будете виноваты в разглашении. Алиса в курсе того, что Татьяна Соболева — не родная ее мать, так что глупо упираться.

— Она хочет не так уж много, — тихо сказала Галка. — Всего лишь объяснения. Чисто человеческого понимания.

Ольга загасила окурок, надавив на него изо всех сил, и с усилием ответила:

— Я не могу. Просто не могу. Я обещала... Вы не понимаете, какие у нас были взаимоотношения с Таней. Она была мне как сестра...

— Тогда вы должны понять, что чувствует Алиса, которую лишили этого счастья, — вмешался недовольный Денис.

— Ну расскажите хоть что-нибудь. Хоть самую малость, — стала упрашивать Галка. — Как Татьяна была связана с настоящей матерью Алисы?

— Не давите на меня, — тихо попросила Ольга. — Так только хуже получается.

— Ну, хорошо, — неожиданно приободрился Денис. — Тогда, возможно, вы познакомите нас с кем-то, кто тоже знал обо всем происходящем, но клятвы не давал?

— Я клялась в первую очередь в том, что не расскажу об участниках сделки. Никому. Никогда.

— Ага! Так все-таки это была сделка, — пробормотал Денис. — А на кону оказалась Алиса.

— Бедная девочка. Мне так жаль ее, — глаза Ольги были полны всамделишными слезами. — Я понимаю, что она чувствует. Вы только передайте ей, чтобы она не позволяла себе возненавидеть Татьяну. Это несправедливо.

— Передадим, — пообещала Галка, поднимаясь.

Они с Денисом сели в машину и с пониманием посмотрели друг на друга.

— Ты веришь, что она ничего не говорит из-за своей страшной клятвы? — спросил он у жены.

— А ты?

— Я думаю, она просто боится, потому что сама по уши замешана.

— Вполне допускаю. Татьяна заключила какую-то сделку, а Ольга ей помогла ее провернуть. Что же получается? Получается, у нас остался один Косточкин. А вдруг он тоже в этом участвовал? Или, наоборот, абсолютно не в курсе?

— Он должен знать хоть что-то.

— Тогда бы он давно уже рассказал, — махнула рукой Галка.

— Кому? Кто у него спрашивал?

— Да, действительно. Об этом я как-то не подумала.

— Ты готова потратить второй выходной на визит к этому таинственному господину? — Денис, все это время не отвлекавшийся от дороги, повернулся и пристально поглядел на Галку.

— Конечно, готова. А ты что, думал, я устану и раскисну?

— Да нет, я всегда знал, что ты у меня настоящий боец.

— Кстати, Алиса должна позвонить в понедельник. Мы договорились поддерживать оперативную связь. Возможно, у нее тоже есть какие-то новости.

— Было бы здорово начать распутывать этот клубок одновременно с обеих сторон — со стороны Алисы и со стороны ее сестры. Тогда истина была бы где-то в середине, а не на самом конце нашей ниточки.

Денис и не предполагал, что, дергая за ниточку, они пошевелят весь клубок. И кое-кому это совершенно не понравится.

* * *

Следующее утро началось с визита. Алиса ожидала увидеть кого угодно, но уж точно не того, кого увидела. Перед тем как войти, он деликатно постучал. Подняв глаза, Алиса непроизвольно вскочила. Это был вчерашний частный детектив.

— Мистер Торвил! — воскликнула она и замолчала, вцепившись взглядом в его лицо.

— Успокойтесь, все хорошо. Просто я решил помочь. — Энди снял очки, чтобы Алиса смогла получше рассмотреть его честные глаза. — Жест доброй воли, — пояснил он, с улыбкой засовывая очки в карман. — Миссис Хэммерсмит! — заявил он. — Я решил принять ваше предложение. Надеюсь, я не слишком испугал вас вчера всеми этими разговорами о шантаже?

— Не слишком испугали? Да вы меня повергли в шок! — Алиса почти поверила, что Торвил действительно пришел с миром, но до конца ее сомнения так и не развеялись.

Торвил при первой встрече подчеркнул, что выдавать

себя за другого человека — противозаконно, а он, судя по всему, не из тех, кто готов нарываться на неприятности. Он... ну не то чтобы респектабельный, но довольно приличный. Алиса подумала, что, обратившись к нему, ничего не выгадала. А просто нажила себе еще одну головную боль. «Что же мне теперь делать? — рассуждала она. — Отказаться от его услуг? А где гарантия, что он на свой страх и риск не примется собирать на меня компромат? В сущности, не на меня, а на Элис? А там, глядишь, наткнется на что-нибудь противозаконное и сломя голову помчится в полицию. Или в самом деле затеет шантаж. Нет, этого Торвила надо немедленно нейтрализовать. Но как? Может быть, нанять его и заставить заниматься какой-нибудь ерундой? Заслать его в Россию... А что? Это мысль! Родина еще и не таких обламывала».

«Если бы она знала, до чего я хитрый, она никогда бы не стала так радоваться, — усмехнувшись, подумал Энди Торвил, присаживаясь на диван. — Эта женщина явно что-то скрывает. И я в лепешку разобьюсь, но выясню — что именно».

* * *

Том был единственным подчиненным Энди Торвила. Между ним и клиенткой существовала постоянная связь: несколько раз в день они обменивались информацией. Больше всего Алису волновали родственные взаимоотношения. Их короткий бумажный вариант был отработан в первую очередь, но Алиса до сих пор ни разу не видела ни отца Винсента Хэммерсмита, ни своего отца...

Мать, ее настоящая мать, фотографию которой она часами рассматривала в кабинете, умерла больше двадцати лет назад. Она была еще совсем молодой, цветущей и полной сил, когда смерть настигла ее. Это была автомобильная авария — роковой случай, роковой день, роковая дорога... Ее звали Джули Хоккес. Она оставила после себя убитого горем мужа и десятилетнюю дочь Элис.

— Ваш отец очень привязан к вам, — говорил ей Том, а она думала про себя: «Не ко мне, глупый сыщик, не ко мне. Он привязан к Элис, к дочери, которую любовно растил и оберегал». — Он продолжает активно заниматься делами.

В сферу его интересов всегда входил антиквариат, и теперь главным его увлечением является холодное оружие. Тем не менее он очень мягкий человек. Ваш брак он одобрил безоговорочно. Хэммерсмит был центральной фигурой среди элитных холостяков, наверное, всего штата. Он во всеуслышание заявлял, что в ближайшие годы не собирается жениться, а потом вдруг бац — и сделал вам предложение.

— Влюбился с первого взгляда?

— Над этим я еще не работал, — признался Том. Это был невысокий щуплый парень, обладающий врожденной мимикрией — он нигде и ничем не выделялся.

Том сделал несколько снимков Дэйла Хоккеса. Алиса страшилась встречи с ним. Страшилась любви, которую он вдруг станет выказывать ей, нежности, которую может проявить. Она не желала пользоваться всем этим незаконно. Она хотела отвоевать свои собственные права — на семью, на любовь отца, на свою фамилию.

Господи, как она оказалась вне дома? Может быть, ее самым банальным образом украли из коляски? Алиса вспомнила американские фильмы, в которых небритые русские в драных ушанках рыскали по всему миру с самыми гадкими намерениями. Алиса решила сходить в библиотеку и просмотреть подшивки местных газет за сентябрь 1967 года. Возможно, она там что-нибудь и отыщет. Эту работу нельзя было перепоручать Тому. Если вдруг всплывет какая-то информация о том, что у Джули Хоккес в Москве родились близнецы, его босс, сложив два и два, не мешкая, сообщит о ней в полицию.

Как сообщил Том, Хэммерсмиты владели сетью мотелей по всему штату, а также несколькими дорогими отелями в Чикаго. Прочитав собранные Томом сведения об империи Хэммерсмитов, Алиса не удержалась и пробормотала:

— Боже мой, Винсент, да ты ведь чертовски завидный муж! Владелец заводов, газет, пароходов... Почему же Элис предпочитала тебе других мужчин?

Алиса внедрялась в жизнь Элис Хэммерсмит с ожесточенным упорством. Она потеснила в шкафу ее гардероб, ездила на ее «Порше», отзывалась на ее имя. Перевернув вверх дном апартаменты, она пыталась разыскать какие-нибудь записи сестры о расследовании, которое та вела вместе с Фредом. Но пока поиски оставались безрезультатными.

Архивные изыскания тоже ни к чему не привели. В сентябре 1967 года газеты сообщили о рождении наследницы у четы Хоккесов. Одной наследницы! Алиса нашла там даже фотографию лысого младенца, который именовался «очаровательной малышкой». К снимку прилагались светские сплетни — и только. Судя по всему, журналистов даже не проинформировали, что ребенок был рожден за океаном.

В душе Алисы не было покоя. Ее точил страх. Она хорошо помнила своих преследователей в России и опасалась, что серия покушений продолжится в Иллинойсе. Ведь убийцам ничего не стоит выследить ее. До сих пор все было тихо, но кто знает — почему? Возможно, невидимый враг готовится нанести один точный удар. Алисе до сих пор снились кошмары, и в этих кошмарах обязательно присутствовал холодноглазый красавчик с подушкой в руках. Иногда она даже просыпалась с ощущением, что вокруг витает запах «Испанской ночи». Ее тошнило от этого воображаемого запаха.

Утром она попросила Тома узнать, где Винсент. Ей хотелось быть уверенной, что он занимается бизнесом, а не чем-то более опасным. Первое время она очень переживала по поводу личных контактов с мужем Элис, в смысле — как их пресечь, однако действительность утешала: каждый новый факт подтверждал отсутствие всякой интимности в их взаимоотношениях. «Они женаты всего год. Винсент уверяет, что до сих пор влюблен и не желает говорить о разводе. Между тем, судя по всему, супруги не только не спят вместе, но и вообще не прикасаются друг к другу. Также достоверно известно, что у Элис был любовник — некий Георгий, в сопровождении которого она покинула страну, отправившись в Россию».

Неожиданно для нее позвонил Дэйл Хоккес. Он называл ее «моя девочка» и предложил через час встретиться в парке.

К счастью, парк в Вустер-сити был только один. Едва миновав главную арку, Алиса увидела отца. Он медленно расхаживал вдоль клумбы с нарциссами, явно наслаждаясь хорошей погодой. Дэйл Хоккес был точно таким, каким она вообразила его, основываясь на рассказах Тома и на снимках, которые он для нее сделал. Не слишком высокий, среднего телосложения, с приятной улыбкой на лице, Дэйл раскрыл навстречу Алисе свои объятья.

«Я имею право обнять его. Я тоже его дочь, — растерянно подумала та, шагнув ближе. — Голос крови, он не может обмануть». И хотя слезы были где-то очень близко, она не заплакала. Более того, не почувствовала ничего особенного. Незнакомый человек, незнакомый запах... «От него пахнет лавандовым одеколоном и мятной резинкой, — отметила она. — Вероятно, для Элис это запах детства».

— Малышка моя, — нежно сказал отец, отводя выбившиеся из прически пряди с ее лба. — Так давно не заезжала. Я уже начал волноваться.

— Ну, как ты? — выдавила Алиса.

Дэйл был совсем седой, он часто улыбался, и тогда вокруг его глаз собирались тысячи морщинок, выдавая возраст и одновременно делая его обаятельнее.

— Ну что, пройдемся по магазинам? — Он махнул в сторону довольно оживленной пешеходной улицы. — Возможно, увидим в витринах что-нибудь эдакое и купим подарок для Мэган.

«Мэган... Кто она такая? — терялась в догадках Алиса. — Предложу купить соковыжималку, а окажется, что Мэган еще носит подгузники».

— Скажи честно, у вас с Винсентом действительно нормальные отношения или вы только создаете видимость?

— У нас все хорошо, — сказала она и улыбнулась.

Дэйл, довольный, рассмеялся:

— Отлично. Ты же знаешь, вы кажетесь мне великолепной парой. Кстати, — продолжил он после небольшой паузы. — Мне звонила Оливия, заметила заодно, что Винсент стал навещать ее не просто часто, а очень часто.

Алиса чувствовала, что отец настороженно ждет ответа.

— Просто не знаю, что сказать, — призналась она почти искренне. — Оливия такая... — она замялась, будто бы подыскивая эпитет.

— Сплетница? — помог ей отец. — Не спорю. Но не только у нее длинный язык. Кстати, сегодня она устраивает вечер. Я позвонил и сказал, что ты будешь. В семь.

— Ладно, — легко согласилась Алиса. — Буду в семь.

— Если ты появишься раньше, никто не станет возражать. Разве только Барбара... — Отец многозначительно посмотрел на Алису.

Та же понятия не имела, как реагировать. Она ощущала себя героиней какого-то сюрреалистического спектакля, где реплики сочиняли на ходу.

— Ты не обиделась на меня, детка? — спросил Дэйл, озабоченно глядя на дочь. — Ты же знаешь, я не хотел бы вмешиваться в твою жизнь. Я никогда не вмешивался.

— Я знаю, папа, — тихо ответила Алиса. — Я ни чуточки не сержусь. Наоборот, рада, что ты говоришь мне обо всем, что думаешь.

В этом она была искренна. Дэйл, видимо, почувствовал эту искренность, потому что заметно успокоился.

— Так что с подарком для Мэган? Ты по-прежнему скучаешь по ней?

— Да, скучаю, — кивнула Алиса.

— Прежде чем поедешь поздравлять ее, позвони. Еще неизвестно, вернулась ли она из Европы. Такая шебутная старуха. Я всегда считал ее слегка чокнутой. Конечно, в свое время она очень нам помогла. Я отдаю ей должное. Да и Джули любила ее...

Дэйл нахмурился, а Алиса затаила дыхание. Джули. Ей нравилось имя матери, ей хотелось бы узнать о ней все-все. «Мэган, судя по всему, нянька или экономка, к которой Элис питает теплые чувства».

Они немного побыли вдвоем — отец, которого Алиса видела в первый раз, и дочь, которую тот принимал за другую. Дэйл проводил ее до машины, нежно поцеловал на прощание в щеку и велел ехать осторожно. Судя по всему, он остался доволен свиданием с дочерью — когда она, отъезжая, оглянулась назад, то увидела, что он смотрит ей вслед, тепло улыбаясь.

Глава 7

Энди Торвил никогда раньше не был в России. Он прикинул, на что вообще может рассчитывать на чужой территории. Здесь он не частный сыщик, он чужак, турист — вот и все. Конечно, он не настолько глуп, чтобы ехать сюда в надежде самостоятельно провести расследование. Клиентка обещала ему содействие и поддержку своих друзей. Как

ему объяснили, Денис Серегин — опытный репортер. Предполагалось, что репортерская профессия по сути своей почти идентична той, которой посвятил себя Энди.

— Вы начнете разрабатывать стратегию, — сказала ему
перед отлетом Элис Хэммерсмит. — Короче, будете руково-
дить всей операцией. Потому что Денис, конечно, не знает,
ни с чего начать, ни чем закончить.

Таксист вез его по центру столицы, а Энди глядел в окно
и думал, что поручение, данное клиенткой, по сути своей
абсурдно. Попытаться выяснить, кто покушался на нее в
России. Она дала ему карту своего маршрута и отметила, где
и когда останавливалась, куда ходила и ездила. Ее интересо-
вали люди, якобы следившие за ней с момента приезда.

Энди постарался взглянуть на ситуацию со стороны.
Клиентка поручила вести расследование иностранцу, не
знавшему языка, среды и людей. Она играла в какую-то
странную игру. Энди считал, что ему со временем все же
удастся разгадать — в какую. В конце концов, он ведь дал
себе слово! Клиентка, конечно, не догадывалась, почему
Энди безропотно согласился ехать в Россию. На самом деле
он вовсе не надеялся открыть имена ее преследователей. Он
надеялся открыть тайну самой Элис Хэммерсмит.

Нет, у него и в мыслях не было вредить ей. Или действительно шантажировать. Просто опыт подсказывал ему, что
перед ним человек, запутавшийся не только в сложных проблемах, но и в собственном вранье. Поэтому прежде, чем
начинать решать эти ее проблемы, приходилось самостоятельно добывать информацию, которую рядовой клиент
обычно выкладывает сам. Однако Элис Хэммерсмит была
не из обычных клиентов. Кроме того, сильно напугана. Когда она излагала свою версию происходящего, то или отводила глаза, или смотрела с решительностью записной об-
манщицы. Он надеялся, что, если подловит ее хоть на чем-
нибудь, она расколется и вот тогда-то начнется настоящее
расследование.

* * *

— Детектив из Америки уже здесь, — выпалила Галка,
когда Денис позвонил домой.

— Ну надо же, как неудачно! — расстроился тот. — А у

меня сегодня почти весь день свободный. И я собирался заняться продолжением наших изысканий. Придется все бросить и таскаться с этим иностранцем по городу. Интересно, что он собирается делать? Ведь Алисино поручение изначально невыполнимо!

— Да, затея искать сейчас ее преследователей — дурацкая. Не понимаю, на что рассчитывает этот профессионал? Хотя...

— Возможно, существуют какие-то методы. Ходы, о которых мы и понятия не имеем. Секреты, так сказать, мастерства, — предположил Денис.

— Ерунда, — не согласилась Галка. — Какие такие секреты, когда зацепиться абсолютно не за что? Ведь этот сыщик не подозревает, что речь идет о двух сестрах-близнецах, о деле сугубо семейном. То есть у него нет ни настоящей исходной информации, ни какой-нибудь зацепки конкретно по преследователям. Все, что Алиска ему дала, так это словесное описание типов, которые на нее покушались. Еще она расписала свой маршрут поездок по стране.

— А этот, как его...

— Энди Торвил, — подсказала Галка.

— Этот Торвил не сказал тебе, чего он хочет?

— Как же, сказал. Он попросил отвезти его в магазин, где можно купить хороший англо-русский разговорник. А возможно, и карманнный электронный переводчик.

Денис скептически хмыкнул.

— Поскольку я вполне могу справиться с таким заданием сама, я назначила ему встречу в полдень возле гостиницы. Отвезу бедолагу в центр и куплю ему разговорник. Заодно выясню, что у него на уме. А ты спокойно можешь ехать по делам.

— Хорошо, мне нравится твой план, — согласился Денис. — Только придержи свой скепсис. Иначе этот Торвил сразу же смекнет, что его просто-напросто отправили в изгнание. Помчится назад в Америку и испортит Алисе всю игру.

Энди Торвил понравился Галке до чрезвычайности. Она говорила по-английски с большим напрягом, а понимала и того хуже, поэтому бурно жестикулировала, пока строила фразы. Во время этой достаточно эмоциональной беседы Галка изо всех сил старалась подчеркнуть, как важен приезд

Энди Торвила в Россию с точки зрения Алисы. Торвил слушал ее с едва заметной улыбкой, будто срисованной с Моны Лизы, а потом сообщил, что собирается прямо сегодня отправиться в Сочи, в то самое место, где произошла эта странная история с мнимым самоубийством Алисы. Галка сказала, что поможет ему купить билет на самолет и сама отвезет в аэропорт.

— У вас есть какой-то план? — спросила она перед тем, как повернуть ключ в замке зажигания.

— Пока нет. Просто в первую очередь, как мне кажется, следует разобраться с тем, откуда взялось письмо с сообщением о самоубийстве. Кто его написал и, главное, зачем?

Благодаря Алисиным сообщениям, Галка уже знала, кто и зачем написал это письмо. Но Торвилу, конечно, ничего не сказала. Поэтому всю дорогу до гостиницы щеки ее горели от стыда.

* * *

Все это время Мэтт продолжал бездействовать. Время от времени он делал осторожные вылазки, проверяя, не изменилась ли ситуация вокруг его жертвы. Помимо всего прочего, он навел справки во Флориде и выяснил, что там Элис Фарвел считают погибшей. Она якобы покончила с собой. Эта женщина интересовала его все больше. До сих пор ей, по-видимому, удавалось вести двойную жизнь, но кто ей ее организовал? Мэтт совершенно справедливо опасался подвоха. Если за Фарвел следят спецслужбы, то, учитывая современный уровень технических возможностей, он сразу же попадет в поле их зрения — какие бы усы он себе ни наклеил.

Риск всегда должен быть разумным, полагал он, поэтому по-прежнему медлил проявлять активность. Втайне он надеялся, что кто-нибудь другой ухлопает Фарвел еще до того, как он вступит в игру. Слишком много народу кружило вокруг нее: телохранители, частные детективы и еще какие-то неизвестные личности, которых Мэтт как раз опасался больше всего.

Но сегодня утром он почувствовал, что настало время действовать. Предстояло определить место, где он убьет ее, и обдумать все возможные пути отступления. В ситуации, когда за жертвой следили, отход становился самым главным пунктом плана.

* * *

Встав перед зеркалом, Алиса подбоченилась. Значит, некая Барбара. Винсент клеится к ней, и Алисе надлежит его отклеить. Но как?

— Как-как? — пробормотала она. — Заставить его ревновать, конечно.

Или не ревновать в прямом смысле слова, а просто поставить в неудобное положение: его жена... при всех... флиртует с мужчинами... Нет, лучше с одним мужчиной. Он будет вынужден шевелиться. Барбаре придется подождать хоть один вечерок.

По подъездной дороге, окруженной необозримыми газонами, Том подвез ее к самому крыльцу дома, светившегося всеми окнами. Через холл, наводненный людьми, Алиса двинулась к саду. Огромные двери, выходящие на террасу, были распахнуты настежь, и гости перемещались по дому и саду, плавно перетекая туда и обратно. Служащие сновали от тента к тенту, проносили подносы с ледяными напитками, открывали бутылки.

Алиса, пережившая сильное нервное напряжение во время недавней встречи с отцом, была расслаблена помимо воли. Напряжение спало, и наступило состояние почти эйфорическое. Бокал холодного шампанского оказался весьма кстати. Пока она пила, подняв подбородок и слегка выгнувшись назад, несколько мужчин обратили на нее самое пристальное внимание.

Алиса слышала какой-то шепот вокруг себя и в принципе догадывалась, о чем он. Винсент был где-то здесь с другой женщиной. Почти скандал! Или нет? Или у них здесь так принято? По дороге Том рассказал Алисе, где ее «муж» провел последнюю неделю.

— По утрам он ездил в Чикаго, а вечера и ночи проводил у своей тетки Оливии, к которой мы, собственно, и направляемся, — быстро говорил детектив, проглатывая воображаемые запятые.

— А Барбара? — нетерпеливо перебила Алиса.

— Ее дочь. Они с вашим мужем большие друзья. Винсент делает вид, что это только родственные чувства. Окружающие делают вид, что они ему верят.

— Короче, Барбара — это кузина моего мужа?

— Кузина. Только его тетка — двоюродная. Так что родства с девицей там не через край.

«Что ж, — подумала Алиса, поправляя волосы. — Посмотрим, что за кузина». Пока она пыталась разыскать среди толпы Винсента с Барбарой или хотя бы интриганку-тетку, выпила несколько бокалов вина, опьянев ровно настолько, чтобы избавиться от лишних опасений.

А едва избавилась, сразу же прицелилась к молодому человеку, который проявил к ней интерес. Он был очень недурен. Судя по глазам — смел. Короче, то, что надо. «Пожалуй, этот подойдет», — решила Алиса. Она строила планы, как заставить Винсента поддерживать свою высокую репутацию мужа. Хоть Элис и изменяла ему направо и налево, публичного позора Хэммерсмит не допустит.

— Какой приятный вечер! — сказал молодой человек, приблизившись.

— Мы, кажется, ни разу не встречались? — кокетливо спросила та.

— Неужели я смог бы забыть?.. — В его голосе было столько многозначительности, что девушка помоложе наверняка купилась бы. Алисе же думалось, что дело тянет не больше, чем на одну постельную сцену.

Ее нового знакомого звали Обри. Он загорелся быстро, как пергамент, однако искрить, судя по всему, намеревался долго, как сырой дуб. Алиса увлекла его к качелям в глубине сада и уселась на них. Обри стоял позади, держась двумя руками за цепи. Именно эту живописную картину и застал Винсент Хэммерсмит. Но вместо того, чтобы вспылить, Винсент только развеселился. Мало того, сейчас он держал под руку ту самую ведьму, которую, собственно, надлежало от него отвадить. Ведьмочка оказалась что надо. Розовая, стройная, с распущенными по плечам белокурыми волосами. Правда, ее голубые глаза до краев были полны самодовольством, что Алиса считала первым признаком тупости.

— Приятно видеть тебя в добром расположении духа, Элис. — Винсент улыбался, глядя поочередно то на нее, то на Обри, который, естественно, не улавливал драматизм момента. — Мы с кузиной думали, что ты не появишься. Вернувшись из России, ты почти не выезжаешь.

Упоминание о России, судя по всему, должно было морально уничтожить неверную супругу. Это был даже не укол, а подзатыльник.

— Действительно, — откликнулась Алиса. — Но сегодняшнюю ночь я решила провести весело, — фраза казалась настолько двусмысленной, насколько было задумано. — Кстати, Обри, познакомься. Винсент Хэммерсмит... и его кузина.

Это прозвучало как цирковое объявление: Винсент Хэммерсмит и его дрессированные собачки. Обри вежливо кивнул, Барбара скривилась, Винсент внимательно посмотрел на нового кавалера своей жены. В его взгляде промелькнуло отвращение. Тем не менее тон, которым он обратился к Обри, был вежливым:

— Может быть, выпьем по бокалу вина?

— С удовольствием, — легко согласился тот.

Никто не мог бы догадаться, что Винсента обуревают эмоции. Однако это было сущей правдой. Увидев издали свою жену, он почувствовал, как внутри у него что-то дрогнуло. Сердце? Странно. Прежде Элис вообще не привлекала его. У нее была хорошая фигура и очаровательное лицо, она была умна, деятельна и жизнелюбива. Однако все эти плюсы давали в итоге условную сумму, которая олицетворяла собой чистую бухгалтерию. Сумма могла быть больше или меньше — дела это не меняло: ни одна струнка внутри Винсента не отзывалась на прелести жены.

Но сегодня что-то случилось. Вид Элис как-то странно подействовал на него. Выражение ее лица, то, как она держалась, как двигалась — в этом было нечто завораживающее.

— Ну пока мужчины знакомятся, — быстро сказала Алиса, поднимаясь с качелей, — дамы посплетничают. Барбара, хочу с тобой поболтать.

Винсент тревожно посмотрел сначала на свою жену, потом на кузину. Проходя мимо него, Алиса на секунду приподнялась на носки и шепнула ему прямо в ухо:

— Поздравляю. Она чудо как хороша.

Барбара, не сделав и двадцати шагов, остановилась и подбоченилась:

— Ну, и куда ты меня ведешь?

— Да никуда. Просто хотела, чтобы у Винса была возможность поближе познакомиться с Обри. Очень перспективный молодой человек, скажу я тебе. Очень. Кстати, а как мой муж?

— Что значит — как?

Алиса хихикнула:

— Ты говоришь так, как будто подразумеваешь что-то пошлое. Если бы вы не были родственниками, я бы точно приревновала!

Барбара нервно облизала губы. Честно говоря, Алиса понятия не имела, что делать дальше. Она надеялась, что события станут развиваться более драматично и по ходу дела можно будет провернуть какое-нибудь злодейство.

— Ты все еще не нашла себе подходящую пару? — продолжала наступать Алиса. — Кого-нибудь неиспорченного и милого?

— Здесь нет таких, — заявила Барбара. — Кругом только твои бывшие любовники.

— С чего ты взяла, что у меня были любовники? — Алиса так расширила глаза, что они чудом не вывалились ей под ноги.

— Да все говорят, — презрительным тоном Барбара хотела показать, что она выше, чище и, конечно, порядочнее.

— Да ладно тебе. Говорят! Разве можно верить всему, о чем болтают сплетники. Вот, к примеру, говорят, что ты изо всех сил пытаешься соблазнить моего мужа. Я же не обращаю на это внимания.

Барбара замерла. В этот момент к ним быстрой походкой подошел Винсент. На губах его играла улыбка. Видимо, Обри показался ему слишком ничтожным поводом для того, чтобы портить вечер. Он хотел уйти с кузиной. Уже взял ее под руку. А Алиса останется здесь и будет выглядеть полной дурой. Барбара засияла навстречу Винсенту, провела рукой по его руке. «Нет уж, дудки! — взорвалась Алиса. — Он отсюда не уйдет. Даже если мне придется для этого умереть на месте».

Последняя метафора натолкнула ее на хорошую мысль. Словно почувствовав внезапную слабость, Алиса поднесла руку ко лбу и покачнулась.

— Что с тобой? — довольно равнодушно спросил Винсент.

— Голова... Голова кружится.

— Пойди посиди где-нибудь.

Он вовсе не собирался подойти и поддержать ее. «Видно, он и в самом деле не выносил Элис. И тут уже ничего нельзя поделать». В этот миг, словно призрак, прямо из воздуха материализовался Обри.

— С вами все в порядке? Кружится голова? — Он крепко обнял ее за плечи и наклонился к самому лицу. — Это шампанское. Пойдемте, я отведу вас в дом.

Алиса устроилась в комнате для гостей на диванчике и незаметно для себя задремала.

Она не сразу поняла, что ее разбудило. Возможно, его дыхание. А возможно, запах. От Винсента пахло терпким одеколоном, вином и вечерним воздухом. Он был пугающе близко.

Алиса непроизвольно вскинулась, но он молниеносным движением прижал ее к дивану, не позволяя подняться.

— Господи, что тебе надо?

— Поговорить.

— Обязательно хватать меня руками?

— Обри уехал домой, — отрывисто сказал он. — Просто, чтобы ты его не искала.

Алису смущали его глаза, она смотрела в них и не отдавала себе отчета, какое у нее сейчас выражение лица. В ней пробуждались чувства, которые волновали тело и приводили в смятение ум.

— Так что ты хотел сказать? — спросила она и, чтобы унять сердцебиение, глубоко вздохнула.

— Элис! — заявил Винсент, неожиданно резко встав на ноги. — Чего ты хочешь на самом деле?

— В каком смысле?

— От меня, — усмехнулся он. — Чего ты хочешь от меня? Я не понимаю. Ты богата. Значит, вряд ли тебя соблазнили мои деньги. Положение в обществе? Ты и до замужества имела положение в обществе. Зачем я тебе нужен?

Он остановился напротив нее, нахмурившись. Было видно, что он напряженно ждет ответа.

«Господи, что мне делать? — чуть не плакала Алиса. — Откуда я знаю, зачем этот брак так был нужен Элис? Зачем ей нужен был Винсент? И вообще — как состоялся этот брак? Элис что, угрожала ему пистолетом?»

— Знаешь, ведь люди женятся не только из-за денег, — робко сказала она.

— Да что ты говоришь? А из-за чего же еще?

— Из-за любви...

Он громко расхохотался и, упав в кресло, провел рукой по лицу.

— Элис, ты себя ни с кем не перепутала? За последние три месяца у тебя было три мужчины. Это при любимом-то муже.

— А как же Барбара? — расстроенно бросила Алиса.

— После побега с Георгием в Россию это не твое дело.

— Кстати, о России, — голос Алисы зазвенел злыми и напряженными слезами. — Не ты ли послал туда наемников, чтобы они меня прикончили?

Винсент выпрямился в кресле. С его лица мгновенно сполз гнев, и миру были явлены изумленно открытый рот и вытаращенные глаза.

— Что-о-о?!

— Конечно, разве в этом признаются? Но учти, я написала письмо и отдала его своему адвокату. И если со мной что-нибудь случится...

— Ты насмотрелась плохих фильмов, — пробормотал Винсент. — Наемники... Ты что, издеваешься надо мной?

— Это ты издеваешься! — Алиса сказала это глухим голосом, пытаясь задавить слезы, которые опять вскипели где-то внутри. Сказалось все сразу: напряжение последних недель, то, что она среди чужих, бессилие, страх и еще что-то, что было связано непосредственно с Винсентом. Алиса не сдержалась и заплакала.

— Чудовищно, — пробормотал Винсент. — Ты же еще и плачешь. Это я должен был орошать слезами окрестности, когда ты улизнула с Георгием. Кстати, куда подевался этот гаденыш?

Алиса покачала головой и, рыдая, выдавила:

— Не знаю. Про Георгия Том мне еще ничего не рассказал...

— Том? Это еще кто?!

Алиса упала на диван и зажала рот руками. Если бы могла, она откусила бы себе язык.

— Ладно, — устало сказал Винсент. — Разговаривать бесполезно.

Он пошел к двери, оставив Алису размазывать слезы по щекам.

* * *

После отъезда Алисиных друзей Ольга в прямом смысле слова не находила себе места. Она была резкой с ними. А что ей еще оставалось делать? Она действительно клялась своей лучшей подруге, что никогда не расскажет Алисе правды. Беря с нее такую клятву, Татьяна волновалась, конечно, в первую очередь о себе. Или, лучше сказать, о своей душе. Ей очень не хотелось, чтобы Алиса изменила к ней отношение. Спокойнее и приятнее было думать, уходя, что девочка навсегда сохранит в сердце привязанность. И любовь, конечно. Как могло быть иначе! Ведь Алиса считала, что Татьяна — ее мама! Ее родная мама.

Ольга не раз высказывала подруге свое неодобрение.

— Ребенок имеет право знать о своем происхождении. Ты что, господь бог, чтобы брать на себя такую ответственность?

— Усыновленным детям не всегда говорят правду, — возражала Татьяна. — Для их же блага.

— Но ведь твоей целью было отнюдь не усыновление ребенка.

— Ну и что с того? — Татьяна злилась, и на ее щеках появлялись предательские красные пятна.

Что с того? Ольга хмурилась, и между подругами в очередной раз возникало напряжение.

— Ты просто завидуешь тому, что у меня появился шанс изменить свою жизнь.

— Если бы я хотела изменить свою, то, безусловно, позавидовала бы, — возражала Ольга. — Но я не хочу. У меня и так жизнь во всех отношениях хорошая.

— Господи, да с чем ты ее можешь сравнить? — Татьяна закатывала глаза.

Конечно, у нее были основания так говорить. В свои еще довольно молодые годы она объездила полмира. Она была талантлива, трудоспособна, обучаема. И все же... Все ее успехи обеспечивали мужчины. Мужчины из МИДа, мужчины из Внешторга, государственные чиновники... Татьяна была очень деловой женщиной. Умела налаживать контакты, поддерживать нужные связи. Постулат о том, что красота — страшная сила, она применяла на практике. И вполне успешно.

Ольга никогда не роптала на свою внешность. Сама была недурна и пользовалась успехом. Муж гордился ее умением во всем «выдерживать стиль». Но время от времени, когда она смотрела на гладкую розовую кожу Татьяны, ей приходила в голову та самая сакраментальная мысль, которая начинает терзать представительниц прекрасного пола лет с семнадцати: «Почему у *нее* это есть, а у меня — нет?» Речь могла идти о чем угодно — о длинных ногах, голубых глазах, толстых косах. Ольга тоже иногда впадала в подобное настроение. Однако быстро возвращалась к реальности. У нее росли две девочки. А у Татьяны не было ни детей, ни мужа.

У нее вообще не было сильных привязанностей. Не считая Косточкина, конечно. Для Ольги долгое время оставалось загадкой, как птица такого высокого полета, как Татьяна, терпит возле себя столь заурядного парня, как Олег. Конечно, в будущем он мог бы добиться чего-нибудь более или менее серьезного, но ждать этого следовало ох как нескоро.

— Зачем тебе сдался этот Косточкин? — время от времени спрашивала она у Татьяны. — Ты общаешься с такими мужиками!

— Они все женаты, — коротко отвечала та.

— Почему же тогда Косточкин до сих пор холостяк? Раз так — выходи за него, и дело с концом.

Татьяна только смеялась. Всегда держала про запас какие-то хитрые мысли. Ольга была проще. Говорила, что думала. И поступала, как считала правильным. Татьяна же крутила-мутила и во всем старалась найти свою выгоду

По мнению Ольги, Косточкин страдал двуличием. Она отчетливо видела, как он злился на Татьяну за ее снобизм, за пренебрежение к простым, как она выражалась, людям. Его раздражали ее барские замашки и завышенные материальные требования. С другой стороны, покоренный ее красотой и стилем жизни, он держал при себе все свои претензии, обменивая собственное мнение просто на возможность быть рядом с Татьяной. Ольге это претило. Или ты полностью принимаешь человека со всеми его достатками, или уходишь. Разве не так?

Поэтому Косточкину вечно доставалось от нее. Она постоянно цеплялась к нему, задевала его чувство собственного достоинства, зло над ним подшучивала и даже открыто высмеивала. Из-за Татьяны между ними установился нейтралитет, на который, впрочем, можно было полагаться лишь до определенной степени.

«Интересно, — подумала Ольга. — Поедут ли эти двое к Косточкину, чтобы попытаться вытянуть из него информацию? Наверное, поедут». Она видела Олега не так давно. Он по-прежнему был в хорошей форме и по-прежнему держался враждебно. Хотя причины враждовать уже и не было.

Ольга знала, что Косточкин не сможет рассказать им многого. Татьяна, задумавшая сделать в своей жизни ход конем, первым делом позаботилась о том, чтобы нейтрализовать своего воздыхателя. Его преданность могла испортить ей всю игру. А на кон, между прочим, было поставлено ее счастливое и, прямо скажем, незаурядное будущее.

Глава 8

Фред гнал машину по шоссе, прикидывая, где бы ему передохнуть. Он ужасно устал от поездок, но результат последней эскапады был фантастическим. В добытых письмах обнаружилось кое-что стоящее. Тайна. Старая тайна, которая могла больно ударить по сегодняшнему благополучию многих людей.

Въехав в Вустер-сити, Фред первым делом отправился домой. Ему было нужно сделать один важный звонок. И отнюдь не своей нанимательнице.

— Это вы? — спросил он, когда на том конце провода раздалось вкрадчивое «Алло?» — Я вернулся. Привез письма. Да, просмотрел.

Он коротко сообщил самое главное.

Выслушав, его собеседник взволнованно сказал:

— С этого момента, мой друг, ты не должен спускать с Элис Хэммерсмит глаз.

* * *

«Дорогая Лора! Как жаль, что мы не сможем повидаться на Рождество! Я вся переполнена эмоциями, которыми хотела бы поделиться с тобой. Ведь у меня нет больше никого, кто смог бы все понять как надо.

Если бы не Дэйл, то я была бы по-настоящему счастлива. Когда я смотрю на него, в сердце у меня поселяется холод — мне кажется, я грешу уже только тем, что обманываю такого замечательного человека. Он ведет себя потрясающе — кажется, я могла бы влюбиться в него снова. Он милый, внимательный, заботливый, и мне стыдно от этого еще больше.

Однако я ничего не могу поделать с собой. Я словно с ума сошла, Лора. Я даже дышу через силу, когда знаю, что целый день не смогу увидеться с Виктором.

Ты знаешь, я стала увлекаться живописью! Виктор показывает мне, как нужно смешивать краски, и я иногда по нескольку часов провожу в парке и стараюсь изо всех сил, чтобы он похвалил меня. Виктор посмеивается над моей старательностью, но мне все равно. Я готова делать что угодно, лишь бы он был рядом.

Разве ты могла подумать, Лора, что я полюблю кого-нибудь с такой страстью? Помнишь, в школе парни называли меня льдышкой. Да ты и сама всегда говорила, что я не смогу потерять голову из-за мужчины. Видишь, как ты ошиблась, дорогая моя? Жаль, конечно, что это случилось так поздно и я уже замужем, но теперь мне все нипочем. Я уверена: это судьба и от нее нельзя отмахнуться».

* * *

Погода в Сочи стояла волшебная. Энди, не желавший возвращаться в отель и дышать там кондиционированным воздухом, решил посидеть в открытом кафе. Он выбрал столик возле балюстрады, заказал пиво и, потягивая его, принялся разглядывать окрестности.

Женщина, сидевшая к Энди спиной, показалась ему знакомой. Он развернул легкое кресло и уставился на ее, пытаясь развеять наваждение. Прошло несколько минут, и она, будто почувствовав сверлящий взгляд на своих лопатках, повела плечами и полуобернулась, поправив выбившийся из-под шляпы локон. Несмотря на позднее время, на ней были темные очки. Но Энди не мог не узнать ее. Едва не вскрикнув, он вскочил и, быстро обогнув столик, плюхнулся напротив.

— Это вы! — воскликнул он. — Глазам своим не верю...
Он хотел добавить: «Какого черта вы здесь делаете?» — и

лишь с трудом сдержался. Сначала она сделала такое движение, будто намеревалась вскочить и убежать. Но потом застыла, глядя на Энди Торвила темными глазницами очков. Ему показалось, что она просто окаменела от неожиданности.

— Кто бы мог подумать, — наседал Энди, — что, отправив меня сюда, вы моментально броситесь следом! Вы не доверяете мне?

Ее реакция была потрясающей. Медленным движением сняв очки, она посмотрела Энди прямо в переносицу:

— Разве мы знакомы?

Ее голос был если не стальным, то по крайней мере железобетонным.

— Даже не знаю, что и сказать, — откликнулся Энди, сощурив свои серые глаза. — По крайней мере, в понедельник вроде бы были.

Она наклонилась через стол и опасливо произнесла:

— Вы меня случайно ни с кем не путаете?

Энди едва не расхохотался. Они находились в России, в далеком курортном городке, он заговорил с ней по-английски, она откликнулась и тут же сделала вид, что это какая-то ошибка.

Пока она в упор разглядывала его, Энди вдруг обратил внимание на то, что у его работодательницы изменился не только цвет, но и длина волос. Если в понедельник они были золотистыми, то теперь оказались каштановыми. Но не это главное. Они были длиннее прежних. «Господи, — лихорадочно размышлял Энди. — Возможно, она носит парик или накладные локоны». Лично он удавился бы, если бы в такую жару у него еще и голова потела.

— Наверное, я действительно обознался, — пробормотал Энди, стараясь понять, какую игру она ведет

«Возможно, за ней следят? Тогда понятно, почему она пытается отделаться от меня. Чтобы я тоже не попал под колпак и мог спокойно вести порученное расследование».

— Прошу прощения.

Энди вежливо наклонил голову и встал. Затем прогуливающейся походкой отправился к своему столику. Делая вид, что любуется закатом, он краем глаза следил за своей американской знакомой. У загадки было два решения. Или Элис Хэммерсмит давала ему понять, что за ней следят, или... Или это была не она. «Автомобильная авария в Сочи. Амнезия, — пробормотал Энди. — Не нравится мне все это». Желание тотчас же вернуться в отель и позвонить в Вустер-сити заставляло его приплясывать на месте. Вместе с тем он, естественно, не мог бросить свою подопечную без присмотра. Внешне он проявлял к ней не больше внимания, чем к остальным посетителям бара. Но когда загадочная женщина наконец собралась уходить, Энди опередил ее, чтобы заранее занять удобную позицию.

Мужчину, который следовал за Элис Хэммерсмит, Энди засек практически сразу. Смуглый и довольно привлекательный, он вел свою жертву, что называется, «на коротком поводке», не спуская с нее горящего взгляда темных глаз. «Что ж, станем в очередь», — усмехнулся Энди. Он проследил парочку до небольшого частного домика, в котором женщина немедленно скрылась. Мужчина же немного потоптался снаружи, потом ушел. Энди вернулся в отель и, не раздеваясь, схватился за телефон. Сначала он решил позвонить Тому, которого оставил работать на Элис Хэммерсмит.

— В Сочи? В России? — переспросил Том. — Не может быть! Сегодня я возил ее на вечеринку к тетке Хэммерсмита, где она пыталась отбить своего мужа у любовницы.

— Значит, их две, — уверенно сказал Энди.

— Кого две?

— Две Элис Хэммерсмит. И я намерен выяснить, которая из них водит меня за нос.

* * *

После вечеринки у Оливии Винсент притащил Барбару к себе и поселил в комнате для гостей. Была уже ночь, но прислуга бегала по коридорам как ошпаренная. Итак, Алиса потерпела фиаско. По этому поводу она отыскала внизу бар и, прихватив с собой большую бутылку ликера, удалилась в личные апартаменты. Там она пила, вздыхала и пела тоскливые русские песни до тех пор, пока не явился Фред и не сказал, что ей следует пропустить завтрак.

— Ни за что! — заявила Алиса. — Белобрысая дура будет чувствовать себя слишком уютно.

— В таком состоянии ты можешь наговорить глупостей, — заявил он.

— Я буду сама благовоспитанность, клянусь. А если скажу что-то не то, подай мне знак.

— Хорошо, я покашляю.

— Д-гв-рились. Как только ты кашляешь, я перестаю вообще говорить или говорю все наоборот.

Она надела к завтраку собственноручно купленный костюм классического кроя и кое-как причесалась. Фред под локоть довел ее до стола и отодвинул стул. Она села и чинно сложила руки на коленях. За столом, кроме известных Алисе личностей, было еще четверо незнакомых людей, с которыми она предельно вежливо поздоровалась.

— Замечательно выглядишь, — заметила Памела, подняв бровь.

Барбара, сидевшая в непосредственной близости от Винсента, насмешливо ухмыльнулась:

— Вижу, ты не выдержала! Ведь клялась, что никогда не сменишь свой стиль под названием «я маленькая девочка».

— Я и не меняла своего стиля, — широко улыбнулась Алиса. — Я всего лишь довела его до совершенства.

Барбара не нашлась, что ответить, и злобно впилась зубами в булку.

— Будь осторожна! — мгновенно среагировала Алиса. — Одна моя подруга глотала пищу большими кусками и стала толстой, как слон. А тебе, Барбара, толстеть нельзя. Когда у женщины нет ничего, кроме внешности...

Фред негромко кашлянул.

— Впрочем, — тут же перестроилась «тепленькая» Алиса, — с точки зрения мужчины толстая женщина гораздо предпочтительнее. Гораздо. Что мужчине делать со скелетом типа тебя — анатомию изучать? Вот толстая женщина — это да. Ренессанс. Винсент, как ты отнесешься к толстой Барбаре?

— По-моему, она не собирается толстеть, — ответствовал тот, глядя на белокурую заразу и улыбаясь ей.

— Н-да? — не поверила Алиса. — А жрет так, словно задалась целью прибавить пару десятков фунтов к Рождеству.

Барбара позеленела в тон своему платью, Фред зашелся в кашле, и Алиса озадаченно замолчала. Винсент прижал салфетку к губам, и в этот момент она поняла, что он ей, черт возьми, безумно нравится. Да она просто влюбилась в этого типа!

Любовь! До сих пор она была связана в ее сознании с Гарри, только с ним. Он был даром судьбы и ее проклятием, он рождал в Алисе страсть, и нежность, и все бури, которые только могут бушевать в сердце. А Винсент? Разве может она сравнить чувство к Гарри с чувством к этому почти незнакомому мужчине, сердце которого, кажется, скоро вообще отомрет за ненадобностью? Вместо сердца его кровь будет перекачивать невероятная мощь его апломба.

Памела тем временем поспешно завела разговор о музыке, посчитав, что это вполне безопасная тема. Винсент между прочим заметил, что они с Барбарой на следующей неделе идут на концерт симфонического оркестра. Барбара, для которой это оказалось новостью, подпрыгнула на стуле и, обернув к кузену сияющее лицо, наклонилась и поцеловала его в губы.

— Разве кузены целуются в губы? — громко спросило вместо Алисы спиртное, которое она уговорила ночью.

— Это всего лишь благодарность, — презрительно посмотрела на нее Барбара.

— Но ты смущаешь моего мужа! Я не приучила его к поцелуям за завтраком. — Потом она поддела вилкой листик салата и добавила: — Мы с ним вообще не целуемся.

В этот момент Фред подавился крошкой. Крошка была маленькой, но колючей, и из его глаз мгновенно брызнули слезы. Он уткнулся в салфетку и закашлялся. Алиса бросила на него озадаченный взгляд и тут же добавила:

— На людях, я имею в виду. А наедине — у-у-у! Как мы целуемся! Дом дрожит, как мы целуемся. Каждую ночь Винс пробирается в мою комнату, и мы начинаем целоваться.

Фред изо всех сил старался подавить кашель и издавал странный тоскливый вой, от которого мороз продирал по коже. В ответ на Алисино заявление Винсент хмыкнул, а Барбара сладким голоском спросила:

— Наверное, сегодня ночью тебе было одиноко без обычной порции поцелуев?

Памела покраснела, Алиса печально кивнула головой, а Фред просто захлебнулся кашлем.

— Ну... Вообще-то этой ночью все было, как всегда. Поцелуи и все такое, — сказала она, пристально глядя на него.

Винсент Хэммерсмит пил кофе и с искренним интересом следил за интермедией.

— Да? — Голосок у Барбары из сахарного превратился в медовый. — А мне показалось, что кто-то всю ночь пел и рот у него был свободен.

— Так это я после пела, — светским тоном объяснила Алиса. — Наши поцелуи такие романтичные, что не петь после них просто нельзя.

— Слава богу, что у вас все ограничивается поцелуями, — злобно заметила Барбара. — А то бы ты еще и плясала по ночам.

— Я и пляшу, — надменно ответствовала Алиса. — Только босиком и молча.

— Отличная сегодня погода, — сказала Памела громко.

— Хочу попробовать ванильный мусс, — тотчас перебила ее Алиса, ткнув вилкой в блюдо на другом конце стола.

— Это картофельная запеканка, — заметила Памела и из вежливости добавила: — Хотя, возможно, она слегка пахнет ванилью.

Пунцовый Фред извинился и выскочил из-за стола, чтобы уйти и прокашляться в другом месте. Алиса тоже встала и, покачиваясь, вышла следом за ним. Тут же заметила на мраморном столике телефонный аппарат и неожиданно решила позвонить Лэрри — сказать, что с ней все в порядке. Обернулась и увидела Винсента.

— Хочу позвонить во Флориду. Как мне это сделать?

— Зачем? — спросил тот.

— Надо.

Винсент поднял телефонную трубку и спросил:

— Назови номер.

Алиса назвала. Он некоторое время колдовал над телефоном, потом передал трубку ей. Сам же отправился в библиотеку и, немного поколебавшись, поднял трубку параллельного аппарата. Впрочем, из разговора он почти ничего не понял. Во Флориде обнаружился некий Лэрри, который до сих пор думал, что его жена утонула. Он вопил, как индеец, и, судя по всему, умывался слезами. Какой-то бред.

Неужели это еще один любовник его жены? А как же Георгий? Винсент никак не мог сообразить, куда подевался этот мерзавец. В последнее время он извел себя. И чем? Чем-то подозрительно похожим на ревность. Великолепно! Его вынудили жениться на женщине, которая многие месяцы унижала его, топтала его самолюбие. С какой стати он вдруг стал ревновать ее? Он вспомнил, как застал ее спящей и наклонился к самым губам. От нее слабо пахло какими-то незнакомыми духами и еще чем-то особенным. Чем-то, что пробудило в нем смутную неудовлетворенность и смутное желание...

* * *

«Привет, Лора! Получила твое письмо, которое показалось мне очень взволнованным. Не переживай за меня, дорогая! Я совершенно счастлива. Даже не знаю, возможно ли, чтобы такое счастье длилось долго. Я ослеплена Виктором, он нравится мне так сильно, что я не в состоянии трезво оценивать ситуацию. Я знаю, что ты обеспокоена моими взаимоотношениями с мужем. Я сама переживаю из-за Дэйла. Мне очень не хочется печалить его, огорчать или, тем более, разочаровывать. И я не делаю ничего подобного. Я все скрываю от него, Лора. Даже не представляю себе, как смогу ему рассказать о нас с Виктором. А может быть, мне и не придется ничего говорить? Просто заявлю Дэйлу, что разлюбила его — и все. Причиной расторжения брака может быть не только другой мужчина, правда ведь?

О наших с Виктором отношениях вообще мало кто знает. Лишь Артур Хэммерсмит (ты ведь помнишь Артура?), который помогает мне, и ты сама. Ах, Лора! Виктор такой удивительный, такой нежный и страстный. Если бы ты встретила мужчину своей мечты, Лора, разве ты не махнула бы рукой на условности?»

* * *

Олег Михайлович Косточкин жил в Москве на Фестивальной улице возле метро «Речной вокзал». Когда Денис позвонил ему по телефону и объяснил, кто он и чего хочет, Косточкин разволновался. Но от встречи, однако, отказываться не стал.

Олег Михайлович оказался человеком весьма примечательным. Высокий, подтянутый брюнет с гладкими щеками. Женщины и сейчас наверняка считали его писаным красавцем. Вот только глаза его были старыми — уставшими и выцветшими. Хозяин пригласил Дениса на кухню, где, не спрашивая у гостя согласия, быстро накрыл к чаю стол.

— Алиса дала мне ваши координаты, — пояснил Денис, едва только речь зашла о цели его прихода. — Она считает, вы с ее матерью любили друг друга.

— Можно сказать и так, — кивнул Косточкин. — Впрочем, что уж тут: конечно, любили. Мы долго встречались с Татьяной, много лет.

— Простите за нескромный вопрос: а почему вы не поженились? Ведь по тем временам внебрачная связь была не слишком типичной формой общения между мужчиной и женщиной?

Косточкин секунду помедлил, потом поднял на Дениса печальные глаза:

— Ну, скажем так: я любил Татьяну больше, чем она меня. Поэтому она все время медлила, медлила... Говорила, надо подождать, посмотреть... Ну, вы знаете, как это бывает, если ничего особенного не чувствуешь к человеку.

— Но вы были рядом много лет!

— Не спорю. Был. Эдакий запасной игрок. Однажды настал момент, когда мы оказались очень близки к браку. Но потом произошло столько всего...

— Связанного с рождением Алисы? — спросил Денис.

— Да. Знаете, я здорово сердился на Татьяну из-за Алисы. Она могла бы выйти замуж за меня и родить своего ребенка. Но почему-то предпочла сделаться матерью-одиночкой и удочерила чужую девочку.

— Неужели она не объяснила вам мотивов своего поступка?

— Понимаете, накануне всей этой истории мы поссорились. — Косточкин принялся сплетать и расплетать пальцы. — Вернее, теперь-то я уверен, что Татьяна спровоцировала эту ссору. Она хотела удалить меня на какое-то время.

— Зачем?

— Наверное, чтобы я не совался куда не надо. Чтобы не помешал ей осуществить ее план.

— А вы знакомы с Ольгой Авдеенко?

— Естественно. Но мы с ней всегда не ладили. Не любили друг друга, — пояснил он.

— Странно, — Денис отхлебнул горячего чая и задумчиво посмотрел в окно. — Они с Татьяной были все равно что сестры.

— Это правда. Но Ольга всегда старалась настроить Татьяну против меня.

— Зачем она это делала?

— Думаю, из чистого эгоизма. Я не нравился ей — и все тут. Вероятно, она хотела, чтобы Татьяна придерживалась того же мнения. Знаете, есть такие стервозные бабы, которым важнее всего на свете настоять на своем.

— Но ведь Татьяна не поддалась. Позже вы снова стали встречаться. Алиса мне говорила. Ведь она тогда была уже достаточно взрослой, чтобы все понять правильно.

— Да, мы действительно возобновили отношения. Но они изменились. После того, как появилась Алиса, между нами словно кошка пробежала. С одной стороны, нас по-прежнему тянуло друг к другу. С другой стороны, ушла искренность. Я не понимал ее поступка. А она не хотела ничего объяснять.

— Олег Михайлович, — Денис очень-очень осторожно поставил чашку на блюдце и весь подался вперед. — Вот вы говорите: эта история, появление ребенка... А как такое могло произойти? Ведь никаких документов об удочерении не существует. Алиса до последнего времени считала, что Татьяна Соболева — ее родная мать. И лишь совершенно случайно узнала правду. Собственно, я побеспокоил вас ради того, чтобы выяснить конкретно этот момент. Что вы об этом знаете? Как Татьяне удалось присвоить чужого ребенка?

— Да я понятия не имею, — спокойно ответил Косточкин, усмехаясь. — Говорю же вам, она специально поссорилась со мной накануне. Нет, кое-что я, конечно, знаю. А кое о чем догадываюсь.

Дениса всего просто распирало от нетерпения. Но он тем не менее не посмел торопить собеседника вопросами, чтобы не спугнуть его откровенность.

— Вы ведь в курсе, что Татьяна работала переводчицей? — Денис кивнул, а Косточкин продолжил: — Она была специалистом высочайшего класса. Много раз летала в Англию, Австралию, потом в Америку. И была настоящим трудоголиком. Язык совершенствовала каждый день. И эта афера с ребенком тоже как-то связана с ее работой. Я знаю, что она встречалась с одной американкой. Та ждала ребенка. В сентябре Татьяна, хоть и не была в положении, легла в роддом, а через несколько дней выписалась оттуда уже с дочкой.

— Сама-то она вам рассказала хоть что-нибудь?

— Куда там! — В голосе Косточкина проскользнула старая обида. — Мало того что она со мной в дым разругалась, так еще и квартиру сменила. В роддом уехала с Чистых прудов, а вернулась на улицу Милашенкова. Наверное, надеялась, что я не стану ее искать. А потом, если вдруг случайно встретимся, могла бы соврать, что сама дочку родила.

— Как же вы все узнали? — спросил Денис.

— Как узнал? Да просто... — Олег Михайлович взъерошил волосы на затылке. — Следил за ней, вот так и узнал. Я тогда в многотиражке работал, писал о заводских буднях. И набирал материал за один присест для трех-четырех репортажей. Отписывался за одну ночь. А потом торчал возле Татьяниного подъезда, наблюдал, чем она без меня занимается.

— Тогда-то вы и увидели с ней американку?

— Да, они пару раз ходили вместе в ресторан. Для Татьяны, работавшей с иностранцами, рестораны были делом совершенно обыденным. А я оставался у входа. Куда мне с моими-то тогдашними доходами было соваться?

Денис подумал, что, возможно, в этом и крылась причина их неудавшихся взаимоотношений. Татьяна Соболева, повидавшая заграничную жизнь, имевшая связи и приличный заработок, и Олег Косточкин, рядовой корреспондент с рядовым окладом и неясными перспективами.

— Если же вас интересует подоплека аферы с ребенком, то я знаю, кто Татьяне все это организовал, — совершенно буднично сказал Косточкин.

Денис замер. Каждый его нерв напрягся до предела, но он старался не подавать вида, насколько заинтересован.

— Кто же? — спросил он.

— Соседка по коммуналке. Татьяна ведь жила в коммунальной квартире. А соседка ее работала врачом в детской консультации.

— Фамилию помните? — быстро спросил Денис.

— Представьте себе, помню. Как не помнить. Нина Ахломова. Отчества не знаю. Только жива ли она сейчас? Она уже тогда была в летах. А с должности все не уходила. Ее даже подсидеть не смогли. Характер оказался у дамочки — не приведи господь. А двоюродная сестра этой Нины работала в том самом роддоме, где Татьяна ребенка заимела. Догадаться ведь нетрудно, что к чему, правильно?

— То есть вы сами пришли к такому выводу, что Нина Ахломова со своей двоюродной сестрой, работницей роддома, совершили подлог документов?

— А вы бы к какому выводу пришли?

— Наверное, к такому же.

— Вот, собственно, и все, что я могу вам рассказать, — развел руками Косточкин. — Больше мне прибавить нечего. Разве только лирику. Но, если честно, лично для меня тема слишком тяжела. Переживаю все, как будто вчера было.

— Последний вопрос. — Денис достал свой ежедневник, в который записывал все, что касалось расследования. — Будьте добры, назовите мне старый адрес Татьяны на Чистых прудах. Алиса вряд ли его знает.

— Конечно, — сказал Косточкин. — Записывайте.

Глава 9

Да нет, не могла она влюбиться в Хэммерсмита. Это просто неадекватная реакция на стресс, думала Алиса, разбирая вещи сестры. И тотчас же наткнулась на коробку, закленную так, что стало ясно — в ней хранится нечто особенное. Действительно, это были письма и фотографии Элис и парня по имени Дэннис. Просмотрев их, Алиса поняла, что между ними бушевал роман, который окончился непосредственно перед замужеством сестры.

Что, черт возьми, творилось с бедной Элис? Мужчины появлялись и исчезали, словно по волшебству — Дэннис, Георгий. А эта странная свадьба? Кажется, сам Винсент Хэммерсмит до сих пор в недоумении. Впрочем, не Элис же делала ему предложение! Он сам захотел жениться на ней. Однако непохоже, что был при этом пылко влюблен, — ничто в нем даже не напоминает о былой страсти. «Любовь так быстро не проходит, — рассуждала Алиса, с тоской думая о Гарри. — Хотя... Если ее чем-нибудь сильно ранить... Когда Том вернется, надо будет дать ему еще одно специальное поручение — выяснить все об этом таинственном Дэннисе».

Алиса надеялась, что раз до сих пор ничего экстраординарного не произошло, то преследователи не поехали в Штаты вслед за ней. С чего она решила, что за всеми тамошними нападениями стоит Винсент? Может, это грузин Георгий? Торговец фруктами, который подрабатывает на поставках героина? А Винсент совсем ни при чем. Алисе страстно хотелось думать, что он ни при чем.

* * *

«Знаешь, Лора, с Дэйлом становится все труднее. Я имею в виду, что мне все труднее лгать ему. Я стала изощренной обманщицей. Из-за этого мое счастье неполное. Когда я возвращаюсь домой после свидания с Виктором, я чувствую себя потаскухой. Раньше этого не было. По-хорошему, нам с Дэйлом давно надо было бы расстаться, но...

Дело в том, Лора, что я ужасная трусиха. Ты это знаешь лучше всех. Недаром же ты вспомнила историю с Дэном Мак-Артуром. Да, я долго обманывала его, и тоже из-за того, что боялась даже заикнуться о разрыве. Мне тогда казалось, что все как-нибудь само собой утрясется. Помню, Дэн был совершенно убит, когда узнал, что параллельно я встречаюсь с другим парнем. Сейчас происходит примерно то же самое. Да, да, Лора, ты тысячу раз права: я делаю только хуже. Честнее и благоразумнее все расставить по местам, пока еще не поздно. Одним махом разрубить этот узел. Ты так бы и поступила на моем месте, дорогая. Вот если бы мне твою силу воли, твой характер, твою прямоту!»

* * *

Косточкин лежал на тахте, закинув руки за голову, и представлял, как Денис Серегин разъезжает по Москве, пытаясь найти людей, которые могли бы рассказать ему хоть что-нибудь путное. Сам-то он знал, что ни Ахломовой, ни ее двоюродной сестрицы уже нет в живых. А кто еще в курсе? Ольга Авдеенко? Она будет молчать до могилы. Ей ли выступать, когда со всей своей хваленой принципиальностью она тем не менее потакала своей закадычной подружке?

Короче, перед этим парнем, Денисом, закрыты все двери. Тоже мне, сыщик хренов! Ни прикрытия, ни особого подхода. Выстреливает правду прямо в лоб. Ну в самом деле: раз ты подозреваешь, что произошла с ребенком какая-то афера, так ты же думай, что люди, к которым ты приходишь, вполне могли принимать в ней участие.

Олег Михайлович покачал головой, коря отсутствующего Дениса за легкомыслие. Кстати сказать, во время их беседы он все время ждал, что тот задаст вопрос об американце. Об этом Викторе. Олег Михайлович даже внутренне подготовился к тому, чтобы отразить удар как можно лучше. Ничем не выдать своих чувств. Черт побери, он хорошо помнил этого парня. Как будто видел его только вчера.

Виктор Хаттон ездил по городу исключительно на такси и повсюду таскал за собой Татьяну. Он был высок, даже выше него, Олега, гордившегося своим хорошим — мужским — ростом. Мастерски играл в теннис и был почти идеально сложен. Светлые волосы и зеленые глаза довершали картину. Вернее, нет. Довершали картину деньги. Виктора окружала понятная каждому человеку аура — аура власти и материального достатка. «Мне с ним было не тягаться», — уныло подумал Косточкин.

К нынешнему моменту он достиг хорошего уровня в своем деле, занимал должность главного редактора американского журнала, выпускавшегося в Москве, что гарантировало и высокий заработок, и возможность реализовать свой опыт и талант. Несмотря на солидный по нынешним временам возраст, он все еще лидировал в борьбе с более молодыми и предприимчивыми коллегами.

Нет, его уныние было адресовано прошлому. Тому прошлому, в котором он был всего лишь штатной единицей дешевого издания, где следующая ступень карьеры в материальном выражении отличалась от предыдущей лишь двадцатью-тридцатью рублями. Разве мог он составить настоящую конкуренцию Виктору Хаттону, известному американскому художнику, личное состояние которого исчислялось миллионами долларов?

Он упустил момент, когда отношение Виктора к Татьяне коренным образом изменилось. В какой-то день, когда он, как всегда, следил за ними, вдруг обратил внимание, что Виктор Хаттон больше не смотрит вдаль рассеянным взглядом. Он смотрит на Татьяну. И губы его сложены в обаятель-нейшую из улыбок. На нем было длинное пальто горчично-го цвета, кашне в крапинку, остроносые туфли. В общем, вид с точки зрения тогдашнего советского человека, абсо-лютно буржуйский. Если Хаттон захочет, он увезет Татьяну хоть на край света. По всей видимости, как раз тогда он на-чинал этого хотеть.

Все эти годы Олег старался как можно реже углубляться в воспоминания. Конечно, они время от времени помимо воли всплывали из подсознания. Этот чертов парень! При-шел, накидал вопросов, как будто голые факты могут и в самом деле рассказать правду о прошлом. С годами Олег Михайлович стал мудрым. Теперь он знал, что прошлое не подлежит инвентаризации, и даты, сопровождаемые ко-роткими комментариями, не являются ключиками для по-нимания всего, что происходило годы назад.

* * *

Винсент редко сам садился за руль. Чаще всего во время поездок он изучал деловые бумаги, а обязанности шофера исполнял кто-нибудь из службы безопасности корпорации. Однако на сей раз служба безопасности была пересажена в другой автомобиль, который мельтешил позади. Алиса не знала, как держать себя с Винсентом. Это был мужчина не из ее жизни — богатый, привлекательный и самоуверен-ный.

Алиса никогда не считалась сердцеедкой, но тем не ме-нее пылкие поклонники у нее были. Даже когда она вышла замуж за Гарри, некоторые индивиды не оставляли попытки завоевать ее сердце. Достаточно вспомнить Филлипа Тейло-ра. Впервые она встретилась с ним на вечеринке в доме дру-зей в начале весны, где Тейлор и положил на нее глаз. Про-шло не больше недели, когда он появился вновь совершен-но внезапно. Для Алисы все это обернулось большим беспокойством. Парень оказался так настойчив и так явно влюблен, что, если бы на месте Гарри был кто-нибудь дру-гой, она непременно пустилась бы во все тяжкие.

Она улыбнулась, вспомнив, как Тейлор однажды про-торчал на стоянке целых три часа, пока в «Айсберге» длилось рабочее совещание. Его голова со светлой шевелюрой, словно поплавок, болталась под окнами.

— Обожаю мужчин, которые не стесняются ухаживать, — говорила Алисе сослуживица Тина. — Тебе везет, у тебя только такие. И Тейлор, и даже твой собственный муж — оба ведут себя, как киногерои. Это не может не покорять, правда?

— Правда.

— Мне жаль его, этого Тейлора. Он, кажется, художник?

— Нет, он владелец парочки художественных салонов. — Алиса посмотрела на возбужденную Тину, улыбнулась и напомнила: — Тина, я уже замужем.

Она не делала Филиппу никаких авансов, но ей все равно было жаль его. Лицо его отличалось той простотой и открытостью, которая располагает к себе с первого же взгляда. Гарри был более изысканным, более тонким, более страстным. Но главное — она любила его.

В сумочке у Алисы зазвонил сотовый телефон. Она мгновенно вернулась к действительности и покосилась на Винсента Хэммерсмита, который молча вел машину.

— Элис? Это Фред. Я прочитал письма. В них есть имя твоего настоящего отца.

— А? — Сердце Алисы ухнуло вниз. — Что-что? Я не расслышала.

— Я знаю имя твоего настоящего отца. Ты готова меня выслушать?

— Конечно, — Алиса пыталась проглотить комок, который появился во внезапно высохшем горле и мешал ей сглотнуть. — Только не теперь. Я в дороге.

Уронив телефон на колени, Алиса закусила нижнюю губу. «Черт побери! Вот что за расследование вела ее сестра! Выходит, Дэйл Хоккес им с Элис не настоящий отец! Что за кавардак!» Алиса сжала виски руками, против воли ее начала бить крупная дрожь. Винсент несколько раз тревожно взглянул на нее, потом съехал на обочину и заглушил мотор. «Роллс-Ройс» остановился в конце Лэйк Шор роуд, неподалеку от закусочной. Немного дальше виднелись автозаправочная станция, магазин «Охотник» и дорогая сувенирная лавка.

— Ну? Что с тобой?

— Ничего. Просто мне холодно.

Винсент пожал плечами и вместо того, чтобы включить обогрев в салоне, стащил с себя пиджак.

— Возьми.

Алиса подчинилась. Он укрыл ее плечи, и комок в горле стал еще тверже. Винсент тем временем вылез из машины и обошел автомобиль сзади. Алиса взволнованно оглядывалась на него, пытаясь понять, что он хочет делать. Повертевшись некоторое время, она тоже открыла дверцу и выбралась наружу. Винсент медленно приблизился к ней, глядя прямо в глаза.

— Почему мы остановились? — спросила Алиса.

— Потому что служба безопасности где-то застряла, — насмешливо ответил тот. — Только поэтому.

В этот момент снова зазвонил телефон. Алиса обрадовалась, что можно отойти и отвернуться.

— Алло? — выровняв дыхание, сказала она.

— За вами следят, — безо всяких предисловий сообщил Том. — Я случайно это выяснил. Два парня. Слежку ведут профессионально. Не знаете, кто это может быть?

— Нет, — пролепетала Алиса. — А что мне теперь делать?

— Ждать. Я постараюсь выяснить, кто они такие.

У Алисы в прямом смысле слова подкосились коленки, и она, потеряв равновесие, покачнулась и едва не упала, сделав несколько быстрых шагов назад. По шоссе мимо них с ревом пронеслись два грузовика, и в тот же момент она услышала какой-то странный чавкнувший звук, и ее как будто кто-то толкнул под локоть.

— Что случилось? — спросил Винсент, озабоченно направляясь к ней. — Что там у тебя происходит?

— Ничего, — Алиса испуганно отшатнулась, быстро прервав связь.

Взвизгнув томозами, возле них остановился «Форд» телохранителей. Из него выпрыгнул парень по имени Боб и шагнул к Хэммерсмиту:

— Вы в порядке, босс?

— Не знаю, мы только что слышали такой странный звук...

— Нас подрезали, — пояснил Боб, делая какой-то знак напарнику.

— Ой, — неожиданно сказала Алиса, растерянно глядя на свою сумочку. — Что это?

Бобу достаточно было бросить на нее лишь один взгляд.

— В машину, быстро! — приказал он, буквально заталкивая Винсента в автомобиль. — Я поведу.

— Моя жена! — раздраженно перебил его Винсент. — Стреляли в нее.

— Уверены?

— Абсолютно. Когда раздался выстрел, я был достаточно далеко от нее.

Тем временем Боб уже вывел «Роллс-Ройс» на шоссе и увеличил скорость. Алиса оказалась на заднем сиденье рядом с Винсентом, который взял у нее сумочку и внимательно разглядывал повреждения, нанесенные пулей.

— Я позвоню в полицию, — наконец заявил он.

— В полицию? — переспросила Алиса, внезапно выходя из шока. — Зачем это?

— Замечательно умный вопрос.

— Нет уж, пожалуйста! — возмутилась Алиса. — Никакой полиции!

— Дорогая, ты просто понервничала.

— Черта с два! Я не собираюсь давать показания в полиции.

— Чего ты так задергалась? — изумленно поднял брови Винсент.

— Я хочу поехать на вечеринку и...

— Никакой вечеринки, — резко ответил тот. — Возвращаемся домой. По дороге ты мне расскажешь, что все это значит.

— Откуда я знаю, — злобно ответила она.

— В тебя только что стреляли. Ты знаешь — почему?

Алиса отрицательно покачала головой, упрямо сжав губы.

— Помнится, недавно ты болтала про каких-то наемных убийц, про письмо, которое отдала своему адвокату... Ну-ка, прояснии для меня этот момент.

— Думаешь, я блефовала? — обернувшись к нему, спросила Алиса. — Так вот — я не блефовала. Я в самом деле написала такое письмо.

— Я могу узнать — что в нем такое?

— Когда меня убьют, тогда и узнаешь.

— Мрачные же у тебя планы, — пробормотал Винсент и больше не проронил ни слова.

Итак, в нее стреляли. Неизвестные, которые хотели укокошить ее в России, наконец добрались до Иллинойса. Или это вовсе не они? И еще — новообретенный отец вовсе ей не отец. Фантастика!

— Послушайте, Боб, — шепотом спросила она у телохранителя, когда они подъехали к дому и вышли из машины. — Если бы за мной охотился наемный убийца, он бы меня быстро убил?

— С первой попытки.

Алиса повеселела. «Как такая мысль не пришла мне в голову раньше? — подумала она. — Если бы меня, то есть Элис, хотели убить, то давно бы убили. Вероятно, от Элис чего-то добивались и пугали ее. Поэтому она и инсценировала самоубийство».

* * *

«Дорогая Лора! Ты спрашиваешь, как мне удается обманывать Дэйла? Знаешь, это оказалось довольно обыденным делом. Дни и ночи он занят своим бизнесом, а я полностью предоставлена сама себе. В последнее время отношения наши стали более прохладными. Еще бы: ведь мы хотя и бываем вместе, но не очень часто. Я после встреч с Виктором не могу принять любви Дэйла, как это подобает верной жене. Мне не слишком нравится такая жизнь, Лора, и я каждый день даю себе слово, что расскажу мужу все как на духу. Но... каждый день откладываю этот неприятный разговор. Виктор не настаивает на том, чтобы я развелась. Кажется, его вполне устраивают наши отношения. Хотя, когда я однажды заговорила с ним об этом, он заявил, что, если я вновь буду свободна, мы поженимся. Он так и сказал: «Мы, разумеется, поженимся, малышка». Он называет меня малышкой, Лора. Это так забавно!

Так вот, насчет наших свиданий. Виктор арендует дом с огромным садом, который граничит с поместьем Хэммерсмитов. Так удачно все сложилось. Помнишь, я тебе рассказывала, как некогда помогла Артуру выпутаться из неприятной истории с девицей по имени Гейл? Так что он мне многим обязан. Ведь ты знаешь, как он дорожит своим браком? И когда я намекнула ему, что он мог бы ответить добром на добро, он согласился мне помочь. Не думаю, что Артур рад выполнять роль сводника, но меня его смущение даже забавляет. Знаю, Лора, это немного похоже на шантаж, но я не удержалась. Мне так хотелось все хорошо устроить! Теперь у нас с Виктором надежное прикрытие. Все знают, что мы с Дэйлом дружим с Хэммерсмитами. И если кто-то обратит внимание на то, что моя машина сворачивает к их особняку, то ничего нескромного ему в голову не придет.

Все так просто и удобно, Лора, ты и представить себе не можешь. Я даже не подъезжаю ко входу. Недалеко от ворот я обнаружила съезд на проселок, который ведет к старому домику садовника. Есть еще новый домик, совсем в другой стороне участка. Так что этот стоит пустой, и я могу не опасаться посторонних глаз. Я оставляю за домиком свою машину и прохожу по участку мимо левого крыла особняка Хэммерсмитов в глубь территории. И попадаю прямо в объятия своего любимого! Он ждет меня в саду возле своего мольберта, и я не могу на него наглядеться. Иногда, завидев его издали, я прячусь и тихонько наблюдаю за ним. Жаль, что ты никогда не видела его, Лора. Ты бы оценила его по достоинству, я совершенно уверена. Если когда-нибудь я все-таки решусь на развод, то обязательно познакомлю тебя с Виктором. И тогда ты перестанешь читать мне нотации, уверена в этом!»

* * *

— В меня стреляли! — сообщила Алиса изумленному Фреду.

— Когда? Где?

— Когда мы ехали на вечеринку. Винсент заметил, что охрана отстала, и остановился возле заправки. В этот момент кто-то пальнул прямо в меня. Я оступилась, и пуля прошла только мою сумочку. Ее Винс забрал.

— Элис, это не лезет ни в какие ворота. Твой муж сообщил в полицию?

— Нет. Я не захотела. Как ты думаешь, Фред, кому нужна моя смерть?

— Ты должна знать своих врагов, Элис.

— Когда знаешь — это разве враги? Так, оппоненты. Настоящие враги безлики, как пули.

— Пуля как раз очень многое может рассказать. Кстати, служба безопасности нашла пулю?

— Не знаю, — Алиса провела рукой по глазам.

— Надеюсь, ты понимаешь, что мне не следует больше оставлять тебя без присмотра? Прошлое — прошлым, Элис, но стоит ли ради него рисковать жизнью? Пока я раскапываю дела минувшие, ты подвергаешься реальной опасности.

— Согласна. Не мог бы ты попросить, чтобы мне принесли чашечку кофе? А то у меня слипаются глаза.

— Тебе не кофе нужно пить, а немедленно ложиться в постель.

— Шутишь? Ты обещал назвать имя моего настоящего отца. И всерьез считаешь, что, не выслушав тебя, я завалюсь спать?

— Что тебе даст одно имя? — пожал плечами Фред.

— Все равно. Я хочу знать его сейчас.

— Виктор Хаттон, художник. Он жил в Вустер-сити не слишком долго. У него с твоей матерью был роман.

Алиса молчала. Мысли в ее голове застыли, словно замороженные. Получалась какая-то чушь. Получалось, что ее мать и отец не были женаты. И они с Элис — незаконнорожденные. Странная у нее оказалась семейка. Мать родила близнецов не от мужа, а от любовника. Потом одного младенца потеряла в далеком путешествии. А отец, настоящий отец, судя по всему, вообще исчез с горизонта.

— Элис, ты ведь была готова к тому, что услышишь, разве нет? С тех пор как позвонила Молли Паркер, ты шарахалась от Дэйла Хоккеса, как от чумы. Но Дэйл понятия не имеет о том, что ты — не родная его дочь.

— Откуда ты знаешь?

— Мой отчет будет длинным, не лучше ли отложить его до завтра?

Алиса неохотно согласилась и спросила:

— Ты останешься здесь, Фред?

— Конечно. Теперь я с тебя глаз не спущу. Я буду в соседней комнате.

Оставшись одна, Алиса быстро разделась и скользнула под одеяло. Сон не шел. Она думала о своей матери, о том, как та обманывала Дэйла Хоккеса. Этот милый человек был уверен, что Элис — его родная дочь, плоть от плоти, кровь от крови. Он надышаться на нее не мог. А Джули... Как она могла?

Где-то за стенами ее комнаты пиликнул телефон. Алиса подумала, что зря она не взяла у Фреда письма. Пусть бы они лежали у нее в комнате. Алиса набросила халат и тихонько открыла дверь. В коридоре никого не было. Сделав несколько кошачьих шагов в сторону комнаты Фреда, Алиса услышала его приглушенный голос — он говорил по телефону.

— Кто следил за ней, пока меня не было? Они уже доложили вам? Пуля попала в сумочку. Как это могло произойти?

Алиса затаила дыхание и сжалась.

— Хорошо, я возьму это на себя. Опасно, конечно, но что поделаешь, если они оказались такими болванами!

Алиса развернулась и на цыпочках метнулась обратно. Влетев в комнату, закрыла дверь и прислонилась к ней спиной. Дышала она так, словно пробежала милю, преследуемая бешеной собакой. Фред — предатель? Как он попал в телохранители к Элис? Том сказал, что Элис не согласилась, чтобы ее сопровождала служба безопасности мужа. И немудрено! Если у нее были любовники, это вполне разумное желание. Тогда она наняла Фреда. И теперь он подослал убийц, которые едва ее не пристрелили.

Алиса сжала виски, словно это могло помочь ее голове быстрее соображать. Да, но ведь Фред спас ее возле сочинского отеля, он буквально вытолкнул ее из-под колес того ужасного пикапа... А что, если Элис перед отъездом в Россию стала подозревать Фреда? Что, если ему необходимо было как-то снять с себя подозрения? И он со своими напарниками устроил этот спектакль. На самом-то деле ее никто не собирался давить машиной, они просто сделали вид...

Да, похоже, ее сестру обложили со всех сторон. Теперь уже Алиса не удивлялась, почему та предпочла исчезнуть навсегда. Но в чем причина? Причина всей этой фантасмагории? Кто стоит за покушениями? Кто нанял Фреда и других убийц? Кто пугает ее? А возможно, уже и не пугает? Если вдуматься в то, что она только что подслушала, получает-

ся, что на Лэйк Шор роуд убить ее должны были по-настоящему. И только случайность помешала этому.

Алиса стала клацать зубами. Выход, конечно, есть. Полиция. Стоит все рассказать полицейским. С самого начала.
Какого черта она сидит и покорно ждет, пока ее прикончат?
Тут Алисе впервые пришла в голову мысль, что никто, в
сущности, даже не подозревает о том, что Элис скрылась,
разыграв свое самоубийство. Для окружающих она никуда
не исчезала. Уехала в Россию — вернулась из России. Никто, ни одна живая душа здесь, в Вустер-сити, не знает, что в
Сочи произошла подмена.

Конечно, она не ведала, что ошибается. Потому что Энди Торвил знал. И этого было достаточно, чтобы выстроен-
ный Алисой карточный домик рухнул. Первая карта уже
упала, потянув за собой все остальные.

* * *

Галка Серегина позвонила мужу, взволнованная до не-
возможности.

— Ты сейчас где? — спросила она. — Говорить можешь?
Меня просто распирает одна идея.

— По поводу расследования, я полагаю?

— Знаешь, какой момент мы не учли совершенно? Мы
не выяснили, кого, собственно, хотят убить — Алису или ее
сестру.

— А как же мы это можем выяснить, пока не найдем
преследователей?

— Очень просто! — ликующе сказала Галка. — Если
охотятся за Элис, а Алису перепутали с ней... Кстати, она
именно так и думает... То убийцы ничего не знают о существовании Алисы. Или знают, но она им не нужна в качестве
жертвы.

— Ну?

— Что «ну»? А если охоту ведут именно за Алисой, то начать ее должны были отсюда, из Москвы. Если это наши
бандиты, отечественного, так сказать, разлива, им необходимо было первоначально выяснить Алисино местопребы-
вание. Найти точку отсчета. Понимаешь? Что ты молчишь?

— Я думаю. То есть ты хочешь сказать, что если неизвестные вознамерились убить именно Алису, то про нее вначале должны были навести справки.

— Вот именно!

— И логично это сделать в том месте, где она прожила всю свою жизнь до замужества.

— То есть на улице Милашенкова! — подхватила Галка. — Так что тебе нужно поехать туда и спросить, не интересовался ли кто-нибудь в последнее время Алисой Соболевой. И если да, попытаться все выяснить об этом человеке.

— Почему столь очевидная мысль не пришла никому из нас в голову с самого начала? — удивленно сказал Денис. — Это же так просто.

— Просто, когда я тебя на ум навела.

— Ладно, не задавайся. Кстати, ты не в курсе, кому Алиса продала свою квартиру?

— Очень симпатичной молодой паре. Так что там с тобой, по крайней мере, поговорят вежливо.

Кода Денис позвонил, дверь распахнулась почти сразу.

— Извините за беспокойство, — заторопился Денис. — Я друг Алисы Соболевой.

— А! Вам нужен ее новый адрес? — улыбнулась симпатичная молодая женщина. — Она теперь в Америке.

— Нет, это я знаю. Мы только вчера общались с ней по телефону.

— Надо же! Надеюсь, у нее все хорошо? — Хозяйка улыбалась, но не приглашала Дениса пройти в квартиру. Он и то удивился, что она столь беспечно распахнула дверь перед незнакомцем.

— У нее все нормально. Она всего лишь просила меня узнать, наводил ли о ней кто-нибудь справки за последнее время? Ну... В течение года, например.

— Вы знаете, да. Буквально пару месяцев назад два раза приезжали и интересовались.

— Два раза?

— Один раз это был молодой парень. А другой раз — иностранец.

— Вы не могли бы их описать?

— Ну... Парню лет двадцать, одет довольно скверно, похож на студента-отличника. Зализанный чуб, массивные очки. Он сказал, что они вместе работали.

— Он не представился?

— Да нет. Когда Алиса оставляла адрес, то сказала, что его можно давать всякому, кто поинтересуется.

— Уверен, тогда она думала исключительно о друзьях, — пробормотал Денис себе под нос. — А иностранец?

— Он тоже не назвался. Был чертовски вежлив, я даже растерялась.

— Пожалуйста, опишите его как можно подробнее.

— Так. Значит, лет ему под пятьдесят. Одет был в длинный серый плащ. Лицо гладко выбрито, волосы темно-русые, на висках седые. Вот, в сущности, и все. Сказал, что разыскивает Алису Соболеву по личному делу. По-русски говорил правильно, но с сильным акцентом. Кстати, фамилию Алисы прочитал по бумажке. И вообще, у меня сложилось впечатление, что он действовал по чьему-то поручению. Это было видно. Знаете, когда человек не проявляет личной заинтересованности.

Выйдя из подъезда, Денис достал свой ежедневник, куда заносил все детали расследования и, присев на скамейку, принялся торопливо записывать все, что только что услышал. На краю скамейки, где он умостился, сидела старушка. Вероятно, всех, кто оказывался от нее в непосредственной близости, старушка воспринимала как потенциальных собеседников.

— Опять весь двор перекопали, — ворчливо сказала она, глядя вдаль. — Трубы чинят. Горячую воду отключили еще в мае и все никак не подключат. Лодыри они. Поработают часа, почитай, два, и все. Приходят, уходят, а людям тут не пройтить.

— Угу, — машинально отозвался Денис.

— Вчерась, — оживилась старушка, — Павлика Семенова сын, Мишка, их трое в семье, этот самый младшенький. Так вот он полез за ихние загородки, и песком его завалило. Хорошо, ребяты старшие рядом были, вытащили Мишку. А то бы сгиб. И кажный год — все одно. Уж сколько лет, сколько лет — все копают, копают... Один раз, помнится, лет трицать уж назад... В шестьдесят седьмом, у меня тогда еще Игорь в больнице лежал с аппендицитом, иностранец тут один шею сломал. Такое пальто у него было богатое, и сам весь из себя видный... Прямо на трубы упал, так и помер. А сколько шуму из-за него было! Милиции понаехало, начальства. Скандалили, ужас. А через пару дней все зарыли, как и не было ничего.

За время ее тирады Денис не произнес ни слова. Он в буквальном смысле слова превратился в соляной столб. Иностранец наверняка приходил к Татьяне Соболевой, которая переселилась сюда с Чистых прудов, как только побывала в роддоме и обзавелась младенцем. Значит, это был не чисто женский заговор. В деле участвовал мужчина. Иностранец. Кем он был? И как его смерть повлияла на дальнейший ход событий?

Старушка долго кряхтела, вспомнила попутно сотню историй из своей жизни и жизни всех соседей и родственников, но все же сообщила Денису, что ее Игорь лежал с аппендицитом в больнице в сентябре шестьдесят седьмого. Выходило, иностранец погиб сразу после возвращения Татьяны Соболевой из роддома.

Вернувшись домой и не застав жены на месте, Денис устроился у телефона и принялся названивать Ольге Авдеенко. Вдруг она передумает и что-нибудь скажет? Но Ольга, увы, не передумала.

— Я же вам объяснила, почему не хочу обсуждать эту тему, — раздраженно сказала она. — Все, что вы узнаете про Алису, вы узнаете не от меня.

Денис сдался. После чего позвонил Косточкину и задал ему тот же самый вопрос.

— Мужчина? Иностранец? — Олег Михайлович помедлил в раздумье. — Честно говоря, я не знаю, о ком речь. Насколько помню, Татьяна договаривалась обо всем с американкой, на которую тогда работала. Может быть, это был ее муж? Нет, не могу сказать ничего конкретного. Извините.

— Но вы и так мне очень помогли, — поощрил его Денис. — В ближайшее время, кстати, я собираюсь поехать на Чистые пруды — вдруг выясню что-нибудь о Татьяниной соседке по квартире.

— Что ж, удачи, — сказал Косточкин. Голос его был задумчивым и безрадостным.

«Наверное, я разбередил его старые сердечные раны, — подумал Денис. — Может быть, из-за этого он теперь плохо спит по ночам».

Глава 10

Мэтт сидел за столиком открытого кафе и лениво глядел по сторонам. Повсюду пестрели красочные плакаты, возвещающие об открытии ежегодного праздника искусств. Мэтта заинтересовал благотворительный концерт. Дорогие билеты означали дорогую публику, и жена Хэммерсмита вполне могла быть среди зрителей первых рядов. Толпа для Мэтта являлась великолепной декорацией его собственного спектакля. Толпа — это стихия, в толпе легко спрятаться, легко посеять панику и легко скрыться самому.

Тэрри Куэйн, который с самого начала весьма беспокоил Мэтта, оказался одной из рядовых единиц службы безопасности корпорации Хэммерсмита и иногда сопровождал жену босса. Поначалу Мэтт сомневался, не ошибается ли он насчет своей жертвы, но, собрав кое-какую информацию, пришел к выводу, что в Вустер-сити находится та самая Элис Фарвел, которую ему заказали. Именно за этой дамочкой он следовал от ее дома во Флориде, кем бы она теперь себя ни называла.

Изучив других преследователей Элис Фарвел, Мэтт успокоился. Среди них не было правительственных агентов. По сравнению с этим все остальное было несущественным. Суета телохранителей и детективов казалась ему мышиной возней. Он уже чувствовал себя в безопасности. И ошибался. На самом деле Тэрри Куэйн опознал Мэтта еще в Москве. Мэтт был убежден, что Тэрри не знает его в лицо. Что никто не знает его в лицо. Пожалуй, кроме пары доверенных людей. Но во время той самой памятной поездки в Чикаго не только Мэтту показали Тэрри Куэйна. Куэйну тоже показали Мэтта. Ничего удивительного. В конце концов, это была его территория.

Тогда, на железнодорожном вокзале в Москве, Тэрри привычно оглядывался по сторонам, спрятав глаза за стеклами темных очков. Взгляд его скользнул по лицу Мэтта и уже было побежал дальше. Но вдруг зрачки его сузились, а сам он подобрался, готовый в любую секунду принять удар. Куэйн допускал, что Мэтт следит именно за ним. Возможно, кто-то хочет, чтобы одним наемником на свете стало меньше.

Тэрри четко знал, что, если человек за его спиной начнет действовать прямо сейчас, он не успеет уклониться. Мэтт мог бросить свой нож незаметно и бесшумно, причем с большого расстояния. Окружающим требовалось немало времени для того, чтобы сообразить, что вообще произошло, когда жертва, издав предсмертный стон, валилась на землю. Паника поднималась не сразу. Мэтт легко уходил еще до того, как над толпой раздавался короткий мужской вопль или протяжный и пронзительный женский визг. Когда же Тэрри понял, что Мэтта интересует вовсе не он, а Элис Фарвел, он срочно связался со своим боссом.

— Я пришлю еще людей, — медленно сказал Гилберт, начальник службы безопасности. — Следите за ним в оба. Меня интересует этот человек. Впоследствии он может оказаться нам полезен.

Тэрри тогда не слишком хорошо осознавал, какую пользу Гилберт собирался извлечь из присутствия Мэтта. Зато понимал, что с этим парнем лучше не шутить, поэтому слежка за ним была поручена самым опытным людям из службы безопасности Хэммерсмита.

* * *

«А вдруг моя сестра и в самом деле мертва? — подумала Алиса со страхом. — Вдруг она действительно покончила с собой?» Как она тогда посмотрит в глаза всем этим людям? При хорошем раскладе они с Элис потом или тихо поменяются местами, или все объяснят. Но если Элис мертва, тогда все сложится совершенно по-другому. Алиса будет выглядеть не мелкой лгуньей, а самой настоящей мерзавкой, для которой нет ничего святого. И Винсент... Винсент просто плюнет ей под ноги.

Она еще раз позвонила Лэрри — ей хотелось услышать голос человека, который знал ее как Элис Фарвел, а не как Элис Хэммерсмит.

— А ты знаешь, — неожиданно вспомнил Лэрри. — Я совершенно забыл тебе рассказать! Недавно Гарри прислал мне открытку из России. Из города Сочи. И написал на обороте: «С надеждой в сердце». Что ты об этом думаешь?

— Гарри до сих пор в России? — не поверила Алиса. — Отчего он не возвращается?

— Никто этого не знает. Хотя можно предположить вот что. Он напал на след.

— На след?

— Он как-то выяснил, что ты не умерла.

— И он ищет меня? — испугалась Алиса.

— Вероятно.

— А что, если он меня найдет?

— Что, если он тебя найдет? — переспросил Лэрри. — Да, интересная мысль. Кстати, ты решила, что будешь делать в таком случае? Простишь его?

— Я не знаю. — Алиса задумчиво посмотрела в противоположную стену. В глазах у нее внезапно мелькнуло странное выражение. — Лэрри, все может быть гораздо сложнее.

— Да? В каком смысле?

— А что, если... Если он найдет в Сочи не меня?

* * *

«Милая Лора! Ты была права, во всем права! Мне надо было сделать так, как ты говорила. Надо было все сказать Дэйлу раньше и переменить свою жизнь. А сейчас я даже не представляю, как поступить. Недавно я узнала, что беременна, и пришла в отчаяние. Нет-нет, я рада тому, что у меня будет малыш, но вот как обустроить все так, чтобы нам с ним было хорошо? Затевать сейчас развод, оформлять новый брак — ты ведь знаешь, как это все будет... неудобно. Пойдут сплетни, все эти разговоры, так неприятно. И еще: жизнь, которую ведет Виктор, меня немного пугает. Он вечно переезжает с места на место, он творческий ужасно и увлеченный человек. Живопись для него значит очень много. Чересчур много, на мой взгляд. Я не знаю, насколько комфортно будет нам с ребенком рядом с его талантом. Ведь я не слишком богата, ты знаешь.

Вот я и подумала, Лора: а что, если мне ничего не говорить Виктору про ребенка? Вернее, сказать, что ребенок — от Дэйла? Хотя... он может не поверить. А вот Дэйлу и врать ничего не надо. Потому что время от времени мы ведь бывали близки, не думаю, что он вел строгий учет ночей, которые мы проводили вместе. Тем более Дэйл от природы ужасно доверчив. И он меня так любит, Лора! Это нельзя не учитывать. Виктор, конечно, тоже любит меня. Но это больше страсть. Он увлекающаяся натура — эмоциональная и бурная. Дэйл же представляется мне более подходящим вариантом для создания счастливой семьи.

Ты чувствуешь, Лора, я совсем растерялась. В общем, у меня уже есть муж, и я, скорее всего, останусь с ним. Мне кажется, я приняла правильное решение. Напиши, что ты думаешь обо всем этом, с нетерпением жду весточки от тебя. Твоя подруга Джули».

* * *

— Передайте Георгию, что мне необходимо с ним переговорить!

Молодая женщина смотрела на своего собеседника сердитым взглядом, сдвинув брови над красивыми, но гневными глазами.

— Но я не могу с ним связаться прямо сейчас! — Мужчина в круглых очках нервно обмахивался журналом, хотя в небольшой комнате работал кондиционер.

— Неужели вы не понимаете, насколько это срочно? Георгий обещал, что это будет настоящее убежище. Что все продумано: документы, дом, окружение... И вот, не проходит и месяца, как меня начинает преследовать какой-то тип. Он знает мое настоящее имя, знает мой новый адрес. Георгий должен выяснить, что это за человек и что ему надо! Как он догадался, в конце концов, где я нахожусь? Если это посланник моего мужа, то мне конец. Мне срочно нужно куда-то переехать! Потом еще был случай, когда ко мне подошел молодой американец, который якобы меня знает! Но он вроде бы отвязался. Я больше не видела его ни разу. Но тот, первый тип...

— Спросите у него, кто он такой, — и все дела.

— Не стану я у него ничего спрашивать! Я боюсь до смерти. А мне нельзя волноваться, — женщина непроизвольно положила руку на свой слегка округлившийся живот. — Вы должны с Георгием сами все выяснить. Я заплатила вам огромную сумму...

— Что вы хотите, Элис? — возмутился мужчина. — Чтобы я поймал его, связал веревками и начал прижигать лицо окурками, чтобы выпытать правду?

— Какой ужас, да что вы такое говорите?

— А как прикажете действовать? Не проще ли вам заговорить с ним? Если он следует за вами по пятам, зайдите в какое-нибудь кафе, пригласите его за свой столик и так прямо и спросите: чего, мол, тебе надо, дорогуша? Что он вам сделает?

— Действительно... — задумчиво сказала женщина. — Кстати, вы до сих пор так мне ничего и не рассказали о том, как все прошло.

— Что прошло?

— Мое самоубийство, разумеется. Вы ведь наблюдали за отелем?

— Зачем?

— Ну, не знаю. Вы же планировали операцию, должны были бы поинтересоваться процессом.

— За всем этим Георгий следит.

Женщина махнула рукой:

— С вами бесполезно разговаривать. Когда я смогу пообщаться с Георгием?

— Не знаю. Как только он мне позвонит, я сразу же дам ему знать о ваших проблемах.

— А если он не позвонит год?

— Значит, поговорите через год. Кстати, когда вы хотите потрясти этого парня?

— Какая разница?

— Лучше вечером. Такая жара!

Женщина кивнула. Незнакомец... Ужасно странный тип. Хотя слово «тип» к нему совсем не подходит. Он такой... очаровательный. В нем чувствуется подлинная страсть, но причины ее невозможно ни объяснить, ни понять. Если бы не беременность, она могла бы подумать, что неизвестный сходит с ума от любви.

Вечером Элис Хэммерсмит сидела за столиком открытого кафе на довольно просторной площади, защищенная от солнца большим цветным зонтом. Человек, который следил за ней, медленно двигался мимо, не сводя пристального взгляда с ее лица. В руке у него был путеводитель, и он ничем не отличался от других туристов, только что закончивших экскурсию и рассыпавшихся по площади.

Когда подозрительный незнакомец оказался в непосредственной близости, Элис облизала губы кончиком языка и, кашлянув, сказала, обращаясь к нему по-английски:

— Э... э... Приятно снова видеть вас. Не хотите ли присесть? — Она надеялась, что мужчина понимает ее.

Он мгновенно остановился и сделал неуверенный шаг в ее сторону.

— Садитесь, — еще раз предложила Элис, для пущей убедительности указав рукой на место напротив.

Незнакомец быстро отодвинул для себя стул, приподняв его за спинку, и сел, слегка наклонившись вперед. Все его движения были плавными и удивительно экономными. Элис на секунду замешкалась, придумывая, как бы получше начать разговор. Но незнакомец заговорил первым.

— Я думал, ты никогда не позволишь мне даже приблизиться, — сказал он на явно родном английском, неотрывно глядя на нее.

— Простите, как?

— После всего, что я натворил... Ах, Элис, — он внезапно накрыл ее руку, лежавшую на столе, своей мягкой ладонью, и в голосе его прозвучала обжигающая страсть:

— Зачем ты заставила меня думать, что я потерял тебя? Зачем ты сделала вид, что бросилась за борт? В наказание?

Он наклонился вперед, и его глаза оказались так близко... Элис Хэммерсмит растерянно сказала:

— Я не понимаю, откуда вы все это знаете? Про меня? Откуда вы знаете про теплоход...

— Элис, не гони меня! Поговори со мной. Пожалуйста.

— Я не собираюсь вас прогонять, — раздосадованно ответила та. — Напротив, я пытаюсь выяснить, зачем вы за мной ходите. Откуда знаете мое имя?

— Ах, так! — негромко сказал незнакомец. — Ты что, решила похоронить прошлое и начать все сначала? Да, дорогая? Я правильно тебя понимаю? — По его губам скользнула задумчивая улыбка. — Что ж? Я не против. Наоборот. Я сделаю все, что ты захочешь. Как ты захочешь. Понимаешь? Мы можем познакомиться заново.

Элис смотрела на мужчину во все глаза. От него веяло такой нежностью, такой любовью — и это было сильное, сформировавшееся и осознанное чувство, — что у нее просто захватывало дух. Никогда еще и никто не говорил с ней так... Однако что за околесицу он несет? Ей стало страшно и любопытно одновременно. Незнакомец был в курсе, что она разыграла самоубийство, где она скрывается в настоящее время и под каким именем. Откуда он все это знал и что ему нужно? Она еще раз попыталась высказать ему свои сомнения:

— Я вас совершенно не знаю, понимаете? Вы меня пугаете, когда вот так ходите за мной. Вы не боитесь, что я могу обратиться в местную полицию?

— Не боюсь, — покачал головой незнакомец. — Потому что уверен: ты этого не сделаешь. Во-первых, за любовь не арестовывают, а во-вторых, ты ведь живешь по поддельным документам. И не станешь рисковать, обращаясь к властям.

Элис резко выпрямилась на своем месте:

— Скажите, вам от меня что-то нужно? Вы хотите денег?

— Денег? — На лице незнакомца появилось изумленное выражение. — Зачем?

— Я не знаю, — в голосе Элис проскользнули истерические нотки. — За свое молчание, может быть.

— Ты хочешь, чтобы я скрыл то, что ты жива? Чтобы все по-прежнему думали, что ты умерла? Даже твоя подруга из Москвы? Даже Лэрри?

«Господи, это какой-то сумасшедший дом, — подумала Элис Хэммерсмит. — Кто эти люди, о которых он говорит?»

— Кто эти люди, о которых вы упоминаете? Я не знаю никого из них. А вы произносите эти имена так, как будто я их знаю. Это меня просто сводит с ума. Вы можете поговорить со мной серьезно?

— Элис, пожалуйста, не надо нервничать, ладно? — В голосе незнакомца появилась тревога. — Если ты хочешь вычеркнуть из своей памяти все, что было до твоего возвращения в Россию, то так и скажи. Просто скажи. Я ведь сразу объяснил: я сделаю все, что ты захочешь. Я никогда больше не оставлю тебя, Элис. Никогда. Я люблю тебя...

Элис Хэммерсмит быстро встала.

— Ну, знаете. Если бы вы не назвали меня по имени и не знали о моем... моем перевоплощении, я бы приняла вас за психа.

— Элис, подожди! — воскликнул незнакомец, вскакивая и удерживая ее за руку. — Подожди. Я провожу тебя. Ты устала? Ты хорошо себя чувствуешь?

— Что вам от меня надо? — тихо, но со слезами в голосе спросила Элис.

— Надо? Что мне от тебя надо? — жарким голосом переспросил незнакомец и, внезапно остановившись, взял Элис за запястье и нежно, но твердо развернул к себе лицом. — Мне надо, чтобы ты простила меня. Мне надо, чтобы ты позволила мне любить тебя. Мне надо, чтобы ты впустила меня в свою жизнь.

— С какой стати? Почему? — растерянно спросила Элис.

— Почему? — Мужчина перешел вдруг на хриплый шепот. — Потому, что у тебя под сердцем мой ребенок. И я уже люблю его, хотя он еще не родился.

— Ваш ребенок? — спросила Элис, вытаращив глаза. — Да я даже не знаю, как вас зовут!

Незнакомец моргнул, потом по губам его пробежала легкая улыбка:

— А, ну да. Мы ведь начинаем все сначала. Я и забыл. Тогда разрешите представиться: меня зовут Гарри Фарвел. — Он немного помолчал, потом усмехнулся краешком губ и добавил: — Можно просто Гарри.

* * *

Артур Хэммерсмит был мужчиной среднего роста и средней полноты. Он обладал яркими чертами, способными сохранять привлекательность многие годы. В настоящий момент Артур был явно на взводе. Он пришел в ресторан отнюдь не с целью утолить голод. Сын ждал его за столиком у окна, откуда открывался великолепный вид на залив.

— Итак, тебя шантажируют, — устало констатировал он. — Надо обратиться к шефу полиции. В свое время я доверился Хайнцу, и он меня не подвел. Когда я попал в переделку с Френком Гроссом.

— Это тот, которого сбила твоя машина?

— Только за рулем сидел не я, а Уолкин. Если помнишь, он работал на нас. Машину взял без спроса и совершил наезд. Алиби у меня не было. Хайнц не дал разразиться скандалу. Я благодарен ему. Об этом, кроме заинтересованных лиц, не узнала ни одна живая душа!

— Ни одна живая душа! — горько рассмеялся Винсент. — А меня ты мог поставить в известность?!

— Я не думал, что стоит портить тебе настроение.

— Да меня ведь шантажировали как раз этим самым наездом!

Артур моментально подобрался:

— Шутишь?

— Уж какие тут могут быть шутки, отец!

— Почему же ты молчал? — Глаза Артура блеснули гневом. — Почему не рассказал мне?

— Наверное, потому, почему ты мне ничего не рассказал. Шантажист грозил передать сведения прессе.

— Сколько ты ему заплатил?

— Ничего, ноль. Речь шла не о деньгах.

— А о чем? — Голос Артура был требовательным и дружелюбным одновременно. Ему удавалось сохранить твердость и проявить сочувствие.

— О женитьбе. Угрожая раскрыть тайну гибели Гросса, которого ты якобы сбил, мне навязали жену.

— Жену? Твою жену? Элис?!

— Да. Меня вынудили сделать ей предложение.

— Черт побери, мальчик мой! Это что-то совершенно необычное.

— Безусловно. Я так и не понял, что все это означает. — Он помолчал и, пока официант занимался заказом, задумчиво произнес: — Сначала Элис странным образом вышла за меня замуж, потом она странным образом исполняла роль жены, а теперь кто-то хочет ее убить.

— Может быть, тот самый шантажист?

Винсент поднял на отца мрачные глаза.

— Я не знаю. Я бьюсь над этой загадкой уже почти год.

— Ты пытался вести расследование?

— Нет. Я боялся, что, если начну искать шантажиста, дело о наезде будет обнародовано. Даже сейчас, зная, что ты ни в чем не замешан, было бы нежелательно вытаскивать на свет подробности той истории с Гроссом.

— Понимаю... — Артур завороженно смотрел в окно, пока его мозг лихорадочно просчитывал варианты действий. — Однако теперь, когда я в курсе, я смогу помочь тебе. Ты не против?

— Я же сам обратился за помощью, — возразил Винсент. — Правда, мне не хотелось бы делать официальное заявление...

— Я это улажу. Поверь, мальчик мой, мы разберемся с этим типом очень быстро.

* * *

В ежедневнике Дениса первоочередным мероприятием числилась поездка на Чистые пруды. Как и пророчил Косточкин, Нина Ахломова, бывшая соседка Татьяны Соболевой по коммуналке, проработавшая всю жизнь врачом в женской консультации, умерла одиннадцать лет назад. Единственное, что Денису удалось выяснить по ее старому адресу, это координаты двоюродной сестры Ахломовой, той самой таинственной женщины, которая работала в роддоме и могла держать в руках все нити интриги. Ее звали Роза Пашкова.

— Можно сказать, что на Чистых прудах мне повезло, — сообщил Денис жене, которая требовала от него самых подробных отчетов о расследовании Алисиного дела. — Представь себе, в квартире живет дочь Нины Ахломовой с мужем и сыном. Когда я заявился к ним, думал, никакого разговора не получится. Действительно — кто я такой? Зачем задаю вопросы? Но семейство оказалось интеллигентное. Меня приняли как хорошего гостя, напоили чайком...

— О чем же вы говорили?

— Ха. Это и было для меня самым трудным — выбрать верную тему для разговора. Не мог же я прямо с ходу сказать: ваша мамаша подозревается мной в совершении довольно серьезного проступка. Вступив в сговор со своей двоюродной сестрой, она содействовала тому, что младенец, которому сейчас сравнялось тридцать два года, был лишен своей настоящей семьи и попал в руки посторонней женщины.

— Звучит ужасно, — согласилась Галка.

— Честно признаюсь, сегодня я чувствовал себя настоящим мямлей. Нет, сначала-то я очень бодро сообщил, кто такой. Дескать, друг Алисы Соболевой, дочки Татьяны Соболевой, которая жила в этой квартире, была соседкой вашей мамы Нины. А потом начал путаться в объяснениях. Мне пришлось изрядно попотеть, чтобы не сказать ничего толком и вытащить хоть какие-то сведения.

— И что это за сведения?

— Главное — я узнал имя двоюродной сестры Нины Ахломовой, которая работала в искомом роддоме. Роза Пашкова. Она моложе сестры на десять лет, поэтому есть надежда, что до сих пор живет и здравствует. Дочь Нины ничего о ней не знает, к сожалению. Старый адрес, правда, она разыскала для меня в записной книжке матери. Все вещи ее до сих пор хранит в кладовке в коробках. Удивительная женщина. Такая мягкая, внимательная. Мне она очень понравилась.

— И ты не стал ее расстраивать своими жуткими предположениями, — утвердительно сказала Галка.

— Ну да, не стал. Толку-то было бы? Она сразу сказала, что работа матери никогда ее не касалась. Она рано стала самостоятельной, много ездила по стране, месяцами пропадала на археологических раскопках. Там, кстати, познакомилась со своим мужем. Он у нее ученый. Сидел такой молчаливый, независимый. Но потом кое на что открыл мне глаза.

— Да? Интересно. Расскажи-ка.

— Его жена опаздывала на какую-то деловую встречу. Когда она встала из-за стола, я тоже засобирался. Но ее муж меня остановил. У него, кстати, интересное имя — Игнат. Такое же жесткое, как и его борода.

— Вы что, целовались?

— Нет, ну на взгляд, — Денис не оценил ее юмора.

— Наверное, он хотел сказать тебе что-то наедине?

— Истинная правда. Выпроводил жену и, вернувшись ко мне, заявил:

— Если вас интересует моя покойная теща, то вы зря обратились к Светочке. Она совершенно необъективна. Вообще очень наивна, простодушна и далека от реальной жизни.

— А он готов был давать объективные оценки?

— Ну, сначала я признался ему, что расследую дело о похищении младенца. Тогда этот Игнат воздел руки к потолку, как будто хотел воскликнуть: «Я же говорил!» Потом я прямо спросил его, могла ли Нина Ахломова вляпаться в такое дело.

— И что он ответил?

— Что безусловно могла. Могла даже его инициировать. Как выяснилось, эта женщина была алчной и замкнутой. Относилась к людям с недоверием и по-настоящему не любила ни своего мужа, ни свою дочь. Ее сбережения превышали все разумные пределы. Что выяснилось, кстати, только после ее смерти. О своей двоюродной сестре, работнице роддома, насколько помнил Игнат, его теща всегда отзывалась с неодобрением. Похоже, эта Роза Пашкова — полная противоположность Нины. Бесхребетная, чувствительная. Думается, Нина умела ею управлять и вполне могла втянуть в свой киндер-бизнес.

— Что ж, это немало. Для понимания этической стороны случившегося, — подытожила Галка. — Теперь, выходит, на очереди у тебя Роза Пашкова?

Денис непроизвольно потер руки:

— Да. И я надеюсь, что, если она такова, как описал Игнат, ее можно будет запросто разжалобить историей о двух близняшках, потерявших матерей и неожиданно узнавших друг о друге тридцать два года спустя после своего рождения.

— О... — иронически протянула Галка. — Брать в оборот жалостливых женщин — для этого требуется настоящий мужской характер!

Денис хлопнул себя по коленям и, подмигнув, нагло заявил:

— И он у меня есть.

Глава 11

— Как поживает ваш преследоватсль?

Элис неопределенно пожала плечами и неохотно призналась:

— Мы встречаемся с ним после обеда.

— Так что там с ним?

— С ним? Все очень странно. — Элис хмыкнула и уставилась на свои сандалии, не сумев согнать с лица кривую улыбку. — Он американец. Журналист. Зовут его Гарри Фарвел. Он уверяет, что знает меня ужасно давно, что мы оба жили во Флориде и даже... были любовниками. И еще. Он уверен, что я скоро произведу на свет его наследника.

— С вами вообще одни неприятности, — посетовал человек в очках, откидываясь на спинку дивана. — Не дождусь, когда появится Георгий.

— Послушайте, а что, если я выйду замуж?

Человек в очках подавился водой и, с трудом прокашлявшись, посмотрел на свою собеседницу круглыми глазами:

— Вы же замужем.

— Не я. Замужем была Элис Хэммерсмит. А я — совершенно свободна.

— И кого вы наметили своей жертвой? Того парня с крышей набекрень?

— Почему бы и нет? Он отлично ко мне относится. Конечно, хотелось бы разобраться во всей той ерунде, которую он время от времени начинает нести...

— Может быть, он сбежал из психушки, а вы вот так просто приветили его.

— Да вы же сами советовали поговорить с ним...

— Поговорить, а не свадьбу устраивать. И вообще — вам лучше сидеть тише мыши.

— А я что — не сижу? Когда Георгий обещал вывезти меня в Россию, я думала, это будет что-то другое. Москва, Петербург, Нижний Новгород хотя бы...

— Георгий грузин. У него здесь связи.. Кстати, он вот-вот вернется, вот тогда и обсудите с ним свои личные планы. Я же лишь могу контролировать ситуацию в целом. Я должен знать, где вы и с кем. Поостереглись бы вы этого парня.

— Знаете, мне кажется, Гарри меня с кем-то путает.

— Если когда-нибудь я забуду, с кем делал детей, сдерите с меня шкуру.

— Ну ладно-ладно, не иронизируйте. На самом деле я жутко заинтригована. Конечно, этот парень меня немножко пугает. Но, с другой стороны, его искренность подкупает.

— Маньяки бывают ужасно искренними.

В этот момент постучали в дверь. Стук был негромким, но настойчивым.

— Может, это он, Гарри? — шепотом спросила Элис у своего собеседника. — Хорошо, что вы здесь. Раньше он никогда не приходил сюда, хотя и знает, где я живу.

— Я спрошу, — сказал мужчина, быстро скользнув к двери. В его движениях появилось нечто опасное. — Кто? — тихо спросил он, прижавшись спиной к стене.

— Мне нужно повидать Элис Хэммерсмит, — ответили ему по-английски.

Мужчина посмотрел на замершую Элис. Она покачала головой и испуганно расширила глаза, закрыв рот ладонью.

— А кто вы такой?

— Меня зовут Энди Торвил. Я частный детектив из Вустер-сити.

— Вас нанял мой муж? — спросила Элис срывающимся голосом, метнувшись к двери.

— Нет, мэм. — Собеседник сделал секундную паузу, а потом пояснил: — Меня наняла ваша сестра.

* * *

Том позвонил Алисе ранним утром и сообщил:

— Ребята, которые сидят у вас на хвосте, служат в охранном агенстве «Торнадо». Сейчас я пытаюсь узнать, кто их нанял.

— Они могли стрелять в меня?

— Кто угодно мог. Они или нет — это мы выясним обязательно, — в голосе Тома, казалось, была железная уверенность. — Но если ко мне придут полицейские, правила игры изменятся. Вы это понимаете?

— Да, конечно. А что с Фредом? Я ведь вчера рассказала вам...

— Начинаю работать. Как только положу трубку, сразу займусь этим примерным служащим.

Фред появился после завтрака и, в отличие от Алисы, был бодр, подтянут и деловит. Влажные волосы свидетельствовали об освежающем душе, а благоухающая физиономия — о недавнем бритье. В руках он держал толстый пакет.

— Давай их сюда, — сказала Алиса.

— Держи, — Фред протянул письма, а сам присел на краешек тахты. — Я могу рассказать тебе, как проходил обмен чека на информацию.

— Не надо, — перебила его Алиса резче, чем ей хотелось бы. Пытаясь смягчить впечатление от своей резкости, она добавила: — Не сердись, Фред, но я сейчас хотела бы побыть одна. Мне надо прочесть эти письма. Я всю ночь ворочалась, не спала.

— Из-за писем или из-за того выстрела?

— Из-за всего сразу.

«Проклятый лжец, — в гневе думала она, вглядываясь в лицо Фреда. — Еще неизвестно, не сделал ли ты чего с моей сестрой! Ладно, я пока подожду, но потом мы во всем с тобой разберемся».

Фред, в свою очередь, думал об Элис с беспокойством. Она возвратилась из России другим человеком: не так вела себя, не так одевалась, даже говорила не так. У нее появился странный акцент, который домашние приписывали влиянию Георгия. Кроме того, Элис полностью сменила имидж. Раньше она казалась слабой и милой, одевалась в пестрые, почти детские наряды и любила поныть. Нынешняя Элис была сильной, рассудительной и скрытной. Фред никак не мог найти причину такой перемены.

* * *

История с женитьбой сына потрясла Артура. Поэтому к Винсенту он приехал вместе с шефом полиции.

— Я думаю, шантажиста можно найти, — заявил он, требовательно глядя на Хайнца.

Они втроем находились в библиотеке особняка Хэммерсмитов. Винсент опустошал одну чашку кофе за другой, Хайнц курил, Артур прокладывал маршруты от окна к двери и обратно.

— Кстати, что касается выстрела на Лэйк Шор роуд, — сказал Хайнц. — Это была чистая случайность.

— И то слава богу, — махнул рукой Артур. — Кто-то из клиентов оружейного магазина?

— Да, голубчик был страшно напуган, когда его призвали к ответу...

— Его быстро нашли.

— Все, кто покупает оружие, регистрируются. Не составило большого труда провести проверку. Когда этот снайпер открыл дверь своего дома и увидел копа, у него от страха едва не случился обморок.

— Молодой? — спросил Винсент.

— Двадцать четыре года. Но с виду — настоящий мозгляк.

— Таких мозгляков надо казнить, — раздраженно сказал Артур.

— Если бы моя жена случайно не оступилась, — вмешался Винсент, — она сейчас была бы мертва.

Хайнц покорно кивнул.

— Так что насчет шантажиста, Тео? — напомнил Артур.

— Это ужасно странное дело. Со дня свадьбы прошел

уже почти год, и все это время от шантажиста не было ни слуху ни духу.

— Но он добился того, чего хотел! — возразил Винсент. — Я женился на Элис. Думаю, он обнаружит себя еще раз лишь в том случае, если станет известно о моем намерении развестись с ней.

— Значит, надо объявить о разводе, — резко сказал Артур. — Кстати, Винс, ты наверняка думал о том, кому выгоден ваш союз?

— Понятия не имею. Ты знаешь, что отец Элис человек весьма обеспеченный и порядочный. В семье есть деньги... Я так и не пришел ни к какому выводу.

— Вполне возможно, что дело вообще не стоит выеденного яйца, — махнул рукой Хайнц. — Допустим, некто узнает о наезде и о том, что случай замяли. Допустим также, что этот кто-то имеет зуб на Винсента.

— Ты считаешь, это просто какой-то мелкий гаденыш? — изумленно спросил Артур.

— Отчего нет?

— Да, но почему именно на Элис я должен был жениться? — взволнованно спросил Винсент. — Почему это была не Энджела Герсен с бородавкой на носу? Или не Гортензия Пакстон, у которой кривые ноги и желе вместо мозгов? Если мне просто хотели насолить, почему не выбрали кого-то из них?

Хайнц пожал плечами:

— Предположения пока что выдвигать бессмысленно — фактов не хватает.

— И что же прикажешь делать? — спросил Винсент.

Артур повернулся к нему лицом и веско сказал:

— Разводиться.

* * *

— Не впускайте его! — трагическим шепотом попроси Элис Хэммерсмит, вцепившись в рукав мужчины, котор замер перед закрытой дверью. — У меня нет никакой сестры. Он лжет. Никакой сестры у меня нет.

От испуга глаза ее сделались огромными, как у ребенка, стоящего на пороге темной комнаты.

— Значит, вы не знаете о ней? — удивился Энди Торвил,

все еще остававшийся снаружи. И, помолчав, сказал, словно сам себе: — Значит, вот как. Вы просто ничего не знаете.

— Подождите там, — приказал мужчина. — Нам надо посовещаться.

— О чем нам совещаться? Прогоните его. Вы же можете. Я уверена, что можете, — сказала Элис. Губы у нее дрожали и были белыми, словно она сильно замерзла.

— Эй, перестаньте, — одернул ее человек в очках. — К чему эта паника?

— Вы что, не понимаете — меня обнаружили! Убежище оказалось совершенно ненадежным.

— Верно, — мужчина покачал головой, задумчиво глядя в пол. — И это странно. Георгий никогда не прокалывался. А уж в вашем случае это вдвойне странно. Он был очень заинтересован в вашем расположении. Вы хорошо платите.

— Рада, что вы цените, — пробормотала Элис.

— Я думаю, надо впустить его.

— Ни за что! — Элис была непреклонна. — Это наверняка человек Винсента.

— А ну-ка, прекратите трястись, — прикрикнул мужчина. Он весь подобрался, и это его совершенно изменило. — Ваши семейные проблемы я как-нибудь решу.

— Эй, послушайте, — подал между тем голос Энди Торвил, ждавший за дверью. — Я вам кое-что покажу, хорошо? Фотографию. Я подсуну ее под дверь.

— О'кей, — сказал мужчина.

Тут же из-под двери показался краешек конверта. Мужчина, прислушавшись, сделал быстрый выпад и молниеносно схватил его. Когда он доставал фотографию, Элис Хэммерсмит подвинулась близко и теперь дышала ему в плечо, пытаясь разглядеть, что там такое.

— Это вы, — сказал мужчина, пожав плечами.

— Совсем нет, — отозвался из-за двери Энди Торвил. — Это вовсе не она. Это ее копия, которая выдает себя за Элис Хэммерсмит.

Элис схватила снимок и, вглядевшись в него, удивленно сказала:

— У меня не такие волосы. И платье... Это, наверное, фотомонтаж.

— Попробуйте позвонить в Вустер-сити и попросите к телефону Элис Хэммерсмит.

— Элис Хэммерсмит утонула, — заявила Элис.

— В Вустер-сити об этом никто не знает, уверяю вас. Некая дама под именем Элис Хэммерсмит благополучно возвратилась из России домой. Правда, сейчас у нее большие неприятности.

— Что будем делать? — спросил мужчина, глядя на Элис вопросительно.

— Нужно позвонить домой и проверить, — неуверенно ответила та.

— Знаете что? — предложил Торвил. — Давайте я зайду вечером еще раз. До тех пор вы все обсудите, хорошо? Но не советую вам переезжать и прятаться. Я нахожусь в странном положении. Некая женщина под именем Элис Хэммерсмит наняла меня для одного расследования, в ходе которого я внезапно выяснил, что она вовсе не та, за кого себя выдает Хэммерсмит, но похожа на Элис как две капли воды. И вот теперь я нахожу настоящую Элис Хэммерсмит и хочу спросить у нее: что она обо всем этом думает? Щекотливое положение, не так ли?

— Я же говорил — с вами одни неприятности, — недовольно резюмировал мужчина в очках, глядя на Элис.

Но та словно выключилась. Она молча и с нескрываемым изумлением рассматривала фотографию.

— Эта женщина, случайно, приехала не из Флориды? — спросила она наконец.

Торвил молчал несколько секунд, потом, сопоставив факты, быстро спросил:

— А вы не знаете человека по имени Лэрри Солдан?

— Лэрри? Гарри говорил о каком-то Лэрри, помнится мне.

— Кто такой Гарри? — спросил из-за двери Торвил.

— Знаете что? — обратилась Элис к мужчине в очках. — Давайте его впустим. Мне кажется, я начинаю ему верить.

— Ну, что ж, — в руках у мужчины появился пистолет, который он держал в руке, опустив ее вниз. Однако глаза его были нацелены на дверь, словно два дула. — Входите, мистер.

Два поворота ключа, и Энди Торвил со своей замечательной улыбкой и внушающей доверие внешностью возник в проеме двери.

— Уберите оружие, — нахмурившись, сказал он. — Оно ни к чему.

Мужчина в очках молча приблизился и ловко прошелся по его бокам, но, ничего не обнаружив, отступил и быстро спрятал свой пистолет.

— Так это вы? Вы ведь уже подходили ко мне. Раньше... — пробормотала Элис, устраиваясь на краешке дивана прямо напротив непрошеного гостя.

— Я готов рассказать все, что знаю сам, — начал Энди. Потом внимательно взглянул на женщину напротив и наигранно веселым голосом спросил: — Только прежде скажите мне одну вещь. Вы действительно Элис Хэммерсмит?

* * *

Сегодня у Дениса, как у Пятачка, был день забот. Он мотался по всей Москве, встречался с разными людьми и в конце концов оказался на Берсеневской набережной. Выйдя из Дома прессы, суетливой походкой направился было к машине, но потом, осознав, что дела закончились и можно немножко расслабиться, остановился и вдохнул воздух полной грудью, на секунду прикрыв глаза.

На улице было тихо и тепло. Храм Христа Спасителя возвышался на противоположном берегу, демонстрируя исполинское величие. Спектакль в «Театре эстрады» еще не закончился, и вокруг было довольно пустынно. Лишь несколько такси с зелеными огоньками стояли на приколе, рассчитывая после окончания представления подобрать денежных пассажиров.

Постояв немного, Денис, уже не торопясь, двинулся к своей машине, притулившейся на самом краю стоянки, ближе к мосту. Когда он наклонился к дверце, чтобы привычным движением скользнуть на водительское место, какая-то длинная тень упала сзади на капот. Денис непроизвольно обернулся. Вернее, хотел это сделать, но не успел. Успел лишь краем глаза зацепить темную фигуру, наплывавшую сзади. Это был мужчина в шляпе, надвинутой на глаза.

И тут что-то тяжелое обрушилось на его череп, и он провалился в небытие.

Напавший на Дениса человек протолкнул его, обмякшего, на сиденье рядом с водительским, сам сел за руль. Он заранее выбрал место в одном из спальных районов, куда отвезет бесчувственную жертву и вместе с автомобилем спустит в карьер, на дне которого достаточно воды, чтобы скрыть его преступление. Он не нервничал и не торопился, тем более что ситуация складывалась благоприятно.

Однако на Садовом, возле Цветного бульвара, машина попала в пробку. Потом продвигавшийся по миллиметру поток затянуло в узенькое горлышко, через которое милиция пропускала автомобили по одному — впереди произошла авария. Преступник больше не мог рассчитывать на то, чтобы невидимкой пронестись по городу. Один из людей, регулировавших движение, уже несколько раз заглянул через стекло, явно присматриваясь к неподвижной фигуре справа от водителя. Преступник понимал, что неестественная поза Дениса вызывает подозрения.

Он не походил на спящего. Он находился без сознания, и это было видно невооруженным глазом. Голова его безвольно повисла и на каждой выбоине подпрыгивала то вверх, то вниз. Тело тоже отзывалось на болтанку медленным покачиванием. Но в процессе поездки это даже доставляло водителю удовольствие. Ему было приятно чувствовать свою силу и власть над событиями. Контролировать их. Сам по себе Денис не вызывал у него неприятия. Просто он стал посредником между прошлым и настоящим. Открыл прошлому дверь в сегодняшний день. А этого не стоило делать.

В конце концов недоверчивый милиционер все же подошел к машине вплотную и легонько постучал в окно, то ли пытаясь привлечь внимание свесившего голову вниз человека, то ли предлагая водителю опустить стекло.

Преступник открыл дверцу со своей стороны и вышел как ни в чем не бывало. Вокруг царила сумятица. «Скорая», мигающая тревожными огнями, желтые ленты ограждения, толпа любопытных и сочувствующих, официальные лица, неаккуратно состыкованные в общую кучу легковушки, рафики, пара автобусов. Он, не оглядываясь, нырнул за один из них, сделал несколько быстрых шагов и смешался с толпой. Медленно, стараясь ничем не привлечь к себе внимания, преступник начал выбираться из толпы на тротуар.

Смерть Дениса должна была стать для него культовым актом. Победить прошлое, заставить его замолчать, вычеркнуть из жизни все раздражающие факторы. Почти маниакальное желание, которому он не посмел противиться. И вот — ничего не вышло. «Значит, так надо, — сказал он себе. — Этот человек должен остаться в живых. А погибнуть, возможно, суждено мне». В ответ на это предположение сердце болезненно сжалось и пропустило удар.

* * *

Фред ни секунды не сомневался, что пуля, выпущенная в Элис Хэммерсмит, открыла новый этап в деле, которое началось давно, очень давно. Шестнадцать лет назад, когда ему только исполнилось двадцать, Брюс Седжвик возглавлял частное сыскное агентство. Он взял к себе неопытного парня, сделав ставку на его честолюбие и верно угаданную потребность обрести наставника. С тех пор Фред почитал Седжвика, как родного отца.

Брюс был стар, медлителен и необыкновенно проницателен. Не так давно он передал бизнес одному из своих многочисленных племянников, который оказался достаточно умен для того, чтобы не позволять дядюшкиному опыту пылиться, подобно сундуку на чердаке. Сидя в своем доме на Восточной улице, Седжвик давал многочисленные консультации по телефону, а также принимал посетителей, которые приходили и уходили инкогнито. Такая внештатная деятельность, оставляя Седжвика в тени, ежедневно приумножала авторитет основанного им агентства.

Фред хорошо помнил тот день, когда Брюс позвонил ему и попросил приехать. Помнится, Фред не задержался ни на минуту: он был рад оказать Седжвику любую услугу. Старик сидел на веранде в плетеном кресле, потягивая пиво, и глядел вдаль поверх деревьев. Они тепло поздоровались, после чего Брюс сразу же перешел к делу:

— Фред, я хочу попросить тебя об одолжении. Мне нужны сведения об одной даме.

Фред удивленно поднял брови.

— Не просто сведения, которые можно собрать оперативным путем. Я хочу, чтобы ты поработал на нее. О месте я уже договорился. Ты можешь?

— Да.

— Ее зовут Элис Хэммерсмит. Она вышла замуж около

года назад. Ее отец, Дэйл Хоккес, довольно состоятельный человек, одобрил этот брак. Однако у молодоженов с самого начала что-то не заладилось.

— Какая информация вам нужна?

— Детальная, Фред. Ты должен докладывать мне обо всем, что покажется тебе странным и не укладывающимся в привычные схемы.

— Вы заинтересованы в безопасности Элис Хэммер-смит?

— Безусловно. Ее сохранность — один из главных моментов, которые заставили меня обратиться именно к тебе. Она подыскивает помощника или, ну, скажем, секретаря. Тебя ей порекомендуют. Так что непосредственно с трудоустройством проблем никаких.

— Миссис Хэммерсмит знает, что я буду работать на вас?

— Эта молодая женщина даже не подозревает о моем существовании.

— Дело касается вас лично?

— Да, Фред. И скажу тебе, что я встревожен, как никогда. Речь идет о моей репутации.

Некоторое время Фред работал вслепую. Но когда на горизонте возникла Молли Паркер с ее письмами, а Элис сбежала в Россию, назрела необходимость более откровенного разговора.

— Надо было сразу рассказать тебе, — вздохнул Седжвик. — Тридцать лет назад я совершил одну ошибку. Надеялся, что все обойдется. Но нет. Все-таки аукнулось. Я тогда уже кое-чего добился, и мое агентство было на плаву. Дэйл Хоккес часто пользовался моими услугами, до тех пор, пока не завел своих собственных сыщиков. Поручения, правда, большей частью были мелкими, но все равно я выполнял их с особой тщательностью — ты сам знаешь, как важно удержать хорошего клиента. Но однажды Дэйл пришел ко мне расстроенный, и между нами состоялся конфиденциальный разговор. В то время Дэйл стал подозревать, что ему изменяет жена. Джули была молода, гораздо моложе его, и очень привлекательна.

— Он поручил вам следить за своей женой?

— Точно так. — Седжвик замолчал, угрюмо уставившись в пол.

— Так что же произошло? — спросил заинтригованный Фред.

— Я дал ему неверную информацию.

— О, нет!

— Да. До сих пор не могу понять, почему я схалтурил в этом деле. Сколько ни думаю об этом, оправданий себе не нахожу. Я следил за Джули. Она была такая хорошенькая, такая молодая, задорная. Мне она нравилась, и мне очень не хотелось, чтобы после предпринятого мной расследования в ее жизни наступил разлад. Но... Разве я мог что-нибудь поделать? Если бы даже я покривил душой и ничего не сказал Дейлу, он нанял бы кого-нибудь другого.

— Так что же случилось? — торопил Фред.

— Ее маршрут всегда был один и тот же. Она ездила в дом своих друзей Хэммерсмитов — Артура и Памелы.

— О, господи!

— Причем Джули приезжала только в то время, когда дома не было Памелы. Машину она оставляла в перелеске, никогда не въезжала на подъездную аллею, и потом по тропинке позади домика садовника проходила к левому крылу особняка, где находился запасной вход.

— И что вы сделали?

— В том-то и дело, что ничего. Я не стал больше ничего делать. Я просто доложил Дейлу Хоккесу о визитах его жены.

— А что предпринял Хоккес?

— Я уже говорил: он был без ума от Джули. Он попытался вновь завоевать ее расположение, ухаживал за ней, как в первые дни знакомства, собирался увезти ее в Европу, чтобы оторвать от любовника, но тут она сообщила, что ждет ребенка.

— Чудовищно.

— Однако Дейл вел себя, как ангел. И никогда — ни словом, ни жестом не дал понять жене, что знает о ее романе.

— Он не засомневался в своем отцовстве?

— Даже если и засомневался, то виду не подал. После гибели Джули он воспитывал Элис один, и до сих пор любит ее без памяти.

— А при чем здесь тогда ваша совесть? — пожал плечами Фред.

— А вот при чем. Можешь себе представить, что несколько месяцев спустя после своего доклада я совершенно случайно на какой-то дурацкой вечеринке узнаю, что владения Хэммерсмитов граничат с владениями некоего Виктора Хаттона, художника. Я тут же вспоминаю, что Джули в последнее время увлеченно пишет маслом. Что-то как будто щелкнуло в моем мозгу. Тут уж я поработал на полную катушку. Я был весь в мыле, когда выяснил правду. Артур Хэммерсмит, с которым Джули дружила с детства, прикрывал ее роман с Хаттоном, позволяя проходить через свой участок в соседний сад. Что я должен был делать с этой информацией?

— Почему было не донести ее до клиента?

— С Хэммерсмитами Хоккесы дружили. Возможно, именно это сыграло какую-то роль в том, что Джули удалось избежать скандала, развода и всего, что с этим связано. Через несколько месяцев должен был родиться ребенок, я не решился все испортить. Можешь себе представить, Фред, мои чувства, когда я узнал, что дочь Хоккеса вышла замуж за сына Хэммерсмита?

— Если Дейл Хоккес исходил из ваших тогдашних докладов, он должен подозревать, что у Элис и Винсента один и тот же отец — Артур? Они — сводные брат и сестра. И тем не менее он позволил им пожениться! Хотя... — Фред встрепенулся. — Возможно, Дейл Хоккес наверняка знает, что Элис — именно его дочь. Может быть, он прошел специальный тест?

Брюс покачал головой:

— Не прошел. Я наводил справки. Дейл не может быть уверен на все сто процентов. Понимаешь, дичь какая? Насколько я успел выяснить, он не возражал против брака Элис с Винсентом Хэммерсмитом. Наоборот, всячески его приветствовал. Что бы это могло значить, а, Фред?

— Понятия не имею. Хоккес должен был бы костьми лечь, но расстроить брак Элис с человеком, который, по его мнению, вполне может статься, является ее братом. Ведь он один воспитывал дочку, он боготворит ее. Как он мог допустить подобное? Может быть, за эти годы у него появились какие-то документальные подтверждения того, что Элис — его плоть и кровь?

— Документальные? Сомнительно.

— А что мне делать с Элис, с письмами Лоры Шмидт? Элис хочет, чтобы я выкупил их и провел расследование. Она хочет, чтобы я выяснил, что происходило между ее родителями на самом деле. Стоит ли это делать?

— Почему бы и нет? — пожал плечами Брюс. — Разве я имею право вставать ей поперек пути? Правда всегда всплывает — рано или поздно. Это мой личный опыт, Фред. Личный опыт, — повторил он, горестно качая головой.

— Но вы ведь, в сущности, уже назвали мне имя ее настоящего отца — Виктор Хаттон. Я могу использовать вашу информацию?

— Использовать можешь, но только действуй так, будто бы я не участвую в деле, хорошо?

— Хорошо, — кивнул Фред.

Он надеялся, что дело можно будет распутать довольно быстро. Но ошибся. Прошлое было таинственным и не хотело открываться по первому требованию. Фред двигался почти на ощупь. «Старые люди, старые тайны, — думал он с досадой. — Лучше бы они оставляли их в прошлом, а не тащили бы за собой, расстраивая молодых женщин и перспективные браки».

Когда Элис сбежала с Георгием, из телефонного разговора с Молли Паркер она уже знала, что Дейл Хоккес не ее отец. Она оставила Фреду письмо, в котором писала: «Извини, Фред, но встречаться теперь с Дейлом — настоящая пытка. Я уезжаю на русский курорт. В конце концов, я родилась в России и уже давно хотела побывать на второй родине. Георгий будет моим провожатым. Не потому, что я от него без ума, а просто потому, что у него есть время и желание сопровождать меня где бы то ни было. Свяжусь с тобой в ближайшее время. И помни, Фред, ты продолжаешь работать на меня. Жалованье будет поступать регулярно. Очень прошу: двигай дальше наше расследование. Исследуй прошлое моих родителей, выясни все, что возможно. Если Молли Паркер даст о себе знать — выкупи письма, у тебя есть мой чек. Что бы ни случилось, не бросай этого дела. Я на тебя надеюсь. Элис».

Тем временем Винсент Хэммерсмит был полон решимости вернуть свою жену домой. Фред согласился участвовать в этой «операции спасения». Однако, к его немалому изумлению, женщина, еще недавно находившаяся на грани нервного срыва, вела себя довольно загадочно. Начать с того, что по России она путешествовала в одиночестве, потеряв своего любимчика Георгия где-то по дороге. Кроме того, была на редкость сдержанна и спокойна. И при встрече ни словом — ни словом! — не обмолвилась ни о Дейле Хоккесе, ни о Молли Паркер, ни о письмах, ни вообще о расследовании, которое еще недавно казалось для нее делом жизни и смерти.

Глава 12

Алиса понимала, что может доверять в этом городе только частным детективам. Она нашла их сама, по чистой случайности выбрав из нескольких находящихся в окрестностях контор агентство Торвила. Но Торвил застрял в России и не торопился ехать обратно.

Измученная переживаниями, Алиса решила отдохнуть. Несколько часов сна — и, возможно, ее нервы хоть немного успокоятся. Она отогнула покрывало на кровати и легла, свернувшись калачиком, на самом краешке. Шелковая подушка, украшавшая изголовье, осталась лежать там, где лежала. Алиса хотела было протянуть руку и подтащить ее себе под щеку, но ей было лень. Сон уже наплывал на нее, обволакивая и убаюкивая. А ей так нравилось прикосновение шелка к коже. Может быть, все-таки потянуться за подушкой?

Алиса задремала. Спустя какое-то время она проснулась и сразу вспомнила, что хотела подложить подушку под голову. В комнате было темно. Алиса, лежа на боку, сонно зевнула, вытянула руку вверх, но подушки не нашла. Она поводила рукой во все стороны — безрезультатно. Тогда она подвинулась повыше и перевернулась на спину.

В это самое мгновение черный силуэт вырос на фоне слабо освещенного луной окна, и та самая подушка, которую она так упорно искала, с размаху опустилась ей на лицо. Шелковая ткань залепила ей рот и нос, а сверху чья-то сильная, явно мужская рука давила и давила изо всех сил, чтобы не дать жертве вырваться и глотнуть воздуха.

Адреналин ворвался в кровь Алисы так же внезапно, как в ее сердце ворвался ужас. Убийца коленом наступил на ее ноги, а свободной рукой попытался схватить запястья. На какой-то момент нажим ослаб, и Алиса сумела отпихнуть его руки и глотнуть капельку воздуха.

— А-а-а! — изо всех сил закричала она. Но крик ее получился слишком коротким и слабым. Еще секунда — и она потеряет сознание. Убийца для верности еще постоит над ее телом, а потом уйдет, бросив ее на постели со страшно посиневшим лицом. В ее сознание медленно вплывала чернота, сливаясь с чернотой комнаты, которая, судя по всему, должна была стать последним прибежищем не слишком удачливой Алисы Соболевой.

Она не успела потерять сознание. В коридоре послышались быстрые шаги, и кто-то постучал в дверь. В ту же секунду Алисе удалось сделать глоток воздуха, которого было недостаточно, чтобы закричать, но хватило, чтобы продолжать жить. Она не сразу поняла, что никто больше не душит ее, что подушка сползла набок, а сама она лежит, напряженно вытянувшись, схватившись обеими руками за шею. Она отрешенно наблюдала, как в комнату вбежал Винсент и стал что-то говорить, склонившись над ней. Она не слышала обращенных к ней слов и лишь фиксировала его действия.

Убедившись, что она жива и дышит, он бросился к распахнутому окну и, свесившись вниз, что-то громко крикнул в темноту. Потом бегом возвратился к двери в коридор и снова крикнул. В течение нескольких минут комната превратилась в военный штаб. Подходившие люди получали четкие указания и быстро расходились снова.

Алиса сидела на кровати и тупо растирала шею, хотя за горло убийца ее не хватал. На ней была длинная хлопчатобумажная футболка, и Алиса натянула ее на колени. Ее начало трясти. Тряслось все — руки, ноги, губы, даже щеки. Винсент, раздав указания, возвратился к ней.

— Можешь говорить? — требовательно спросил он, низко наклонившись.

Она энергично закивала, но не произнесла ни звука.

— Тебе не надо здесь оставаться, — сказал Винсент, быстро оглядываясь по сторонам. — Ты можешь идти?

Он осторожно взял ее за руку и слегка потянул, призывая подняться с кровати. — Вставай, детка, пойдем со мной, хорошо?

Алиса почувствовала, что еще немного, и она разревется. Винсент вел ее, босую, по коридору, крепко обняв за талию. В настоящий момент ей казалось, что его руки — самое надежное убежище на свете. В комнате он привлек ее к себе. Она без тени колебания прильнула к теплому телу, положив обе ладони на его грудь.

— Тихо, детка, все хорошо, успокойся, — пробормотал Винсент, когда Алиса начала тихонько всхлипывать. — Теперь ты все время будешь со мной.

— Пока все не прояснится? — переспросила она глухо прямо в его рубашку.

— Я сказал: все время.

Алиса решила, что он непременно должен ее поцеловать. И он ее поцеловал. Потом распахнул дверь в спальню:

— Думаю, тебе сейчас надо отдохнуть. Простыни перестелены, так что прошу...

Алисе показалось смешным отвечать словами на столь светское предложение, учитывая то, что на ней была только футболка. Молча улыбнувшись, она прошла вперед и скользнула под одеяло.

— Я буду в соседней комнате, — сказал Винсент.

Некоторое время она прислушивалась к тому, как он двигается по кабинету, говорит по телефону, что-то листает. Ей нравились эти живые звуки, и в конце концов она задремала.

Она не помнила потом, что ее разбудило. Голос? Нет. Запах! Этот отвратительный, страшный запах. Винсент с кем-то разговаривал в кабинете. С кем-то, кто пользовался «Испанской ночью». Выбравшись из постели, Алиса на цыпочках подкралась к двери и медленно-медленно повернула круглую ручку. Потом, удерживая ее, потянула дверь на себя.

Ей хватило крошечной щелки, чтобы увидеть того, кто явился источником ее мистического ужаса. Это был парень из поезда! Стоя спиной, Винсент о чем-то беседовал с ним. Потом они оба вышли из комнаты.

Алиса не стала медлить ни секунды. Убийца из поезда — человек Винсента. Значит, за всеми покушениями стоит именно Винсент! Он ведет какую-то игру, в которой Алисе отведена роль жертвы.

Позже она не могла уяснить, как ей удалось выбраться из особняка Хэммерсмитов. Пробежав по коридору, она нырнула в свою комнату. Натянула джинсы, схватила с тумбочки сумочку, где лежало немного наличных денег, и снова выскочила в коридор. Здесь никого не было. Судя по всему, внутри вообще не осталось охраны. Все бегали по территории, потому что напавший на Алису человек явно ускользнул через окно.

Алиса знала, куда бежать. Когда она читала письма матери к ее подруге, то живо представляла все описываемые события и даже ходила посмотреть, сохранилась ли дверь в левом крыле дома, мимо которой Джули так часто проходила в сад к своему возлюбленному. Дверь сохранилась. Более того, ее можно было открыть изнутри, просто отодвинув щеколду.

Где-то вдалеке хрустели ветки и переговаривались голоса, мячики света от ручных фонариков прыгали вверх и вниз далеко за деревьями. Алиса рванула вперед, рассчитывая на удачу.

* * *

— Не представляешь, как ему было скучно со мной! — сказал Денис, имея в виду следователя, к которому попало его заявление о нападении. — Кажется, он считает, будто все со мной произошедшее — некая нелепая случайность, в которой я сам и виноват. Собутыльников, дескать, надо выбирать тщательнее.

— А они проверили уровень алкоголя у тебя в крови? — поинтересовалась Галка.

— Шутишь ты, что ли? Кому это надо? Из травматологии такие, как я, летят, словно оладышки со сковородки. Подумаешь — по башке стукнули! Рана неопасная, нападавшего нет, свидетелей нет, машина моя.

— Но милиция же видела, что водитель убежал! — не согласилась Галка.

— Лапочка, — Денис чмокнул жену в щеку. — На них такие дела висят, что рассказывать страшно. А тут я со своими глупостями. Их тоже можно понять.

— Тебе стоило бы стать адвокатом, — сказала Галка. — Ты отлично умеешь войти в чужое положение.

Денис осторожно дотронулся до пострадавшего затылка и, поморщившись, сказал:

— Самый главный вопрос сейчас такой: связана ли эта история с расследованием тайны Алисиного рождения?

— Я тоже все время об этом думаю, — призналась Галка. — И, честно говоря, мне немножко страшно.

— Тебе немножко, а мне множко. Ведь если такая связь есть, меня в следующий раз просто шарахнут кирпичом по башке, и все.

— Тебе надо купить газовый баллончик, — с жаром заявила Галка.

Денис посмотрел на нее с жалостью, но никак ее заявления не прокомментировал. Вместо этого сказал:

— Вообще-то не похоже, что мы имеем дело с профессионалом.

— Да уж. Если бы это был киллер, он просто подошел бы и выстрелил, правда ведь? — с надеждой спросила Галка.

— И зачем он меня куда-то повез?

Его жена только развела руками.

— А ты совсем-совсем его не разглядел?

— Как же. На нем была шляпа.

— Та еще примета, — к Галке постепенно возвращалось чувство юмора. — Надеюсь, ты сообщил о ней следователю?

— Конечно, я все написал подробно. Напал человек в шляпе. Круглой, с короткими полями. Что, безусловно, очень поможет следствию.

Галка усмехнулась, потом предложила:

— Давай пойдем другим путем. Допустим, нападение было спровоцировано твоими расспросами. Кто из мужчин мог так сильно испугаться?

— Да их всего-то два, этих мужчин. Косточкин да Игнат, зять Нины Ахломовой.

— А кто из них больше подходит по росту?

— Они оба длинные, — махнул рукой Денис.

— С другой стороны, в наше время смешно думать, что человек сам будет марать руки, если ему вдруг вздумается кого-то убить.

— Вот тут ты ошибаешься. Киллера легко находят темные личности. Они знают, где искать, сколько платить. А вот ты, например, где бы заказала убийство, если бы тебе вдруг приспичило кого-то прикончить? То-то. Кроме того, мужчин в нашем деле может быть гораздо больше, чем тебе кажется. Ведь у Ольги Авдеенко наверняка есть какой-нибудь воздыхатель. Она красива, не станешь же ты отрицать? Красивые женщины никогда не ограничивают свою жизнь выращиванием роз в палисаднике.

— О, а ты знаток красивых женщин!

— Конечно. Я даже женат на одной из них.

— Предполагается, что я растаю от комплимента? — Галка прошлась по комнате. — И все-таки: что будем делать? У нас ведь не осталось в активе ни одной фамилии. Никого, с кем можно было бы еще поработать.

— А ты, видно, мечтаешь снова послать меня на передовую?

— Нет, ну мы же не можем так все бросить?

— Или стоит пойти по второму кругу? — вслух спросил Денис.

— Знаешь что? Я возвращаюсь к своему первоначальному предложению — нанять частных сыщиков.

— Кстати, — вдруг вспомнил Денис. — Наш американский профи насмерть застрял в Сочи.

— Наверное, он там отдыхает на всю катушку.

— Алисе это только на руку, насколько я понимаю. Так что мы скажем сыщикам, если пойдем их нанимать?

Галка развела руками:

— Дашь им все, что нарыл.

— А мне жалко. Они просто проверят мою информацию более тщательно. Но я и сам могу.

— А как же нападение?

— Обещаю, — Денис приложил правую ладонь к сердцу, — что завтра же экипируюсь, как воин, отправляющийся в поход.

— Что же будет входит в твою экипировку?

— Газовый баллончик, разумеется.

* * *

Энди Торвил сосредоточенно вел машину, а рядом с ним, нахохлившись, сидела Элис Хэммерсмит, въехавшая в страну по поддельным документам, купленным у Георгия Каванишвили с целью навсегда ее покинуть. Георгий, или Гоги, имел отличный бизнес, и до сих пор у него не случалось ни одного прокола. Он не только снабжал проверенных людей паспортами и водительскими правами, но еще предоставлял им сопутствующие услуги, в том числе временное убежище на юге России.

— Вы уверены, что этот человек — Гарри — действительно отправился во Флориду? — спросил Энди, коротко взглянув на свою спутницу.

— Мы так договорились, — ответила она.

— Мне он показался нетерпеливым и несговорчивым.

Элис нервно усмехнулась. Ей ли было не знать, насколько настойчив Гарри!

— Моя сестра — просто счастливица, — грустно сказала она, безвольно уронив руки на колени.

На ней были голубые в белую полоску брючки, едва достающие до щиколоток, и свободная клетчатая кофточка тех же цветов. Все вместе выглядело довольно броско. Каштановые волосы Элис собрала в конский хвост. Всю дорогу Торвил невольно сравнивал ее с сестрой и пожимал плечами. Это было довольно забавное ощущение — видеть перед собой одно и то же лицо в двух разных местах и в двух разных обличьях. Его не оставляло ощущение какого-то розыгрыша, хотя он ухитрился лучше кого бы то ни было разобраться в произошедшей путанице.

Из аэропорта Энди позвонил Тому Кларку.

— Шеф, она сбежала! — с места в карьер сообщил тот.

— Ладно, не бери в голову, разберемся. Кстати, сегодня тебе представится замечательная возможность познакомиться с настоящей Элис Хэммерсмит. Она прилетела со мной из России.

— Где ты собираешься ее прятать? — подозрительно спросил его помощник.

— Она желает вернуться домой.

— Вот уж не советую! Я ведь говорил тебе: в ту, другую Элис, стреляли. А сама она боялась даже нос на улицу высунуть. Но ведь никто, кроме нас, не знает, что та Элис — не настоящая. Поэтому убийцам все равно — поменялись они местами или нет. Убийцы будут стрелять в любую Элис, которая попадется им на глаза. Ты понимаешь? Ты что, хочешь привезти клиентку в то самое место, где она станет легкой добычей для убийц?

— Я собираюсь обнародовать всю историю. Заодно выяснится, кто покушается на нашу клиентку.

— А клиентка дала согласие?

— Та, которая со мной, дала.

— Но ведь это юридически неверно. Та, которая с тобой — вовсе не наша клиентка. Наша настоящая клиентка, скорее всего, мчится во Флориду.

— Тем не менее Элис хочет ехать в особняк Хэммерсмитов.

— И ты поедешь с ней? Энди, я в толк не возьму — отчего ты вдруг сделался таким рисковым парнем?

— Мне интересно, черт побери, — отозвался Энди. — Я впервые в жизни расследую дело с подменой близнецов.

— В нем полно криминала.

— Надеюсь, нам с тобой удастся все спустить на тормозах.

— Добрый Санта! — съязвил Том. — Но все равно я рад, что ты вернулся.

— Кстати, чем ты теперь занят?

— Сам не знаю.

— Можешь заняться поисками новой секретарши.

— Э-э, — сказал Том.

— Надеюсь, это проявление радости по поводу моего решения продолжать заниматься делами, — хмыкнул Энди Торвил, прежде чем положил трубку.

* * *

— Похоже, дело о шантаже начинает приобретать совершенно другие очертания, — сказал Хайнц, срочно вызванный Артуром Хэммерсмитом.

— Душитель показал высокий класс, — вмешался Винсент. — Честно говоря, я потрясен. В нашем городе давно не происходило ничего подобного.

— Теперь здесь слишком много приезжих, — сказал Артур. — Город меняется на глазах.

В этот момент на пороге библиотеки, опираясь на массивную трость, появился Брюс Седжвик собственной персоной.

— Привет, Брюс, — сказал шеф полиции. — Рад тебя видеть. — И пояснил для присутствующих: — Одно время мы работали с этим парнем в одной упряжке. Что тебя к нам привело? Да еще в такой час?

— Я работаю на Элис Хэммерсмит. — Окружающие

изумленно переглянулись, а Седжвик неохотно добавил: — Правда, она об этом не знает.

— Еще какие будут новости? — холодно спросил Винсент.

— Фред устроился сюда по моей просьбе.

— Зачем?

— Мне казалось, что у Элис могут возникнуть неприятности. Фред почти все время был рядом с ней. А когда он уезжал по делам, его подменяли ребята из моей фирмы. Правда, один раз они прокололись. В Элис стреляли, когда они были поблизости.

— Кто тебе платит?

— Никто, — усмехнулся Седжвик. — Это личное дело.

— Ну уж нет, — Артур хлопнул себя по коленям. — Так не пойдет. Что значит — личное дело, когда речь идет о моей семье! Брюс, ты должен выложить все начистоту.

— Я и выкладываю. — Старик сердито посмотрел на него. — Будь терпеливее.

Артур нахмурился, потому что Хайнц сделал ему знак молчать и сам обратился к Седжвику:

— Когда возникло это твое личное дело, Брюс?

Седжвик пожевал губами, потом сумрачно возвестил:

— Больше тридцати лет назад.

— Значит, все не с Элис началось? — подался вперед Винсент.

— С ее отца. И с Артура тоже.

— Ого! — сказал Хайнц и посмотрел на старшего Хэммерсмита.

Тот, в свою очередь, уставился на Седжвика:

— Хочешь сказать, это связано с той историей с художником?

— А-а, все же чувствуешь себя виноватым? — Старик сурово сдвинул брови.

— Выходит, ты еще тогда вынюхивал, — Артур раздул ноздри и сжал губы. Было непонятно, то ли он просто волнуется, то ли готов бросить в лицо собеседнику какое-то обвинение.

— Спокойно, — остановил их Хайнц. — Расскажи-ка, Брюс, что случилось тридцать лет назад. И что заставило тебя сегодня вспомнить об этих событиях.

Седжвик прикрыл глаза и начал рассказ. Все присутствующие слушали так внимательно, что каждое сказанное слово повисло в звенящей тишине библиотеки. Когда речь зашла о романе Джули Хоккес и Виктора Хаттона, Артур вмешался в монолог Брюса со своими комментариями и оправданиями. Дальше повествование пошло в два голоса, и никто из сидящих в библиотеке не обратил внимания на шум мотора.

Тем временем автомобиль, прибывший прямо из аэропорта, въехал в гараж.

* * *

Выбравшись из машины, Элис Хэммерсмит подавила взволнованный вздох при взгляде на особняк:

— Век бы сюда не возвращалась.

Когда Энди хмыкнул, она раздраженно добавила:

— Ненавижу это все. Ненавижу Винсента.

— Кстати, вопрос о вашем браке мы так до сих пор и не прояснили.

— Проясним еще, — Элис кусала губы все то время, что они шли по направлению к дому. — Не станем поднимать шума. Зайдем в боковую дверь, она открыта до темноты.

— Никак не могу поверить, что до России я вас вообще никогда не видел.

— А я не могу поверить в то, что у меня действительно есть сестра. Вероятно, и не поверю, пока мы не встретимся лицом к лицу.

— А вы... — Энди помедлил. — Вы хотите встретиться с ней?

— Еще спрашиваете? — Элис поглядела на детектива большими детскими глазами. — После того, как я узнала, что Дейл мне не родной отец, я только и делала, что жалела себя. Мне всегда импонировали большие семьи, теплые отношения, все эти сборища на Рождество и дни рождения. Ну, вы понимаете. А тут вдруг — не просто сестра, а двойняшка. Я... Если с ней что-нибудь случится...

— Мы здесь для того, чтобы ничего не случилось.

— Тогда нужно действовать быстро, я полагаю?

— Узнайте, где все. Хорошо бы разведать обстановку. Том, конечно, рассказал все довольно подробно, но этого недостаточно. Уверен, что он не все знает — это раз. А кроме того, время ведь идет, и события тоже развиваются — это два.

— Вы знаете, Энди, я ужасно нервничаю. Возможно, по мне и незаметно, но на самом деле я готова кричать и топать ногами, только бы поскорее распутать все, что напуталось в моей жизни. Мы можем рассказать все сразу?

— Нет. Кто-то из вашего окружения явно играет в чужие ворота.

— Винсент. Он терпеть меня не может.

Едва они вошли в апартаменты, как в дверь постучали.

— Да-да, — крикнула Элис, поворачиваясь лицом ко входу. — Открыто!

Прошло несколько секунд, дверь отворилась, и в проеме показался человек, о котором только что шла речь.

— Ты уже отдохнула? — тревожно спросил Винсент, обращаясь к Элис. — Привет, — добавил он, пристально глядя на Энди Торвила. — Кто вы? И как вас сюда впустили?

— Он пришел со мной, — быстро сказала Элис.

Винсент не понял, что значит — пришел со мной. Откуда пришел? Зато он сразу почувствовал, что с его женой что-то не так, но не мог понять — что. Она выспалась, переоделась и стала такой, как прежде. И акцент у нее пропал.

Элис поняла, что он озадачен, но предпочла делать вид, что не замечает этого.

— Давай спустимся в библиотеку, — сказал тот. — Там есть люди, которые пытаются разобраться в ситуации. У нас возникли к тебе вопросы, если ты не против. Если ты в состоянии...

— Конечно, давай спустимся в библиотеку. Только Энди тоже пойдет.

— Вы случайно не Энди Торвил, детектив?

— Откуда вы обо мне знаете?

— В деле заинтересованы многие люди. Внизу нас ждут Брюс Седжвик, старый сыщик, и Теодор Хайнц, шеф полиции. Информация от них.

— А, так в деле уже участвует полиция! — воскликнул Торвил.

— Полиция! — одновременно с ним выпалила Элис, в сумочке которой лежал фальшивый паспорт.

— Вы что же, всерьез полагали, что кто-то будет душить мою жену, а я стану ждать, чем дело кончится?

— Душить? — ахнула Элис, но тут же захлопнула рот

Винсент отворил дверь библиотеки и, дождавшись, пока Энди пройдет вперед, взял свою жену за руку:

— Ты опять разговариваешь по-другому. У тебя пропал этот легкий акцент...

— Тебе нравился мой акцент? — тихо спросила она.

— Ну, в общем-то, да. Да, это было оригинально. Как тебе это удается? Акценты, языки... Никогда не мог понять этого.

— Винс, ты вообще меня мало понимал.

— Ну что ж, — громко сказал Хайнц, складывая ладони, когда Элис и Торвил заняли свои места в библиотеке. — Думаю, есть смысл суммировать информацию. Никаких протоколов, никаких официальных заявлений. Сейчас меня интересуют только факты. Да, пока мы не начали. Хочу проинформировать вас, Элис, что присутствующий здесь Брюс Седжвик был знаком с вашей матерью и знал о ее романе с Виктором Хаттоном. По письмам вашей матери к Лорс Шмидт, которые привез Фред, вы уже знаете, что именно Хаттон должен быть вашим настоящим отцом.

— Письма? — взволнованно спросила Элис. — Письма Лоры Шмидт?

На самом-то деле она до этой минуты ничего не знала ни о письмах, ни о своем настоящем отце, и ей было трудно скрыть свое потрясение. Значит, Молли Паркер пришла в себя, и Фред выполнил-таки ее поручение. Вероятно, он съездил к Молли, выкупил письма и привез их в Вустер-сити. Вот только отдал он их, естественно, не ей, а ее сестре. Интересно, как она отнеслась ко всему этому?

— Однако, — Хайнц поднял вверх указательный палец и, поднявшись, принялся расхаживать по комнате, глядя на присутствующих сверху вниз, — Брюс утверждает, что Дейл Хоккес, муж вашей матери, с самого начала знал, что вы ему не родная дочь.

— Не может быть, — сказала Элис уверенно, качав головой из стороны в сторону так энергично, что ее прическа рассыпалась. — Это какая-то ошибка.

— Нет, девочка, — вмешался Седжвик. — Никакая это не ошибка. Дейл был в свое время неверно информирован. Мной, если уж говорить по правде. У меня, конечно, не было никакого злого умысла, просто... Просто так вышло.

— Неверно информирован по поводу чего?

— По поводу того, с кем у вашей матери был роман.

— Дейл не знает про Виктора Хаттона? — вмешался Энди Торвил.

— Да, не знает. Он думает, что любовником Джули был Артур Хэммерсмит.

— Артур? — Элис, расширив глаза, повернулась к свекру. — Это совершенная чушь. Папа не мог так думать. Папа всегда очень хорошо отзывался об Артуре... Папа... Да что вы говорите, — перебила она сама себя звенящим голоском. — Папа позволил мне выйти замуж за Винсента! Если бы он думал, что мама и Артур были любовниками как раз в то время, когда я должна была появиться на свет, разве он был бы так спокоен?

— Загадка, — констатировал Хайнц. — Мы должны в ней разобраться. Думаю, есть резон вызвать на откровенность самого Дейла.

— Я бы не стал торопиться, — заявил Энди. — Давайте сначала проясним все неясное между собой. Такую тонкую материю, как измена погибшей жены, лучше трогать в последнюю очередь.

— Да, когда кто-то заводит разговор о маме, папа просто меняется в лице. По-моему, он до сих пор переживает ее смерть, как в первый день.

— Ладно, — согласился Хайнц. — Разговор с Хоккесом ненадолго отложим.

Брюс тем временем достал из кармана записку, которую Фред нашел в секретере Элис, и передал ему.

— Скажите, милая, это писали вы?

— Уф, — Элис прочла записку («Оч. важно. Узнать, почему Элис не вышла замуж за Дэнниса») и, опустив глаза, сунула ее Торвилу. Она явно сомневалась, что отвечать. Записку, ясное дело, писала ее сестра, а о сестре здесь никто ничего не знал.

— Объясни, пожалуйста, — помог ей Энди. — Кто такой Дэннис и почему ты не вышла за него замуж.

— Говори, Элис, — подбодрил Винсент, почувствовав ее замешательство и неверно истолковав его. — В конце концов, мы должны сказать друг другу правду о нашем брачном союзе.

— Какую правду? — живо спросил Брюс Седжвик.

— Почему я сделал ей предложение и почему она согласилась.

— Может быть, начнем с тебя? — неуверенно сказала его жена.

— Хорошо, — Винсент глядел ей прямо в глаза. — Когда я делал предложение, я не был в тебя влюблен, Элис. — Он замолчал. Ему хотелось еще кое-что добавить к сказанному, но он понимал, что сейчас не время.

Элис неуверенно улыбнулась:

— Я догадывалась. Только не могла придумать ни одной причины, отчего ты решил вдруг сделаться моим мужем.

— Меня шантажировали.

— Что-о? — Элис была поражена. — Шантажировали?

— А тайна? — спросил Энди. — Что за тайна, которая позволила шантажисту добиться желаемого?

— Несколько лет назад один из наших служащих ехал на папиной машине и сбил человека. Происшествие удалось замять.

— Не замять, — вмешался Хайнц, — а расследовать тихо.

— Это «тихо» меня и погубило. Я знал, что у отца были какие-то неприятности, но думал, что, раз он не рассказал, в чем дело, это вовсе несущественно.

— Вам сказали, что ваш отец сидел за рулем и есть свидетели?

— Примерно так.

— Как шантажист связался с вами?

— По телефону, — пожал плечами Винсент. — Как еще? — Рассказывая, он украдкой поглядывал на свою жену, которая выглядела совершенно ошарашенной. — От меня потребовали немедленных действий. Я должен был жениться на Элис Хоккес. Брак с ней был условием того, что моего отца оставят в покое.

— Черт возьми! — воскликнула Элис. — Что бы тебе раньше признаться?

— Да? Я полагал, ты в этом тоже участвуешь.

— В шантаже? Ты думал, что в браке с тобой был и мой интерес?

— Иногда думал, иногда нет. Кстати, Элис, — Винсент склонил голову набок, — что ты сделала со своими волосами?

— Э-э... Покрасила.

— Когда же?

— Как только отдохнула.

— Женщины оригинально снимают стресс, — поспешно вмешался Энди Торвил. — Макияж, прическа — все это отвлекает. Не правда ли?

Винсент посмотрел на него с некоторым сомнением, но ничего не сказал.

— Теперь твоя очередь, Элис, — напомнил Хайнц. — Кто такой Дэннис?

— Один из ее приятелей, — довольно резко сказал Винсент.

— Нет, — мгновенно возразила та. — Он был не просто приятелем. Я любила Дэнниса.

— Почему же ты не вышла замуж за него? — спросил Артур.

— Он... Он не захотел. Он женился на другой, — Элис непроизвольно сглотнула. — Мы познакомились с Дэннисом во время морского круиза три года назад. Честно говоря, ни один из нас поначалу не принял своих чувств всерьез. Каждый думал, что это просто романтика моря, обстановка, все такое. Ну, вы понимаете...

Все мужчины, как один, дружно кивнули. Кроме Винсента. Винсента раздирала ревность. Элис тем временем взволнованно продолжала:

— После путешествия мы несколько месяцев не виделись. И вдруг он взял и позвонил, хотя прошло уже столько времени, и я думала, он совсем меня не помнит. Потом уже он признался, что тоже все это время думал только обо мне. С тех пор наша жизнь превратилась в сплошной роман. Нам не мешало даже то, что Дэннис был безумно занят своим бизнесом. Мы постоянно перезванивались и начиняли компьютеры любовными посланиями.

— Что же случилось? — не выдержал Винсент. — Почему он женился на другой женщине?

— Не знаю. Это было довольно неожиданно, — явно сдерживая слезы, пояснила Элис. — У нас все было так... так определенно. Мы говорили о серьезных отношениях, о детях и все такое. Как раз в это время перед Дэннисом открылись некоторые возможности... в бизнесе. Он должен был отправиться в Нью-Йорк. Некоторое время он не звонил. Я ждала-ждала, потом на неделю уехала по делам. Короче, когда я вернулась, папа встречал меня в аэропорту. Он был чернее тучи. Так расстроен... Я сразу поняла — произошло что-то ужасное.

Элис судорожно выдохнула, и Торвил ободряюще похлопал ее по руке. Винсент шевельнулся, но ничего не сказал, хотя взгляд, которым он время от времени награждал детектива, был довольно нелюбезным.

— Папа показал мне открытку. Отделанную настоящим золотым кружевом. — Элис обвела присутствующих огромными доверчивыми глазами. — Дэннис прислал мне приглашение на свою свадьбу. Представляете? Я тогда думала: лучше бы он умер.

Винсент опустил глаза, потом быстро спросил:

— Когда это было?

— За неделю до того, как ты сделал мне предложение.

— Что ж, ребята, — примирительно сказал Хайнц, — вы квиты. Элис вышла замуж назло другому и явно сгоряча, а Винсент сделал предложение под нажимом шантажиста.

— У вас есть все шансы раскрыть это дело очень быстро, — заявил Брюс Седжвик, глядя на шефа полиции. — Фактов полно.

— Согласен, — кивнул Хайнц. — Факты просто валятся мне на голову. Правда, я пока не знаю, что с ними делать.

— У меня еще такой вопрос, — сказал Седжвик, глядя на раскрасневшуюся Элис. — С какой целью вы обратились в детективное агентство Торвила? Ведь Фред вовсю работал на вас. И работал отлично. В то время вы его ни в чем не подозревали. Зачем был нанят частный детектив в таком случае?

— Она думала, — вмешался Энди, — что два независимых расследования всегда лучше, чем одно.

— Что конкретно вы расследовали? — переключился на него Брюс.

— Сначала я искал настоящего отца Элис, ну а потом отправился в Россию.

— Зачем?

— В России на Элис было совершено несколько нападений.

— Кстати, о нападениях, — вскинул брови Винсент, поворачиваясь к жене. — Ты что-то говорила о письме, адвокате и подозрениях в мой адрес.

— Не то чтобы подозрениях, — неуверенно сказала Элис. — Я просто думала: кто еще может искать меня в России, кроме твоих людей?

— Образчик женской логики, — прокомментировал Энди Торвил, подводя черту.

Элис с упреком посмотрела на него, но он только пожал плечами. Чтобы выкрутиться, иной раз приходилось выставлять ее полной дурой. Элис глазами постоянно задавала Торвилу вопрос, когда же он скажет правду о сочинской подмене, но тот отчего-то медлил. «Неужели он до сих пор подозревает Винсента?» — думала она расстроенно, потому что в ее глазах Винсент в один момент перестал быть врагом. Согласившись стать его женой, она думала, что он будет внимателен и заботлив, что его пылкое чувство заставит ее позабыть об измене Дэнниса. Винсент же был до такой степени холоден и отчужден, что их отношения так никогда и не дошли до интима. Элис была оскорблена и пребывала в ярости по поводу такого поведения новобрачного. Она принялась мстить ему, заводя интрижки с кем попало. Последний парень, который бросил ее, отличался низкими моральными принципами. Она не знала, куда он уехал. И не сказала ему, что ждет ребенка.

«Господи, ведь никто из них не знает, что я жду ребенка!» — в ужасе подумала Элис, одергивая кофточку. Комплекция пока позволяла ей скрывать свое положение от непосвященных, и свободные рубашки вполне справлялись с задачей маскировки. Торвил, правильно поняв ее жест, поправил очки, придумывая, как обнародовать факт, который просто из осторожности необходимо было открыть всем этим людям. Ничего не придумав, он наклонился к Элис и шепнул:

— Скажи им.

Та облизала пересохшие губы и затравленно посмотрела на него.

— Есть что-то еще. Так ведь? — спросил Хайнц, пытливо глядя на них. — Скажите сразу. Сейчас не время для тайн.

— Да ничего особенного, — мгновенно отозвалась Элис. — Это вообще к делу не относится. Просто, я думаю, вас следует в это посвятить, потому что нынешняя ситуация такова, что вы все равно будете про меня все узнавать и так или иначе узнаете.

Мужчины в комнате молча смотрели на нее.

— Короче, — вмешался Энди, кашлянув. — Она ждет ребенка.

У всех присутствующих тотчас вытянулись лица.

— От вас? — наконец, резко спросил Винсент. На лице его было написано невероятное напряжение.

— Вы что, с ума сошли?! — возмутился тот.

— Хотите сказать, только сумасшедший может иметь со мной дело? — обиженно воскликнула Элис, оборачиваясь к детективу.

— Почему ты не сказала мне раньше? — требовательно спросил Винсент, глядя на нее потемневшими глазами. — После нападения? Когда мы были одни?

— Ну... — Элис судорожно думала, что там могло произойти между Винсентом и ее сестрой. — Я тогда еще была не в курсе.

— Женщины — прелюбопытные существа, — сказал из своего кресла Седжвик. — За пару часов они успевают пережить нападение неизвестного, выспаться, выкрасить волосы и узнать о своей беременности...

Глава 13

— Ты должна была немедленно идти в полицию!

Лэрри выглядел так, словно его потрепало бурей. Волосы всклокочены, под глазами синие круги, галстук съехал на сторону. В нем появилась лихорадочная живость, которая была явным следствием нервного перевозбуждения.

— У тебя есть спиртное? — Алиса пошарила глазами по сторонам.

Лэрри плеснул виски в два низких стакана и жадно отхлебнул из своего.

— Лэрри, у меня есть сестра! — внезапно сказала Алиса, глядя в пространство. — Родная сестра.

— Я знаю.

— И она жива.

— Это я тебе только что сказал, — напомнил Лэрри. — Это я туда звонил и нарвался прямо на вторую Элис.

— Мне нужно связаться с ней.

— Конечно, нужно. Другая сторона должна знать о тебе. Сестра, ее родня, ее друзья и знакомые...

— Я понимаю. Только... Мне нужно немножко времени.

— Я говорил тебе, что ко мне приходил Гарри? Он сиял, как рождественский шар. С порога заявил: «Элис жива! Я нашел ее. Это длинная история. Она вовсе не покончила с собой, а хотела мне отомстить. Но теперь все уладилось. И скоро у нас родится ребенок».

— Моя сестра сказала ему, что она ждет ребенка?

— Что ты — ждешь ребенка.

— Судя по всему, она соврала ему, что она — это я.

— В таком случае, вы квиты.

— Ну, а потом?

— Потом Гарри потискал меня, словно плюшевого мишку, и в избытке чувств убежал прочь. Прошло минут пять, и снова раздался звонок в дверь. Я открываю — а это ты. Вся дрожишь и рассказываешь ужасы почище, чем в страшилке. В тебя стреляли, тебя пытались задушить, ты целовалась со своим зятем... Черт, Элис, для меня это слишком.

— Отвези меня домой, Лэрри. Хотя нет, лучше я вызову такси. Ты приложился к спиртному, да и вообще, ты не в том состоянии, чтобы вести машину.

— Ты возвращаешься к Гарри?

— Не знаю, — пожала плечами Алиса. Она и вправду не знала.

— Гарри уверен, что возвращаешься. Хотя это, наверное, не ты ему пообещала хэппи энд, а твоя сестра. У нее, вероятно, тоже в голове бардак. Представляешь, если Гарри внезапно налетел на нее со своим космическим обаянием... Что ты к нему чувствуешь, Элис?

— Я вообще пока не знаю, что чувствую.

— Ужас. Слушай, а ты не боишься, что убийцы найдут тебя здесь? Я бы на твоем месте не стал так благодушничать. Ты ведешь себя легкомысленно. Не желаешь принять даже минимальных мер предосторожности.

— Ладно, я приму, — вздохнув, сказала Элис.

— Какие?

— Возьму тебя с собой.

— Да? Ну, ладно. Поехали. Только предупреждаю: я сразу лягу спать. Я вымотан, словно меня прокрутили в стиральной машине.

Нашарив под каменной вазой ключ и открыв дверь, Алиса несколько секунд постояла на пороге, оглядывая гостиную. Потом глубоко вздохнула и вошла.

— Да будет свет, — радостно возвестила она, хлопнув по выключателю. — Никакого запустения, как будто я уезжала только на уикенд. Знаешь, я думала, что, когда вернусь домой, камень с моей души упадет как по мановению волшебной палочки. Но он не упал.

— Ну, так что ты будешь делать? — устраиваясь в глубоком кресле, спросил Лэрри. — И чем я могу тебе помочь?

— Ты мне и так помогаешь. Просто тем, что ты рядом.

— Спасибо, — хмыкнул Лэрри. Судя по всему, выпитый алкоголь подействовал на него самым позитивным образом. — О чем ты думаешь?

— А? — очнулась она. — О чем думаю? Думаю, как лучше поступить.

— Знаешь что? Садись-ка на диван, бери телефон и звони. Звони своему мужу, сестре. Звони всем по очереди и рассказывай все как на духу. Ясно?

— Нет, Лэрри. Сначала я позвоню в аэропорт и закажу билет до Чикаго.

— Отлично. Просто замечательно. Класс. — Лэрри закинул руки за голову и с усмешкой следил за тем, как Алиса снует мимо него. — Дай-ка я угадаю...

— Тут и гадать нечего. Я хочу увидеть свою сестру, — довольно резко сказала Алиса. — Просто я представила, что наберу номер и услышу ее голос... Но что я ей скажу? Это будет дурацкий разговор, Лэрри. Нет-нет, теперь я убеждена, что мы должны встретиться лицом к лицу как можно скорее.

— Жаль лишь, что тебе потребовался долгий путь домой, чтобы это постичь. А как же Винсент? Ты уверена, что он недоступен? — Практичный Лэрри серьезно просчитывал варианты.

— Абсолютно недоступен.

— Он что, безумно любит твою сестру, и тебе удалось урвать кусочек этого большого чистого чувства?

— Нет, мне ничего не удалось урвать. И я не знаю, любит ли Винсент мою сестру. Сначала мне было показалось, что он ее просто не переваривает. Но потом... позже... Я стала очень сомневаться в этом, Лэрри.

— А ты не хочешь отнести эту метаморфозу на свой счет? — Лэрри пытливо смотрел на Алису. — Возможно, это ты изменила его чувства?

— Но он не знает, что это была я. И все-таки я возвращаюсь не из-за Винсента. Прежде всего меня интересует Элис.

— Будет весело, если Гарри ей понравился. Вы просто поменяетесь мужьями — и все дела.

— У меня никогда ничего не получается просто, — покачала головой Алиса. — Тем более что я не собираюсь врать Винсенту. Он будет вторым человеком, который узнает всю правду.

— Если, конечно, он ни в чем не замешан.

— Черт, — всполохнулась Алиса. — Что это со мной? Ведь я бежала от него без оглядки, уверенная, что он и есть главный зачинщик покушений. Но стоило опасности отступить, как я все забыла. На мне что, розовые очки?

— Это твое сердце, Элис. Оно не верит в то, что Винсент Хэммерсмит — потенциальный убийца.

— Ой, я не знаю, Лэрри. Я такая дура. Я совершенно запуталась!

— Чем скорее ты отправишься в путь, тем будет лучше. Дай я обниму тебя, детка. Надеюсь, ты вернешься обратно?

Глаза Алисы затуманились.

— Конечно. Ведь здесь остается Гарри. Я еще не знаю... Я не уверена... Я предчувствую, что мне будет ужасно плохо после того, как все откроется.

— Понимаю, — Лэрри опустил голову и сжал губы. Казалось, он рассердился. — Ты хочешь приберечь Гарри на всякий пожарный случай.

— Ну зачем ты так?

— Затем, Элис. Поверь моему опыту: никогда не прячься от настоящей любви за спину доступной.

— А мне не светит настоящая, — звонко возразила Алиса. — Неужели ты не понимаешь?

— Ты уже настроилась на плохое. Элис, о чем ты думаешь: о сестре, о тайне вашего с ней рождения и о вашей безопасности или о Винсенте Хэммерсмите?

— О сестре. — Она помолчала, потом неуверенно добавила: — И о Хэммерсмите.

* * *

Том приехал на курорт, чтобы поговорить с Дэннисом Элбертом. Чуть больше года прошло с тех пор, как у Дэнниса был роман с Элис Хоккес. Дэннис совсем не изменился, если судить по фотографиям, которые Том исследовал накануне поездки. Улыбка с огоньком, дружелюбный взгляд и полное отсутствие высокомерия.

— Вы не могли бы уделить мне полчаса? — Том проявил максимальную любезность. — Это очень личное дело, и касается оно одной леди, которую вы знали в Вустер-сити.

Дэннис моментально потух и, криво усмехнувшись, спросил:

— Элис?

— Точно, — Том деликатно опустил глаза. — Не откажетесь поговорить о ней?

— Пойдемте в кафе на веранде, — предложил Дэннис.

Когда им принесли прохладительные напитки, он нервно взъерошил свои светлые волосы и напомнил:

— Вы не представились.

Том назвал себя и подчеркнул, что защищает интересы Элис Хэммерсмит в деле, которое является для нее чрезвычайно важным. Потом он перевел глаза с раскинувшегося внизу пляжа на взволнованного мужчину и задал свой главный вопрос, сформулировав его предельно просто:

— Элис хотела бы знать, отчего вы на ней не женились.

Дэннис Элберт моргнул, потом открыл рот, закрыл и вдруг хрипло рассмеялся, откинувшись на спинку изящного стула:

— Вы морочите мне голову, приятель. Не могу догадаться, что вам нужно на самом деле, но я точно знаю, что вы приехали сюда не с согласия Элис. Возможно, вы действуете против нее. Поэтому я не стану с вами разговаривать.

Дэннис резко встал, отбросил салфетку и собрался уходить.

— Почему вы решили, что я действую не в интересах Элис? — попытался остановить его Том.

— Потому, — обернулся к нему Дэннис, — что это не я не женился на Элис. Это она не вышла за меня замуж. Она вышла замуж за Хэммерсмита. Если вам это о чем-нибудь говорит.

— Она вышла замуж за Хэммерсмита после того, как вы женились! — быстро возразил Том, мигом смекнувший, что нарвался на довольно интересный факт.

— Я женился после того, как она вышла замуж! — Дэннис был раздосадован.

— Она получила открытку с приглашением на вашу свадьбу как раз в тот момент, когда вы должны были подарить кольцо ей.

— Вы лжете! — повысил голос Дэннис, и посетители кафе заинтересованно посмотрели на него.

Дэннис снова сел на место и впился в Тома острым недоверчивым взглядом.

— Разве мне могло бы прийти в голову послать Элис приглашение на свадьбу? За кого вы меня принимаете?

— А... А эта открытка? С кружевами?

— Какая открытка? Тут что-то не так. Сейчас вроде бы и поздно во всем этом разбираться, но я не могу спокойно слушать всю эту нелепую болтовню!

— Ваши слова кардинально расходятся со словами Элис, — заявил ему Том.

— И что же она говорит? — с интересом, который быстро победил раздражение, спросил Дэннис.

— Она говорит, что, когда вы уехали в Нью-Йорк, она ждала от вас весточки. А вместо этого получила открытку с приглашением на венчание.

— Чушь! — выпалил Дэннис. — Я собирался сделать ей сюрприз и не подавал вестей о себе просто потому, что готовил все к нашей свадьбе: арендовал дом, купил семейную машину... а потом... А потом вдруг узнал, что она вышла замуж за Хэммерсмита.

— А сейчас — внимание! — главный вопрос. *Как* вы узнали о замужестве Элис? Вам случайно не отец Элис про него рассказал?

— Нет, не отец. Мой друг позвонил мне из Вустер-сити. А потом переслал местную газету, где есть раздел светских новостей. Там были фотографии... О, я никогда не забуду того паршивого воскресенья!

Дэннис Элберт схватил бокал и жадно проглотил воду.

— Ничего, если я спрошу, как зовут вашего друга, который отважился сообщить дурную новость?

— Его зовут Стив Шоу. Мы с ним вместе играли в гольф.

— Скажите, а с отцом Элис вы были в хороших отношениях?

— Да, в очень хороших.

— Почему же в таком случае он не связался с вами? Или вы не связались с ним?

— После того, как Элис вышла за Хэммерсмита? Что мы могли сказать друг другу?

— Не знаю, утешит вас это хоть немного или нет, — задумчиво проговорил Том. — Но Элис до сих пор находится в шоке от всего случившегося. Она уверена, что вы женились первым.

Дэннис поднял на него тоскливые глаза:

— Возможно, это чья-то ужасная шутка?

— Не знаю. Но попытаюсь узнать.

— Вы из-за этого разыскали меня здесь? — спросил Дэннис, беспокойно постукивая пальцами по столу. — У Элис что-то не сложилось, и она решила заняться расследованием причин нашего разрыва? Вы ведь частный детектив?

— Ваша несостоявшаяся женитьба — лишь эпизод другого расследования. Вы ведь понимаете, я не могу разглашать конфиденциальную информацию.

— Понимаю... — пробормотал Дэннис. — Но... Но с Элис все нормально?

— Она жива-здорова, — быстро ответил Том. — Кстати, ее отец не рассказывал вам о своей молодости?

— Много раз, — пожал плечами Дэннис. — Он часто вспоминал о жене. О том, как они познакомились, о свадебном путешествии и все такое. Хотя мне кажется, он недолюбливал экономку. Как же ее звали? Даже не помню.

— Мэган Локлир?

— Да-да, Мэган. Ее наняла еще мать Элис, и Мэган осталась в доме после ее смерти. Кажется, они поссорились, когда Джули погибла.

— Из-за чего?

— Дейл что-то рассказывал мне, но я не помню.

— Что ж, — Том пожал плечами. — Вы мне очень и очень помогли. И, конечно, помогли Элис.

— Так все-таки, как она?

— Насколько я знаю, она разводится с Винсентом Хэммерсмитом.

Попрощавшись, Том направился к выходу из отеля. В холле он посмотрел в большое зеркало, висевшее прямо на его пути, и увидел, что Дэннис Элберт, скрестив руки на груди, задумчиво смотрит ему вслед.

* * *

— Раньше или позже, нам все равно предстоит пройти через развод. Он должен быть легким, потому что теперь мы друзья.

Винсент промолчал. Честно говоря, в его душе царила настоящая смута. Раньше он не любил Элис. Порой даже ненавидел. Она казалась ему лживой, манерной и коварной женщиной, которая невинным выражением лица и намеренной детскостью прикрывала свою порочную сущность. Когда она убежала с любовником в Россию, он готов был ее убить. Но когда она вернулась... Да, тут было над чем поломать голову.

Элис чувствовала, в каком смятении находится ее супруг. «Конечно, ему не позавидуешь, — думала она. — Винсент наверняка нокаутирован известием о моей беременности».

Она была недалека от истины. Когда Хэммерсмит думал об этом, его начинало подташнивать. Он ненавидел Элис за то, что она позволяла себе менять мужчин, словно платья. Это была неопытная ревность.

Элис догадалась, что сестра сумела растопить лед в его сердце. Потом вспомнила о Гарри и закусила губу. Нет-нет, не может быть. У Гарри и Алисы такая любовь, в которой нельзя усомниться. На что она рассчитывала, когда отправляла его во Флориду? На то, что ее сестра откажется от Гарри, а она, Элис, присвоит его? Каким образом? Она и так уже сделала непоправимую глупость, ибо Гарри думает, что у них будет ребенок. Из-за ее головотяпства ее сестре придется лгать.

Элис почему-то даже в голову не приходило, что сестра захочет рассказать Гарри правду. У нее самой правда всегда получалась какой-то не слишком удобной, и Элис предпочла бы ограничиться более простым вариантом: кое-где приврать, кое о чем умолчать, и тогда все как-нибудь образуется.

— В общем, мой адвокат свяжется с твоим, — подвела она черту, хотя это было и не в ее духе — так резво решать трудные вопросы.

Винсент кивнул, но был явно не в своей тарелке. Когда Элис стремительно скрылась, он принялся бродить по библиотеке, словно фамильное привидение, растревоженное звуками оркестра в бальной зале. Вид у него был соответствующий. Да, ему было о чем подумать. Хайнц утверждал, что неизвестный, напавший на Элис ночью и пытавшийся задушить ее подушкой, мог попасть в апартаменты его жены одним-единственным способом: из кабинета самого Винсента. Там была смежная дверь, запиравшаяся на задвижку с его стороны. Это означало, что некто пробрался в кабинет, открыл дверь и оказался в спальне его жены.

С одной стороны, как полагал Винсент, кто угодно мог пробраться в его кабинет. С другой стороны, этот кто угодно должен быть человеком близким, который свободно перемещался по поместью. Черт знает что! Раздрай в душе мешал ему свести воедино нити интриги. Зато этим очень активно занимались другие люди. И здесь, в Иллинойсе, и за океаном, в Москве.

* * *

Денис был просто раздавлен, когда узнал, что Роза Пашкова умерла год назад. Тогда он принялся дозваниваться ее внуку — единственному оставшемуся у Розы родственнику. Чтобы ни один профессионал, если что, не смог потом посмеяться над ним.

Внук Розы Пашковой, несмотря на свои молодые годы, оказался ведущим дизайнером крупной фирмы «Элитхаус», и чтобы услышать его голос, Денису пришлось прорвать оборону двух неприступных секретарш. Сам же Пашков манерой разговора походил на шестнадцатилетнего подростка, попавшего под пресс масскультуры.

— Старик, я жутко занят, — сообщил он вместо приветствия. — Отчихай в двух словах, чего ты убиваешься по моей бабуле?

— Ищу свидетелей по одному старому делу.

— Ни фига! — отчего-то изумился тот. — А что за дело?

— О близнецах, — коротко ответил Денис.

— Ну и настрогала бед моя бабуля! — ахнул Костик. — Старик, на меня тут наезжает срочняк, но ты не ссыпайся. Пиши адрес и после семи подгребай ко мне домой.

— У вас есть для меня информация? — Денис едва верил своим ушам.

— Ну, — сказал Костик и отключился.

До семи Денис не мог ни есть, ни пить, и как только стрелки часов оказались в нужной позиции, он рванул на запланированную встречу. Ему пришлось ехать за город, потому что Костик Пашков сменил городскую квартиру на загородный дом.

У дома Костика, как у его хозяина, крыша была сильно скошена. Как потом выяснилось, в мансарде располагалась мастерская, поражавшая размерами и количеством окон. Окно имелось даже в потолке, и Денис непроизвольно то и дело смотрел на застрявший в нем кусочек неба.

Костик Пашков практически не отличался от того образа, который Денис воссоздал по особенностям его речи. У парня оказались длинные волосы, серьга в ухе и по перстню на каждой руке. Он был ужасно худ и не менее ужасно сутул. Еще он носил двухсотдолларовые зеркальные очки, башмаки ручной работы и рубашку из летней коллекции Боско Ди Чильеджи.

— Хорошо, что бабуля моя не дожила, — покачал головой Костик. — До твоего визита, я имею в виду

— В каком это смысле?

— Ее бы точно посадили. Она уже слегла, когда стала мне про близнецов талдычить. Я думал, она гонит. Прикинь: поменяла детей, когда в больнице работала. Специально поменяла! Я ей в такие дни, как она про близнецов заводила, таблеток в чай побольше сыпал, которые ей для сна прописали. Думал, поплыла моя бабка.

Денис заерзал на деревянном стуле, который стоял посреди мансарды.

— Вы помните, что она рассказывала?

— Еще бы мне не помнить, — завел глаза тот. — Все время колыхалась: если я преставлюсь, а кто-нибудь явится спрашивать про близнецов, мол, расскажи все как на духу. Я еще прикалывался над ней, говорил: чего, мол, совесть замучила, преступница? Тогда она начинала головой мотать и заявляла, что, случись все снова, все равно сделала бы то же самое. Что совесть ее вовсе не мучает, а рассказывает она мне все это просто из справедливости.

— Замечательно, — Денис потер руки, чтобы скрыть свое нетерпение. — Так как она поменяла детей?

— Ну, как меняют детей? Откуда я знаю? Наверное, перекладывают, и все.

— Конечно-конечно, — почти подобострастно отозвался Денис.

Костик Пашков казался ему почти эфемерной субстанцией. Совершенно ненадежным типом. Денис допускал, что он мог ни с того ни с сего сорваться с места и выпрыгнуть в окно, накуриться травки или заявить, что вся информация из его башки выпарилась во время прошлогодней засухи. Тем не менее Костик продолжал сосредоточенно смотреть в противоположную стену. На ней были изображены фиолетовые треугольники с белыми глазами, что Дениса тоже немножко беспокоило.

— Значит, так. Бабуся Роза служила в роддоме. А сестра ее двоюродная работала в женской консультации. И вот нашлась какая-то дамочка, которая пообещала им обеим неслабо заплатить.

— Как ее звали?

— Не помню я! — раздраженно сказал Костик. — Я думал, бабуся бред собачий несет. Думал, глюки у нее. Сегодня, когда ты позвонил, я все обмозговал. Посидел, покумекал, и вот что у меня состряпалось. Я тебе буду объяснять, а ты не перебивай.

— Хорошо, — сказал покладистый Денис. Ему не верилось, что он услышит сейчас подлинную историю про то, как Алиса превратилась в родную дочь Татьяны Соболевой.

— Я тебе все объясню эскизно, — говорил тем временем Костик. — Вчерне.

И он принялся сбивчиво рассказывать. Поскольку ни одного участника событий он не знал по имени, то постоянно путался в местоимениях. Среди «этот», «та», «она», «ему» Денис с трудом улавливал логику взаимоотношений. Но через некоторое время простая и ясная картина событий прорисовалась во всех деталях. Когда Денис понял главное, кошмарный сленг Костика перестал ему мешать.

— Вы уверены в том, что ваша бабушка ничего не сочинила? — на всякий случай спросил он.

— Теперь уверен. Бабуся Роза, конечно, рассказывала все более эмоционально. Она всю эту историю так прочувствовала... Ведь это ж настоящая хрень с соплями. То есть с детишками.

— Это были девочки, — пояснил Денис.

Костик пожал плечами.

— Неужели никто не заметил, что у двух разных женщин одинаковые дети?

— Старик, ты вообще-то видал младенцев? Они же все на одно лицо.

— Это по-вашему. Но врачи...

— Ты думаешь, они их сличали? Да кому это на фиг надо!

Денис взволнованно пошевелился:

— Это все? Может быть, еще какие-то подробности?

— Не-а. Я и эту-то лабуду кое-как сляпал в башке. Кстати, а что там с близнецами?

— До последнего времени они друг о друге не знали.

— Понятное дело! А я-то думал, у бабуси мозговая горячка. Ты считаешь, надо было ее заложить?

— Но вы же не верили в эту историю?

— А ты бы поверил?

— Сомневаюсь, — усмехнулся Денис. — Я вообще с трудом верю в то, что такие вещи на свете случаются.

— Ой, старик, тут ты не прав. Я тебе могу такое рассказать. Например, однажды мы с помощниками поехали на острова Тихого океана. Нас там накормили какими-то странными сливами, от которых в башке фейерверки взрывались. Позже выяснилось, что мы всю ночь голые скакали по деревьям. Один турист даже сделал фотографии, которые хотел продать газетам под заголовком: «Неизвестный вид обезьян, обладающих зачатками членораздельной речи».

Денис поднялся и стал пробираться к выходу:

— Вы согласитесь повторить эту историю, если это понадобится?

— Про сливы?

— Нет, про близнецов, — вздохнув, сказал Денис.

— Только не в суде. Для меня вся эта деловуха — ну просто заворот, веришь ты?

— Никакой деловухи, — покачал головой Денис. — Если кто и захочет тебя потрясти, так только те самые близняшки, которых твоя бабуля Роза разделила в роддоме.

— А они ничего? Хорошенькие?

— Вполне. Только на твой вкус, старик, явно перезрели.

* * *

Алиса повернула ручку и вошла в комнату. Женщина, похожая на нее как две капли воды, сидела на тахте, сложив руки на коленях. Как только Алиса отворила дверь, она подняла глаза и, моргнув, открыла рот.

— Элис, — сказала Алиса срывающимся шепотом. — Это я.

Элис медленно поднялась на ноги. Минуты две обе сестры, не двигаясь, таращились друг на друга. Вдруг Элис неожиданно хихикнула и сказала, показывая на дверь:

— Могу поспорить, что каждый из охранников думает, будто он того. — Она выразительно покрутила пальцем у виска. — Получилось, что я один раз вышла из комнаты, а потом два раза зашла. — Губы у нее внезапно задрожали, и она сделала шаг навстречу Алисе. — Где же ты была так долго? Я так хотела тебя увидеть! Я так тебя ждала...

— Я тоже, — пробормотала Алиса.

В порыве неизвестных им до сих пор чувств сестры обнялись и после довольно бессвязных возгласов принялись взахлеб говорить обо всем, что накопилось у них на душе, то подбадривая одна другую, то жалея, то радостно смеясь.

— У тебя другой цвет волос и особенный выговор. Ума не приложу, как никто здесь не догадался, что ты иностранка.

— Акцент достался мне в наследство от мамы... Моей мамой была Татьяна Соболева. И хотя я теперь знаю, что она была не настоящей моей мамой, я все равно буду ее так всегда называть.

— Понимаю, — кивнула Элис. — Я тоже теперь знаю, что Дейл Хоккес — не мой настоящий отец. Но он вырастил меня.

— Тебе удалось узнать, что случилось на самом деле? — спросила Алиса. — И почему за тобой охотились убийцы?

Элис схватила Алису за руки и огорченно сказала:

— Я знаю, что ты приняла на себя все удары, которые

предназначались мне. Я рада, что с тобой ничего не случилось.

— Могу сказать тебе то же самое, — усмехнулась та.

— Ты знаешь, у меня будет малыш, — застенчиво сообщил Элис, поглаживая живот.

— Племянник! — радостно улыбнулась Алиса. — Я и подумать не могла, что у меня будет настоящая семья. Конечно, я рассчитываю когда-нибудь заиметь своих детей, но сейчас я не про это. Ты меня понимаешь?

— Конечно. Конечно, понимаю, — Элис облизала губы и неожиданно нахмурилась:

— Знаешь, твой муж нашел меня в Сочи и подумал, что я — это ты. Но когда я с ним познакомилась, я еще даже не знала о твоем существовании.

— Я понимаю, Элис, не переживай.

— А как мне тебя называть?

— Зови меня Алисой. Это русский вариант имени Элис.

Алиса взяла сестру за руку, не обращая внимания, что у нее дрожит подбородок.

— Элис, так ты все-таки можешь рассказать, что с тобой случилось? Почему ты убежала в Россию, кто такой Георгий, где он сейчас и от кого ты вынуждена прятаться?

— Даже не знаю, с чего начать... Понимаешь, я была влюблена. Сильно влюблена.

— В Дэнниса? Я видела ваши с ним фотографии.

— Он бросил меня и женился на другой.

Элис рассказала историю своего замужества, в том числе эпизод с шантажом, из-за которого Винсент Хэммерсмит скоропалительно женился на ней. В конце она с плотоядной улыбкой заявила:

— Мне кажется, мой муж в тебя втрескался. — Алиса побледнела. — Прежде это была неприступная гора самодовольства.

— А теперь? — осторожно спросила Алиса.

— А теперь это действующий вулкан.

— И как он действует?

— Лучше, если ты выяснишь это сама. Честно сказать, Винсент меня не слишком привлекает, — Элис лукаво посмотрела на сестру.

— А Георгий?

— Георгий никто. Он всего лишь продал мне поддельные документы и помог устроиться в России.

— Дорогая, так почему ты решила исчезнуть?

Элис развела руками, словно не знала, что сказать:

— Эта жизнь доконала меня. Сначала Дэннис. Потом дурацкий брак со странными враждебно-платоническими отношениями. Потом — появление Молли Паркер. Против воли я начала избегать отца. Хотя он такая же невинная жертва обстоятельств, как и мы с тобой. Я не представляю, что с ним будет, когда он узнает правду.

— Ему предстоит узнать еще и о том, что, кроме тебя, есть я.

— Наша мать обманула его. А он, веришь ли, на нее молился! Неудивительно, что я стала его избегать. Кроме того, я почувствовала, что за мной следят. И еще — со мной начали приключаться всякие неприятности. Один раз отказали тормоза у «Порше», другой раз начался пожар в застрявшем лифте... Я поняла, что кто-то хочет меня угробить. И я могу никогда не узнать — с какой стати. Когда позвонила Молли Паркер и рассказала, что Дейл — не мой отец, это было последней каплей. У меня из-под ног выбили почву. Я решила на время скрыться и разобраться во всем, так сказать, со стороны. Тем более мне уже надо было думать не только о себе, но и о малыше.

Алиса непроизвольно улыбнулась:

— Какая ты счастливая!

— Да, теперь я действительно чувствую себя счастливой. Я нашла тебя. Я поняла, что Винсент — вовсе не чудовище. И еще — я познакомилась с Гарри. Нет, ты не подумай чего. Просто до сих пор я была разочарована в любви. Но вдруг увидела, что еще не все потеряно. Что есть мужчины, которые умеют любить по-настоящему...

Глава 14

Том выслушал телефонное сообщение, после чего на него напал столбняк.

— Ну? — спросил Энди, не выдержав. — Что случилось?

— Экономка Хоккесов, Мэган Локлир, убита.

— Что-о-о?

— Наезд. Автомобиль скрылся с места происшествия.

Примечательно, что случилось это во время туристического вояжа в Европу, где-то неподалеку от Лондона.

— Шофера не нашли?

— Не-а.

— Не забудь о том, как погибла Джули Хоккес. У ее машины отказали тормоза. Что думаешь?

— Какой-то демонический автолюбитель? Не знаешь, Дейл Хоккес увлекается гонками?

— Дейл?

— Ну, да. Возможно, он следил за своей женой, чтобы все увидеть своими глазами. Ты же знаешь, многие мужья так и делают. Сначала нанимают частных детективов, но их докладов оказывается для них недостаточно. И они бросаются все перепроверять.

— Но все говорят, Дейл с ума сходил по Джули. И готов был простить ей тысячи измен. Лишь бы она его не бросила. А она не собиралась его бросать!

— Действительно, — подтвердил Энди. — Она даже отдала одну свою дочку Виктору, лишь бы тот не разрушил ее брак.

— Кстати, шеф, не могу понять, каким образом готовая рожать женщина рискнула отправиться в чужую страну?

— Джули не хотела разводиться с Хоккесом, а Виктор этого требовал. Она просто сбежала от него в Россию.

— Но она должна была родить со дня на день!

— Женщины! — снисходительно пояснил Энди. — Они рожают в подземке, на заправочных станциях и даже в самолетах. Какие тебе еще нужны резоны?

— Так я не понял — кто же у нас подозреваемый? — вздохнул Том.

— Дейл Хоккес. Наверное, — неуверенно ответил Энди.

— Но Элис? Ей тридцать два года, шеф. Он что, растил ее, чтобы ухлопать именно в расцвете лет? Это ж бред. Нет, тут что-то не то.

* * *

— Выходит, свадебная открытка Дэнниса — это фальшивка? — спросила Алиса, задумчиво глядя на сестру

— Уму непостижимо! — подтвердила та. — Кто же ее мог подсунуть?

— Надо выяснить, как та открытка попала к Дейлу. Пришла ли она по почте, или ее кто-то передал ему? Ты ведь не спрашивала?

— Мне тогда было не до того.

— Кстати, Элис, я не хочу, чтобы Винсент узнал о моем существовании. Не говори ему.

— Но Алиса! Я собираюсь развестись с Винсентом! Я уеду и никогда его больше не увижу!

— Все равно. Я не хочу, чтобы он знал.

Элис отвела глаза в сторону:

— Значит, ты возвращаешься к мужу?

— Не знаю. — Алиса посмотрела на сестру и воскликнула: — Я не могу в себе разобраться. Когда я думаю о Гарри, мне хочется рыдать.

— Ты должна с ним встретиться, — заявила Элис. — На расстоянии ты ничего не поймешь. А вот когда он будет рядом... — голос ее чуть-чуть дрогнул.

— Элис, Элис, не мучай себя. Гарри ведь не оставил тебя равнодушной?

— А что это меняет?

— Конечно, — в Алисе вскипела горькая ирония. — Он может обаять даже музейную статую. Если ему захочется, он горы свернет. Особенно очаровательным он бывает в моменты раскаянья. Как сделает какую-нибудь гадость — так нежнее и внимательнее его просто не сыщешь парня. А тут целое самоубийство! Представляю, до какой степени он был с тобой мил.

— Ты просто злишься на него. Алиса, ты обязана увидеться с Гарри. Не знаю, каким он был прежде, но теперь все изменилось. Я не представляла себе, что мужчина способен на столь сильное чувство.

— Гарри отличный актер, — резко сказала Алиса. — Пока что ему хочется играть роль восторженного влюбленного. Но ты не можешь знать, когда эта роль ему надоест.

— Я понимаю, Алиса. Но я сейчас не об этом говорю. Пусть он изменится. Потом. Но он способен вот на такой взрыв чувств! Я потрясена самой этой способностью.

— Ладно, поговорим об этом потом, — сказала Алиса, успокаиваясь. — Давай лучше подумаем, как ты будешь меня прятать.

— Сейчас мы это обсудим. Но сначала надо сообщить

Энди Торвилу о Терри, телохранителе Винсента. Ну, о том парне, который пытался убить тебя еще в России. Ведь ты убежала, так никому ничего и не объяснив.

* * *

На этот раз Денис ехал в Гжель один. Прежде Галка требовалась ему, чтобы в нужный момент задеть тонкие душевные струнки женщины, которая могла заупрямиться. Теперь Денис знал, что в душе Ольги вместо тонких струнок — стальная проволока, и эту мощную защиту Денис собирался прорвать с помощью фактов, которые ему сообщил Костик Пашков. Впрочем, так называемые Костиковы факты ему пришлось долго прилаживать к головоломке, часть которой уже сообщила Алиса. Дополненные друг другом, они составили почти цельную картинку произошедшего. Не хватало лишь некоторых деталей. Но деталей безусловно важных. Потому что из нынешнего понимания ситуации никак не вытекала смертельная опасность для кого бы то ни было. Тем не менее охота на Алису продолжалась.

Как только он вышел из машины, Ольга появилась на открытой террасе. На ней был длинный сарафан песочного цвета. Волосы забраны желтой лентой. Издали она выглядела, как молодая девушка. И лишь глаза уже давали понять, что перед вами человек отнюдь не юный. Взгляд был сильным, целеустремленным и взволнованным.

— Вы вернулись!

— Вернулся. Здравствуйте.

— Добрый день. Ну, что ж. Проходите. Из Москвы ехать — не ближний свет.

Они вновь обосновались на террасе друг против друга. Только теперь Ольга знала, о чем пойдет речь, и заранее заняла круговую оборону. Но Денис не спешил идти в наступление. Он медленно принялся за кофе со сливками, который Ольга пила, кажется, круглые сутки.

— Думаю, вы что-то узнали, — не выдержала она. — Поэтому поспешили ко мне. Надеетесь, что я нарушу клятву, которую дала Татьяне?

— Глупо все получается, — пожал плечами Денис. — Вы дали клятву, что никогда не расскажете об участниках тех событий, что не признаетесь Алисе в том, что Татьяна — не ее родная мать и так далее. Но Алиса уже в курсе. И про принудительное, скажем так, удочерение она знает, и про тех, кто его организовал. Она знает об Ахломовой и Пашковой, о Косточкине и о Викторе.

— Даже так? — Ольга пытливо поглядела на Дениса.

— Если вы хотите знать, что говорят о вас, то можете не волноваться. Ваше участие в деле вовсе не обсуждается.

— Да я и не участвовала, — пожала плечами Ольга. — Все, что я делала, так это пыталась отговорить Татьяну от ее замысла.

— Складывается впечатление, что Татьяна была не слишком высоконравственной дамой, — осторожно сказал Денис.

— Она была обыкновенной женщиной, — возразила Ольга, — которая хотела прожить свою жизнь хорошо.

— Вы считаете, ей это удалось?

— Нет. Но помешало неудачное стечение обстоятельств.

— Вы имеете в виду несчастный случай с Виктором Хаттоном?

— Да, черт возьми.

Денис заметил, что на глаза Ольги навернулись слезы. Она схватила сигарету и принялась ожесточенно щелкать зажигалкой. Наконец сделала глубокую затяжку и сказала:

— Когда Виктор погиб, Татьяна кидалась на стены. Мне кажется, только малышка спасла ее от безумия.

— Наверное, она все-таки прониклась к Алисе какими-то чувствами?

— Она испытывала чувство вины, — ответила Ольга. — Именно комплекс вины, как мне кажется, всю жизнь мешал Татьяне полюбить девочку по-настоящему. От Виктора у нее осталась одна визитка. Там был его домашний адрес. Татьяна сочинила душераздирающую историю о своем с ним романе и отправила письмо отцу Виктора, вложив в нее фотографию новорожденной Алисы. Она надеялась, что тот прочувствует свою ответственность и заберет их с девочкой к себе. То есть выполнит ту часть плана, которую должен был выполнить Виктор. Но этот тип не откликнулся.

— А она не пробовала вернуть Алису матери?

— Нет, — Ольга покачала головой, — дело в том, что американка была больше всего озабочена налаживанием взаимоотношений со своим мужем. Как бы она объяснила ему внезапное появление второго ребенка? С какой стати она оставила его в России? Не раскрывать же свою любовную связь! Татьяна еще в роддоме проговорила с Джули много часов подряд. И была совершенно уверена, что та не примет малышку обратно.

Денис помотал головой и сказал:

— Я не привык видеть женщин с такой стороны. До сих пор мне казалось, что материнский инстинкт у них развит больше всего на свете.

— Только у некоторых, — не согласилась с ним Ольга. — Часть женщин считает центром вселенной мужчину. И если она нацелилась его завоевать, ничто не помешает ей этого сделать. Ничто. Не знаю, способны ли вы меня понять.

— По крайней мере, способен выслушать, — пробормотал Денис. — Как вы думаете, — тут же спросил он, — кто может быть заинтересован в смерти Алисы? Ведь все началось с того, что на нее был совершен ряд нападений.

— На Алису? Бред какой-то. Если вы имеете в виду, что все дело в этой истории... Да нет. Этого не может быть. Бред. Бред. Вы же видите: никаких причин, все предсказумо и объяснимо. Наверное, покушения связаны с ее взрослой жизнью, а уж никак не с младенчеством.

Денис не стал ее разубеждать. Хотя знал точно: опасность затаилась там, в прошлом. Прошлое наплывало на настоящее, стирая границы между «тогда» и «сейчас», запутывая взаимоотношения и неся угрозу разрушить чью-то жизнь непоправимо и безвозвратно.

* * *

Распахнув дверь, Дейл Хоккес непроизвольно отступил на шаг, но тут же справился с собой, и на его лице появилось радушное выражение.

— Вот уж кого не ожидал увидеть, так это тебя, — покачал головой он. — Но я рад встрече.

Дэннис Элберт выглядел отвратительно. На его осунувшемся лице залегли глубокие тени, глаза тем не менее были острыми и смотрели на Дейла внимательно и тревожно.

— Я только что приехал, — сообщил Дейл, указывая своему гостю на мягкий диван возле окна. — Ты мог меня не застать.

— Я вас ждал.

— Да? — Было видно, что Дейл обеспокоен. — Надеюсь, не случилось ничего серьезного? Мы ведь с тобой не виделись с тех пор, как...

Фраза повисла в воздухе, и Дэннис недобро усмехнулся.

— С тех пор, как вы организовали наш с Элис разрыв.

Дейл поцокал языком:

— Ну-ну, Дэннис. Не стоит бросаться подобными обвинениями. Я вижу, что ты расстроен, поэтому не обижаюсь.

— Я больше чем расстроен.

— Что ж. Давай поговорим, раз так. С чего ты взял, что я помешал вашему браку? — Дейл сел в кресло, закинув ногу на ногу, и наморщил лоб, словно изо всех сил пытался постичь ситуацию. — Год прошел с тех пор, как между тобой и Элис пробежала черная кошка, и вдруг ты являешься с претензиями. Не странно ли?

— Ничего странного. — Дэннис скрестил руки на груди, показывая, что он вполне владеет собой. — Только вы один могли быть автором моей так называемой свадебной открытки. Только вы знали, насколько ранима ваша дочь. Это давало вам уверенность, что она не станет искать меня и устраивать сцен. А если бы даже она захотела это сделать, вы всегда могли удержать ее.

— Да ты ведь мог позвонить Элис!

— Не мог. Я тогда рассказал вам о том, что собираюсь сделать для нее сюрприз. Забыли?

— Что-то такое было, — пожал плечами Дейл. — Но я не придал этому значения. Тебе не кажется, что твой визит выглядит по меньшей мере неуместно? Ведь ты женат, не так ли?

— Не отвлекайтесь на мою частную жизнь. Я женился после того, как Элис вышла за Хэммерсмита.

— Неудачный брак, — вздохнул Дэйл с искренним сожалением. — С тобой она наверняка была бы счастлива.

— Что же заставило вас усомниться в этом год назад? — язвительно спросил Дэннис.

— Послушай, мальчик мой, — Дейл встал и взволнованно прошелся по комнате. — Мне не нравится твой настрой. Ты явился с готовым обвинением. Но это неправильно. Я совершенно не причастен к тому, что произошло между тобой и Элис год назад. Ты ведь знаешь, как я люблю свою дочь...

— Неправда! — резко возразил Дэннис. — Это иллюзия, на создание которой вы потратили много сил и времени. Но это всего лишь иллюзия.

— Что ты несешь? — Дейл остановился и пристально посмотрел на своего визави. Взгляд его был скорее раздраженным, чем растерянным.

— Элис училась в частной школе за сотни миль от дома. Потом колледж в Европе. Она всегда жила отдельно от вас. Даже в детстве вы не любили ее. Вы старались быть как можно дальше от этого ребенка. Уж не знаю почему... Возможно, она напоминала вам погибшую жену...

Дейл изменился в лице и изо всех сил сжал кулаки.

— Ну-ну, — сказал он чуть слышно. — Дальше.

— Вы и свою экономку ненавидели именно по этой причине.

— По какой же?

— Она знала, как вы на самом деле относитесь к Элис. Знала вашу ярость, знала, что вы играете в любовь к дочери!

— Почему же, по-твоему, я так не любил свою дочь?

— Потому что вы знали, что на самом деле — она не ваша дочь. Не настоящая ваша дочь, я хотел сказать. Ваша жена вам изменяла, вот что.

— Откуда ты всего этого набрался, Дэннис, черт тебя побери! — взорвался Дейл. — Что за нелепые инсинуации!

— Ничего нелепого в этом нет! — Дэннис тоже вскочил на ноги. Голос его сорвался на крик, и, пытаясь успокоиться, он резко взъерошил волосы. — Ничего нелепого! Прежде чем ехать к вам, я хотел поговорить с Мэган Локлир, попытаться выяснить, прав ли я. И что же я узнаю? Что эта старая леди отправилась посмотреть на заокеанские достопримечательности и попала под колеса автомобиля.

Дейл вытаращил глаза:

— Ты хочешь сказать, что с Мэган произошел несчастный случай?

— Удобный для вас, не так ли? Допускаю, что старушка на старости лет стала много болтать. Вероятно, возраст дал себя знать. Или у вас появились какие-то причины подозревать, что вопрос о любви к дочери вскоре встанет чрезвычайно остро... Вы ведь только что вернулись из поездки, не так ли? Были в Лондоне?

— Знаешь что, Дэннис? — внезапно сказал Дейл, сдвинув брови. — Убирайся отсюда! Избавь меня от своей персоны! — Он махнул было рукой в сторону двери, но тут же опустил ее. — Впрочем, нет. Боюсь, ты побежишь к Элис и безумно ее расстроишь. Надо разобраться с причиной вашего разрыва как-то цивилизованно. Ты ведь не виделся с моей дочерью?

— Нет еще, — буркнул Дэннис.

— Где ты остановился?

— У Стива Шоу, своего приятеля, — мрачно ответил Дэннис, который изо всех сил пытался укротить свою ярость.

— Знаю Стива, у нас с ним кое-какие общие интересы. Он по-прежнему живет на Хэмпстед Лэйн? Хороший район он. Надеюсь, ты не вывалил на голову Стиву все свои подозрения?

— Зачем бы я стал это делать? — угрюмо спросил Дэннис. — Это мое дело. И только мое.

— Хорошо, — пробормотал Дейл. — Давай договоримся так. Я разыщу Элис и устрою вам встречу. Хочешь — поговорите наедине. Хочешь — я тоже приду. Решение за тобой.

— Я подумаю, — смягчился Дэннис. — Пожалуй, сначала я поговорю с Элис с глазу на глаз.

— Что ж? На мой взгляд, эта встреча на год запоздала. Но... От судьбы, как говорится, не уйдешь.

Когда Дэннис покидал Сосновый дом, он казался совершенно разбитым. Из него будто выкачали все силы, которые еще теплились внутри, и он еле передвигал ноги.

— Счастливо тебе, сынок, — пробормотал Дейл ему вслед. — Будь осторожен на дороге.

Глава 15

По дороге к особняку Стива Шоу Дэннис завернул в супермаркет. Когда он с бумажными пакетами в руках подходил к своему «Форду», автомобиль, стоявший на самом краю площадки, буквально с места набрал скорость и помчался к выезду на шоссе. Это был черный «Бьюик». Зазор между Дэннисом, который еще не успел открыть дверцу, и несущимся автомобилем был минимальным. В последнюю секунду «Бьюик» вдруг вильнул вправо. Его намерение было очевидным: он хотел, чтобы Дэннис попал в ловушку, из которой не смог бы выбраться живым. Его должно было просто размазать по дверце.

— Какого черта?! — закричал Дэннис и, подброшенный страхом, буквально вспрыгнул на капот своей машины, странным образом вильнув туловищем. Если бы полицейские не следили за Дэннисом и не пустились в погоню тотчас же, злоумышленнику, сидевшему за рулем, легко удалось бы скрыться. Но не теперь.

Наезд был спрогнозирован шефом полиции. Он же совместно с Седжвиком написал сценарий, которого придерживался Дэннис в разговоре с Дейлом Хоккесом. Сейчас Седжвик, все это время находившийся на заднем сиденье полицейской машины, несмотря на свой преклонный возраст, проворно выбрался из машины. Когда Дейла Хоккеса вытащили из «Бьюика», он был довольно спокоен. Но вот увидел Седжвика, и вся его невозмутимость растаяла, словно дымок от сигареты.

— Ах, это ты! Вот в чем дело... — процедил Дейл, и лицо его исказилось от ярости. — Я надеялся, что твои мозги уже высохли от старости.

— Зато твои — обдумали убийство, — скривив губы, с горьким презрением сказал Брюс. — Ты убил Джули за то, что она изменяла тебе. А спустя столько лет, когда твоей заднице стало горячо, снова принялся за старое. Мэган Локлир была сбита во время твоего европейского вояжа, не так ли? А вот теперь и Дэннис. Кого ты еще планировал прикончить?

— Жаль, я про тебя ничего не знал. Ты стоял бы первым в списке.

— Зачитайте ему его права, — приказал сержант своим помощникам, защелкнувшим наручники на запястьях Дейла.

Седжвик направился к Дэннису.

— У парня шок, — пояснил кто-то из одетых в штатское детективов. — Увезите его в спокойное место, пусть приходит в себя. Можно дать выпивку, некоторым сразу помогает.

Когда Дейла проводили мимо, он неожиданно остановился и сказал светским тоном:

— Дэннис, ты ведь понял, что все это было несерьезно. Я просто хотел тебя испугать.

— Пошутили, значит? — усмехнулся сержант, подталкивая арестованного в спину.

— Послушайте, Дейл, — Дэннис внезапно словно пришел в себя и заговорил быстро, проглатывая слова, потому что понимал, что в его распоряжении всего лишь секунды. — Зачем вы это сделали? Зачем вы развалили наш с Элис брак?

Полицейские, повинуясь выразительному жесту Седжвика, который действовал от лица их шефа, выжидательно замерли.

Дейл повернул к нему свое обаятельное лицо.

— Не дергайся, Дэннис. Элис должна была выйти замуж за Хэммерсмита, только и всего. Так что твои личные качества тут совершенно ни при чем.

— Это не объяснение! — взвился Дэннис. — Какого черта вам нужен был Хэммерсмит в качестве зятя?

— Я мстил Артуру, — легко ответил Дейл. — Он был любовником моей жены и настоящим отцом Элис. Я хотел, чтобы Элис вышла замуж за его сына и у них родились дети. Ублюдки. Они ведь брат с сестрой! Я хотел, чтобы Артур страдал. Приблизительно так, как страдал я, когда Джули бегала к нему на свидания!

Брюс Седжвик скривился. «Черт, — прошептал он. — Вот она, моя ошибка!»

— Но если Артур знал, что Элис — его дочь, -- не унимался Дэннис, перешедший с истерического тона на нормальный, — почему он просто не открыл своему сыну правды до свадьбы?

— Это был один из вариантов, который тоже меня устраивал. Пускай бы он признался своему законному сыну в том, что у него есть дочь, которую он нажил с близкой подругой его матери, — хмыкнул Дейл. — Это тоже было бы для Артура весьма болезненным признанием. Тогда я еще позаботился бы о том, чтобы обо всем узнала его жена. Он ведь до сих пор боготворит ее...

— Как ты боготворил Джули? — повел бровями Седжвик.

— Она была шлюхой, моя Джули, — Дейл повернулся к Брюсу с обезоруживающей улыбкой на губах. — Я любил ее, но она заставила меня страдать. В тот день, когда я узнал о ее измене, моя любовь превратилась в ненависть. Все десять лет, которые мы прожили вместе после этого, она расплачивалась за свою измену. Она, бедняжка, и не знала, *кто* превратил ее жизнь в ад. Но потом... Потом она умерла. А Артур остался жить. Я хотел отплатить этому подонку его же монетой. Я хотел, чтобы он мучился так, как мучился я: не смея ничего сказать вслух.

— Почему вы просто не развелись со своей женой? — воскликнул удивленный Дэннис.

— Это было бы слишком хорошо для нее. Она бы оттяпала у меня кучу денег и стала бы жить припеваючи.

— И вы убили ее!

— Ничего подобного, — в глазах Дейла появилась горечь. — Это действительно был несчастный случай. По мне, убийство — слишком простое наказание. Человек не успевает прочувствовать того, что ему мстят. Нет, мальчик. Сладка лишь долгая месть, когда ты можешь наблюдать за тем, что делаешь, неделями. Агония жертвы... — Дейл закрыл глаза. — Это то, ради чего я жил все эти годы.

— Кажется, я тебя сейчас здорово разочарую, Дейл, — сказал Седжвик. — Я тебя тогда обманул. Артур вовсе не был любовником твоей жены.

— Ерунда, — Дейл скривился. — Если у нее и имелся кто-то еще, то только по случаю. Артур все равно был первым. Я сам следил за Джули. Я видел их вместе. Так что можешь оставить свои сенсационные заявления при себе.

— Но ведь ваш план удался! Элис вышла замуж за сына Артура Хэммерсмита и ждет от него ребенка. Зачем вам понадобилось ее убивать?

— Я не собирался ее убивать! — брезгливо посмотрел на него Дейл. — Я просто пугал ее.

— Ты? — удивленно спросил Седжвик. — Выходит, это ты ночью пробрался в особняк Хэммерсмитов и пытался задушить свою дочь? Преследовал ее в России?

— Конечно, у меня были исполнители, — пожал плечами Дейл.

— А где они сейчас? Почему вдруг с Дэннисом ты решил разделаться сам?

— У меня просто не было времени, чтобы раздавать поручения. Дэннис запросто мог рвануть к Элис, и все вскрылось бы.

— Не могу поверить! — простонал Дэннис.

— Тебе ее жаль? — поднял брови Дейл. — Напрасно переживаешь. Она ведь шлюха, как и ее мать. У нее была пропасть любовников. Да-да, Дэннис, тебе стоит об этом знать. Понимаешь ли, — он доверительно понизил голос. — Я даже не уверен, что отец ребенка — Винсент Хэммерсмит. Скорее всего, Элис зачала в грехе, как в свое время Джули. История повторяется!

— Почему ты так уверен, что Элис — не твоя дочь? — вмешался Седжвик, вскинув голову. — Ведь не исключена возможность...

— Я узнал это из первых рук. Я подслушал телефонный разговор Джули с Артуром.

— А ты уверен, что на том конце провода был именно Артур? Дейл, мне тебя жаль, — Седжвик был настолько проникновенен, что поколебал бы чью угодно уверенность. — Артур — вовсе не отец Элис, а Винсент — не ее брат. Твоя маленькая месть не удалась.

— Ты лжешь, — улыбнулся Дейл.

Дэннис, который некоторое время стоял, задумавшись, и глядел себе под ноги, внезапно ожил и с прежней запальчивостью спросил:

— Хотите сказать, что все покушения на вашу дочь — всего лишь инсценировка?

— Именно.

— Надо ехать, — напомнил сержант, топтавшийся возле автомобилей, образовавших настоящее столпотворение на западной стороне стоянки. — Хайнц отправился в участок, ждет нас там.

— Я никого не убивал, — пожал плечами Дейл. — Мой адвокат скажет то же самое. Пусть полиция попробует что-нибудь доказать.

— А Мэган Локлир? А попытка угробить Дэнниса?

— Дэнниса я просто хотел проучить, — заявил Дейл, хмыкнув. — Кто сбил Мэган Локлир? Не знаю, — Дейл выразительно покачал головой.

Вместо ответа Седжвик кивнул сержанту:

— Везите его в участок, а я займусь пострадавшим.

— Я в порядке, — заявил Дэннис. Звучало это заявление

совсем неубедительно. — Только... Не могли бы вы сесть за руль?

— Конечно.

— Не думал, что все это серьезно, — развел руками Дэннис, когда они тронулись. — Какая-то глупость... С самого рождения Элис Дейл все знал. Он растил ее вместе со своей ненавистью!

— Выходит, так.

— Он казался мне совсем другим!

— Думаю, не тебе одному.

Когда Седжвик появился в участке, шеф полиции сразу же увел его в свой кабинет.

— Тебе не кажется, Брюс, что в этом деле есть нечто странное? — спросил он, укладывая сцепленные руки на стол перед собой.

— А тебе?

— Допустим, Дейл хотел превратить жизнь Элис в ад. Допустим, ему удалось подкупить кого-то из служащих Хэммерсмита. Почему же тогда, видя, что в дело вмешалась полиция, они продолжали свои игры?

— Наверное, Дейл закусил удила.

— Дейл — это ладно. Но его подручные? Если они были в доме и знали о том, какие меры безопасности предпринимаются...

— Они сами обеспечивали эту так называемую безопасность.

— Кто из них?

— Понятия не имею. Думаю, Элис не поддержит версию о том, что это было лишь запугивание. Она готова присягнуть, что пережила несколько покушений на свою жизнь.

— То, что их было несколько, — главный аргумент в пользу того, что ее только пугали.

— Я понимаю, — кивнул Хайнц. — Если бы ее действительно хотели убить, то убили бы сразу. Столько неудач у профессионалов? Неубедительно.

— И все же вы недовольны, — склонил голову Брюс.

— Мне кажется, что меня одурачили. Отчего бы это?

В этот момент на столе Хайнца зазвонил один из телефонов. Он несколько минут молча слушал, потом кивнул:

— Хорошо, я встречусь с ним.

В его голосе Брюсу Седжвику послышалось неудовольствие.

— Что-то по нашему делу? — спросил он, когда Хайнц положил трубку на место. — Что-то новое?

— Еще какое новое... Гилберт, глава службы безопасности Хэммерсмита, просит встречи со мной. Он уверяет, что знает, кто на самом деле охотится на Элис Хэммерсмит, и может не только указать на этого человека, но и помочь взять его с поличным. Потому что ему известно, где и как произойдет следующее покушение.

— Разрази меня гром!

— Нет, Брюс, определенно, в этом деле есть что-то, чего мы пока не улавливаем.

* * *

Мэтт пристроился к лимузину Хэммерсмитов в тот самый момент, когда с частной дороги тот выехал на городскую улицу. Припарковал свой автомобиль на огромной стоянке возле концертного комплекса, не выпуская из виду тех, кого преследовал. Когда Элис Хэммерсмит направилась к восточному входу, он, опередив ее, прошел внутрь.

Гилберт, глава службы безопасности, держал Мэтта в уме с тех самых пор, как Тэрри Куэйн засек его в России. «Из этого парня получится отличный козел отпущения», — решил он, когда запахло жареным. Да, он брал деньги у Дейла Хоккеса. Но рассчитывал выйти сухим из воды. Чтобы выскользнуть из-под подозрения полиции, нужно все свалить на наемного убийцу. Вывести на него полицейских и сделать так, чтобы они не успели его допросить. То есть убрать его в нужный момент.

Гилберту самому хотелось бы знать, на кого работает Мэтт, но в сложившейся ситуации прояснить это не представлялось возможным. Важнее было выдать его властям и сохранить свою репутацию незапятнанной. Ему пришлось приложить немало усилий, чтобы шеф полиции согласился позволить Тэрри Куэйну участвовать в операции.

— Если в качестве телохранителя миссис Хэммерсмит

будет выступать кто-то незнакомый, этот человек может насторожиться, — убеждал он. — Он вел за ней подробное и долгое наблюдение и наверняка знает в лицо людей службы безопасности, моих людей.

— Вы предлагаете отправить с Элис кого-то из них?

— Безусловно. Пусть это будет Куэйн — он лучший и действительно сможет подстраховать ее.

— Хорошо, — сказал Хайнц.

Гилберт видел, что шеф полиции раздражен, и понимал причину его раздражения. Хайнц чувствовал, что его ведут на веревочке, и никак не мог схватить руку того, кто держит за другой ее конец.

— Тэрри Куэйн получит от меня четкие указания, — отчеканил он. — И пусть только попробует не подчиниться.

У Тэрри Куэйна была спрятана козырная карта в рукаве. Полицейские не знали, каким способом Мэтт собирается прикончить Элис Хэммерсмит. А Тэрри знал. Тем не менее ему предстояла сложнейшая задача: он должен был среагировать на одно-единственное профессиональное движение руки. Ему необходимо было убить Мэтта Дайлона не раньше и не позже того момента, когда он достанет нож. Мэтт должен умереть, сжимая его в ладони.

Таким образом версия Гилберта будет подтверждена, а полицейские получат доказательства того, что Мэтт — именно тот человек, который им нужен. Также будет соблюдено главное условие Гилберта — Мэтт должен быть мертв во что бы то ни стало. Если Мэтту удастся бросить нож незаметно для полицейских, а Тэрри убьет его *после* этого, полицейские подумают, что он убил первого попавшегося туриста. И тогда на него самого повесят предумышленное убийство. Хайнц в таком случае может не поверить, что нож метнул именно Мэт Дайлон, и подумает, что Гилберт просто подставил невинного парня, чтобы очистить себя от подозрений. Хайнц и так явно чувствовал какой-то подвох. Поэтому, как считал Тэрри, он был столь раздражен и резок со всеми, кто участвовал в операции.

Нет, Тэрри не должен ошибиться. Если что-нибудь не получится, Хайнц обязательно достанет их всех — и его, и Гилберта в том числе.

Гилберт понимал, что Хайнц сильно рискует. Понимал он и то, что у того не оставалось выбора. Никаких оснований арестовать Мэтта Дайлона у полиции не было. Его могли задержать, но надолго ли? Освобожденный Мэтт, зная о наблюдении, потом ускользнет и все равно выполнит свой заказ на убийство. Да, шефу полиции сейчас никто не мог бы позавидовать.

Правда, Гилберт не знал одной важной вещи. Накануне вечером в Вустер-сити прибыли два человека — специалист по созданию имиджей и молодая женщина, комплекцией удивительно напоминающая Элис Хэммерсмит. Мэтт Дайлон не должен был приближаться к своей жертве слишком близко, поэтому предполагалось, что подмены он не заметит.

Когда женщина, которую Мэтт Дайлон принял за Элис Хэммерсмит, появилась в проходе восточного сектора, он быстро прошел вправо и, обогнув крайний блок зрительских кресел, оказался позади нее. Как и предполагал Мэтт, ее сопровождал охранник, и им оказался Тэрри Куэйн!

«Что ж, — подумал Мэтт. — Придется Куэйну испить эту чашу. Женщина, которую он стережет, спустя несколько минут превратится в мертвое тело, и он ничего не сможет с этим поделать». Правая рука Мэтта все время находилась в кармане пиджака, на ней была перчатка специальной выделки — такая тонкая, что со стороны ее можно было не заметить вообще.

«Сейчас самый подходящий момент, — внезапно подумал Мэтт. — Спина цели открыта, Куэйн находится справа, достаточно далеко, чтобы успеть ее загородить». Он прищурился, потянул нож из кармана, рука его напряглась... И в этот момент Мэтт заметил, что Тэрри Куэйн повернулся и смотрит прямо на него. Мэтт не сразу понял, что звук выстрела, раздавшийся вслед за этим, имеет к нему какое-то отношение. Он опустил глаза и посмотрел на свою руку, пытаясь понять, бросил он только что нож или нет. Однако глаза его наткнулись на что-то красное, испачкавшее грудь. «Кажется, это моя кровь, — пробормотал Мэтт, пытаясь удержаться на ногах. — Тэрри, сукин сын, ты испортил мой пиджак...»

Мэтт Дайлон упал сначала на колени, а затем повалился на землю вниз лицом. Куэйн сделал несколько быстрых шагов в его сторону и вытянул шею. Этого было достаточно для того, чтобы увидеть: рука Мэтта сжимает нож. Тэрри облегченно прикрыл глаза.

* * *

— Надеюсь, ты не жалеешь о том, что все позади?
Сестры сидели в гостиной дома Энди Торвила.

— Говорят, под конец Дейл нанял настоящего киллера, — заметил Энди, отщипывая кусочки от холодной
пиццы, которую они еще утром заказали в ресторане. —
Если бы не Тэрри Куэйн, дело могло бы кончиться более
трагично.

— Тэрри Куйэн! — с негодованием воскликнула Алиса. — Этот ублюдок дважды пытался задушить меня. Что
бы там ни говорили его адвокаты. Ненавижу его туалетную
воду!

— Замечательный аргумент для суда, — не сдержался
Энди.

Алиса сосредоточенно посмотрела на своих собеседников:

— Думаю, вы оба не станете возражать, если я в ближайшее время самоустранюсь? Поеду домой.

— Как? Почему? — Элис даже подпрыгнула на роскошном диване Торвила.

— Неужели вам не хочется устроить домашнюю пресс-
конференцию? — поинтересовался Энди. — Посмотреть на
их лица...

Алиса представила Винсента Хэммерсмита и покраснела.

— О, нет! — воскликнула она в полном смятении. — Никаких разоблачений! Надеюсь, я могу на вас положиться?
Обо мне не знает никто: ни Дейл, ни Гилберт, ни Фред, ни
один из Хэммерсмитов, ни полицейские, ни Брюс Седжвик... Все уверены, что Элис действовала здесь в единст-
венном лице. Все думают, что у четы Хоккесов была одна
дочь. Пусть остаются в счастливом заблуждении. То, что
они узнают правду, не сделает счастливее ни меня, ни тебя,
сестричка.

— И все же, — пробормотал Энди. — Это как-то... Неправильно.

— Дорогой детектив, — сладким голосом сказала Алиса. — Мы находимся здесь исключительно с дружеским визитом, поэтому ведите себя как друг

— Если вы считаете, что дружба состоит в том, чтобы покрывать друг друга...

— Но я же не совершила никакого преступления, — возмутилась Алиса.

— Ну, ладно, — неохотно сказал Энди. — В конце концов, я действительно больше не работаю по этому делу. Хотя и не слишком доволен результатом.

— А я — так очень довольна, — сообщила Элис, беря сестру за руку и сжимая ее пальцы. — Лучшего подарка, чем найти родную сестру, я бы и придумать не могла.

— Можно я спрошу? — подал голос Энди, хихикнув. — Как, интересно, вы собираетесь поступить со своими мужьями?

Глава 16

— И этот Костик вот просто так взял тебе и все рассказал? — Галка смотрела на Дениса во все глаза.

— Просто так! — передразнил он. — Мне пришлось отделять зерна от плевел прямо на ходу. Что называется, на полной скорости. Видала бы ты этого Костика!

— И все-таки?

— И все-таки благодаря ему мы теперь знаем завязку. Но до развязки, увы, еще далеко.

— Ну, рассказывай, рассказывай! — Галка просто места не находила себе от волнения.

— Значит, так. — Денис принес большую пепельницу и позволил себе расслабиться с хорошей сигаретой. Он редко курил, и обычно не в комнате, но сегодня был абсолютно уверен, что жена не погонит его на балкон.

— Все, что узнала и сообщила в последний раз Алиса, мне очень помогло. Благодаря ей я разобрался в именах, датах и мотивах. И могу рассказать ужасно логичную версию произошедшего.

— Я — твой первый благодарный слушатель, — сказала Галка.

— Как все неразберихи на свете, эта тоже началась с любовного романа, — усмехнулся Денис. — Молодая американка Джули Хоккес, пребывая в счастливом браке с Дейлом Хоккесом, влюбилась в другого мужчину. Его имя — Виктор Хаттон. Сейчас мы уже знаем, что он настоящий отец Алисы. Виктор Хаттон был богат с рождения и вдобавок достаточно известен как художник. К моменту встречи с Джули он тоже состоял в браке с другой женщиной. Однако брак оказался несчастливым. Они с женой уже несколько лет не жили вместе, и развод казался делом чисто формальным. Виктор считал себя свободным мужчиной: ему никого не нужно было обманывать. Другое дело Джули. Свидания с Виктором были чистой воды авантюрой, у нее был муж, обожавший ее. В конечном итоге, когда Джули поняла, что беременна, она принялась выбирать, как ей лучше поступить — остаться с мужем или сбежать к любовнику, в чьем отцовстве она не сомневалась. Виктор проявлял индифферентность. Но лишь до тех пор, пока не узнал, что Джули ждет ребенка.

— Помилуй господи! Откуда Костик мог знать все эти подробности про дела и чувства американцев?

— Костик всего и не знал. Это я соединил все сведения, что сообщала Алиса, с нашими личными изысканиями. Кстати, только благодаря душещипательным подробностям этой любовной связи бабуся Костика, Роза Пашкова, и согласилась пуститься во все тяжкие и переоформить ребенка на Татьяну Соболеву. Двоюродные сестры — Нина и Роза — вообще были очень разными. Нина жаждала денег, Розу можно было взять только чувствами. Дело в том, что Джули самолично рассказала Татьяне свою «love story», не упустив ни одного нюанса. Все в свое время узнаешь.

— Ну ладно, ладно, дальше, — потребовала Галка.

— Ну и вот. У Виктора Хаттона, оказывается, была голубая мечта — заиметь наследника. С женой у него ничего не получалось, возможно, были и другие попытки на стороне. Короче, когда Джули заявила, что будущие близнецы — его, но он не сможет их воспитывать и не имеет на них никаких прав, Виктор пришел в ярость. Это была натура сложная, творческая. Он имел сильный характер и в дальнейшем мог преподнести Джули массу сюрпризов. А Дейл Хоккес — ее законный супруг — был уже в летах, боготворил жену и проглотил бы любую ложь во имя сохранения статус-кво. Джули закусила удила. Она во что бы то ни стало решила остаться с мужем.

В это время Дейл как раз собирался в Россию. Он занимался антиквариатом и у него наклевывалась в Москве какая-то фантастическая сделка. Джули увязалась за ним. К тому времени она уже знала, что должна произвести на свет не одного, а двух детишек, причем довольно скоро.

— Виктор Хаттон вслед за коварной любовницей отправляется в Россию, — патетически возвестила Галка.

— Так точно. Он без труда обнаружил супружескую чету в Москве и начал преследовать любовницу с утроенной энергией. Чтобы не испытывать неудобств в чужой стране, нанял частного переводчика, которого ему порекомендовали служащие отеля. Это и была Татьяна Соболева.

— А Косточкин говорил тебе, что Татьяна обслуживала американку?

— Ну, он просто ничего толком не знает. Зато мы знаем. Мы знаем, что Татьяна в разгар очередной разборки между любовниками оказалась тут как тут. Перед ней забрезжила мечта, которую она давно уже лелеяла в своем сердце — уехать из страны к чертовой матери. Она насмотрелась на заграничную жизнь и хотела изменить свою.

Джули тем временем предложила Виктору разделить близнецов, как говорится, поровну. Тогда тот получил бы долгожданного наследника, а она сохранила бы полноценную семью: у нее оставался муж и ребенок.

— Чудовищное решение!

— Между собой-то они договорились, но не знали, как все это провернуть на деле. И тут на сцене появилась Татьяна Соболева! Она предложила свои услуги, взяв техническую сторону дела на себя. Она обещала оформить одного ребенка на себя. После этого Виктор должен был жениться на ней и вывезти с малышом в Америку. В дальнейшем Татьяна хотела развода и хорошего содержания до конца жизни. Для Виктора Хаттона это было вполне реально! В деле оказалась только одна заноза — формально Виктор уже был женат. И ему требовалось время, чтобы съездить в страну и развестись, прежде чем жениться на Татьяне. Тем временем Джули вот-вот должна была родить.

— Господи, это просто мелодрама какая-то! — не выдержала Галка.

— А как же! Мелодрама и есть. В положенный срок, то бишь четырнадцатого сентября, Джули и Татьяна Соболева попадают в известный нам роддом. Джули — в предродовую палату, а Татьяна — в патологию. Кстати сказать, как я понял, Нина Ахломова, работавшая в консультации, заготовила две фальшивые карты для Татьяны. Согласно одной, у нее была двухмесячная беременность, и ее клали на сохранение. Согласно другой, она была на сносях и рожала в срок. Роза Пашкова работала старшей сестрой отделения патологии. Татьяна находилась под ее присмотром до тех пор, пока Джули не родила. Как уж там Розе удалось намудрить с документацией — не знаю. Но одну девочку зарегистрировали как Элис Хэммерсмит, а вторую — как Алису Соболеву. После того, как Джули родила близнецов, Роза изъяла из обращения Татьянину карту, где был проставлен двухмесячный срок беременности, и пустила в дело другую, где теперь стояла запись о том, что она уже стала мамашей. Татьяну из патологии просто перевезли в послеродовую. Думается мне, обе женщины потом лежали в двухместной палате на третьем этаже. Именно туда попадал так называемый особый контингент рожениц.

После выписки Джули с дочуркой Элис и любимым мужем Дейлом вернулась в Америку, а Татьяна продолжала раскручивать сценарий уже вдвоем с Виктором Хаттоном. Виктор собирается ехать в Америку, чтобы получить развод. А вместо этого нелепейшим образом погибает прямо во дворе дома, куда Татьяна только что переехала.

— Могу себе представить, в каком она была ужасе!

— Да, я забыл тебе сказать еще одну вещь. Я все-таки сломал Татьянину подругу.

— Ольгу Авдеенко? — изумилась Галка.

— Я поехал к ней и выложил всю историю.

— А она?

— Заплакала. И кое-что добавила от себя.

— Неужели?

— Сказала, что смерть Виктора повергла Татьяну в шок. Она не могла смириться с тем, что вместо прекрасной жизни в Америке, которая была уже так реальна, ее ждет прозябание в России в еще более худшем положении, чем прежде — с младенцем на руках. Она написала письмо отцу Виктора — Лео Хаттону, сочинив историю о большой любви между ней и его сыном. Сообщила также, что у Лео теперь есть внучка. Она уверяла, что Виктор просто не успел поставить отца в известность о ребенке, который только что родился.

— Но ответа так и не дождалась.

— Откуда ты знаешь?

— Как это откуда? Татьяна ведь осталась в России.

— А, ну да. — Денис помолчал. — Впечатлила тебя моя история?

— Еще как впечатлила. Надо срочно звонить Алисе.

— Надо. Хотя самого главного мы так и не сможем ей рассказать. Кто покушается на ее жизнь и жизнь ее сестры? И главное — почему? Из истории, которую я тебе только что поведал, не вытекает абсолютно ничего криминального.

— Может быть, есть какие-то неизвестные нам детали?

— Наверняка есть. Но возникает вопрос — как до них докопаться?

* * *

Прошло гораздо больше двух месяцев с того времени, как он отослал Мэтту карточку с именем Элис Фарвел. Время от времени он наводил о ней справки. Сначала узнал, что она утонула во время отдыха на Черном море. Это был триумф. Он получил настоящее удовольствие от мысли, что все сделано пофессионально и никто никогда не сможет доказать его связь со смертью этой женщины.

Деньги он приготовил заранее. Огромную сумму. Но дело того стоило. Что значат эти жалкие тысячи в сравнении с тем, что он получит в ближайшем будущем благодаря смерти Элис Фарвел?

Однако время шло, а никто с ним не связывался. Он стал плохо спать, вскидываясь от каждого случайного звука за окном. Любой телефонный звонок заставлял его нервничать. В конце концов он не выдержал и позвонил в «Айсберг». И там ему сказали, что Элис Фарвел нашлась. Она была жива и невредима! Черт побери, что этот придурок-киллер себе думает?

Он начал осторожно наводить справки и в конце концов узнал ужасную вещь — Мэтт мертв. Что с ним случилось? Вряд ли он узнает ответ на этот вопрос. Искать другого наемного убийцу казалось ему довольно опасным делом. Чтобы выйти на этого, ему потребовались месяцы и месяцы. Что же делать? Может быть, вообще отказаться от своего плана?

Он представил, что все останется так, как сейчас, и поморщился. Нет, это не годится, никуда не годится. Он решил, что должен сам во что бы то ни стало избавиться от Элис Фарвел. Идея была не слишком хороша, но у него не было другого выхода. Он так и сказал сам себе:

— У меня просто нет выхода.

* * *

— За нас и за нашего малыша! — Гарри поднял бокал и покачал в нем кубики льда.

Алиса подперла щеку кулаком и пытливо посмотрела на него. В его глазах действительно светилось нечто, очень похожее на любовь.

— Мне надо выйти, — сказала Алиса. — А ты, пожалуйста, закажи пока коктейль.

— Ягодный можно? У тебя ни на что не появилось аллергии?

«Появилась. На тебя», — хотела сказать Алиса, но посчитала, что не стоит пугать его раньше времени.

Она вышла в холл и, ни секунды не медля, пошла к телефону.

— Элис! — с облегчением сказала она, когда сестра сняла трубку. — Скорее приезжай сюда. Меня тошнит от Гарри.

Элис немного помолчала, потом деловито сказала:

— Ладно. Я приеду, и мы поменяемся платьями.

— Зачем это? Гарри нужно все рассказать.

— О, нет, Алиса! Ты все испортишь! Он такой чувствительный...

— Кто, Гарри? Впрочем, когда дело касается лично его, то да.

— Пожалуйста, сестричка, давай оставим все, как есть! У ребенка, которого я ношу, считай что вообще нет отца. Я хочу замолить этот грех. Хочу, чтобы он у него был. Не приемный, а настоящий.

— Но Гарри — не настоящий.

— Он так не думает.

— То есть ты хочешь, чтобы Гарри считал, что это ваш с ним ребенок? То есть наш с ним ребенок? Он по-прежнему будет думать, что ты — это я.

— Вот и хорошо.

— Хорошо? Наша мать поступила также. Она манипулировала нами, своими детьми, как вещами, имеющими определенную ценность. И что из этого получилось?

— Получились две очаровательные женщины. Кстати, ты вернешься к Винсенту?

— Конечно, нет. — Алиса даже рассердилась. — В подобном обмене мужчинами есть что-то до такой степени пошлое, что от одной мысли об этом меня начинает трясти.

— Но это жизнь, Алиса! Реальность. Если тебе понравился Винсент...

— Сейчас не время обсуждать мои планы, — перебила ее Алиса. — У меня тут Гарри, очумевший от избытка чувств.

Гарри вышел в холл, взволнованно озираясь. На него оглядывались все представительницы противоположного пола, попадавшиеся навстречу.

— Какие наглые существа, эти женщины! — раздраженно сказала Алиса.

— Я их не замечаю, — на красивом лице Гарри появилась улыбка соблазнителя. — Никого, кроме тебя, дорогая.

«Разрази меня гром! — подумала Алиса. — Неужели он всегда был таким слащавым?» Она смотрела на Гарри, и ей больше не хотелось плакать. Сердце ее не сжималось и не ныло, и вообще: свидание оказалось обременительным. Если честно, Алиса пришла сюда с целью полечить свое самолюбие. Все-таки Гарри был ее мужем, ее любовью, кусочком ее жизни, и ей хотелось снова примерить эту любовь на себя, словно платье, помнящее первое свидание. И вот теперь выяснилось, что в нем она чувствует себя неудобно: наряд потерял всю свою привлекательность. Ей стоило труда спровадить Гарри обратно за столик.

Когда Элис, наконец, появилась возле входа, она облегченно вздохнула.

— Трепещу, словно девица, — призналась та, поправляя остриженные, как у Алисы, волосы. — Ты все решила окончательно?

— Да. С Гарри покончено.

— Точно не передумаешь? — озабоченно спросила Элис.

— Помнишь, как ты недавно встретилась с Дэннисом? У тебя еще было такое постное лицо...

— Как только он заговорил, я поняла, что все перегорело.

— Вот и у меня то же самое.

Они обнялись, и Алиса сказала:

— Я возвращаюсь в Москву.

— Ты же не хотела!

— Здесь мне было хорошо только потому, что я была вместе с Гарри. Я приехала сюда ради Гарри, понимаешь? — Она нахмурилась и добавила: — Нет, я просто убеждена, что Гарри нужно все рассказать.

Элис сосредоточенно посмотрела на пальму, украшавшую холл, и нехотя произнесла:

— Наверное, ты права. Но как мы ему скажем?

— Давай просто войдем вместе в зал и сядем по обе стороны от него. Это будет самая изощренная женская месть в истории человечества!

* * *

Когда Винсент Хэммерсмит вошел в кабинет, Энди невольно поднялся со своего места. На госте был дорогой летний костюм и туфли, продав которые можно было бы съездить на курорт и неплохо там порезвиться. Это внушало уважение.

— Садитесь, — сказал Энди, указывая на кресло для посетителей.

— Как дела? — спросил Винсент, закидывая ногу на ногу. — Вижу, ваше дело процветает.

— Идут, — лаконично ответил Энди. — Думаю, вы ко мне тоже по делу?

— Элис не подавала о себе вестей?

Он и сам толком не знал, зачем отправился к Торвилу. Когда все закончилось и Элис уехала от него, забрав свои вещи, Винсент почувствовал пустоту, которую ничто не могло заполнить. Ему казалось, что в их с Элис отношениях осталось что-то недосказанное. Ему захотелось узнать доподлинно, как бывшая жена относилась к нему на самом деле. Энди Торвил некоторое время был очень тесно связан с Элис, он мог бы кое-что прояснить. Недолго думая, Винсент заявился в офис Торвила, но никак не мог подступиться к нужному вопросу.

— Послушайте, хм, Энди, — сказал он наконец. —

Я попытаюсь объяснить цель своего визита максимально коротко.

В течение последующих тридцати минут Винсент максимально коротко пытался самыми окольными путями дать понять детективу, что в разгар расследования запутанного семейного дела он проникся нежными чувствами к своей жене и теперь, после того, как она бросила его, безмерно страдает.

Тайна о существовании близнецов распирала Энди. Во время достаточно сумбурного монолога Хэммерсмита он постоянно кряхтел, покашливал и вертелся на своем месте, будто горшок с кипящим содержимым, которому необходимо срочно дать выпустить пар. И когда на его столе зазвонил телефон, он схватил трубку с такой скоростью, будто делал это на спор.

— Он ушел? — спросил Том.

— Черта с два.

— Чего он хочет?

— Сам догадайся, — буркнул Энди.

— А, любовь! — насмешливо сказал Том. — Думаешь, они оба тебя потом погладят по головке?

— Ты бы стал ради этого рисковать?

— Я — нет.

— А я — да.

— Ну и кретин. Не знаю, как ты будешь оправдываться, если тебя призовут к ответу.

— Я скажу, что Винсент Хэммерсмит меня шантажировал, — заявил Энди и, бросив трубку, повернулся к подскочившему при этих словах собеседнику.

— Кому вы скажете, что я вас шантажировал? — переспросил Винсент, откашливаясь.

— Элис.

— И чего же я от вас хотел добиться?

— Подробностей расследования, которое я для нее вел.

— А чем я вас шантажировал?

— Ну... — Энди надел очки на палец и покачал ими туда-сюда. — Придумайте что-нибудь сами!

— Ладно. Скажем, мне стало известно, что вы эксгибиционист. Я застукал вас ночью на Ворди-плэйс, когда вы распахивали плащ на полосе встречного движения. А теперь говорите, наконец, все, что знаете. Я же по глазам вижу — вы что-то знаете.

— Это грозит мне неприятностями.

— Я заплачу.

— Ну уж нет! — взвился Энди. — Я тайнами не торгую. И если что и может меня разжалобить, так это очень серьезный мужчина, худеющий от любовной тоски.

* * *

Будущий убийца ходил по своему кабинету и напряженно размышлял. Он уже решил, что избавится от Элис Фарвел. Теперь нужно было обдумать, где и как это лучше всего сделать.

Неизвестно, в каком месте была Элис Фарвел все это время. Он периодически звонил во Флориду из разных автоматов, но никто не брал трубку. Иногда к телефону подходил Гарри. Он пытался звонить даже ночью, но тщетно. Гарри всегда был один. И вот, наконец, Элис возвратилась. Несколько дней назад он снова набрал номер, который давно выучил наизусть, и ее голос с очаровательным акцентом ответил ему: «Алло, говорите. Алло!» Он улыбнулся и положил трубку.

С поездкой во Флориду тянуть было нельзя. Время шло, и каждый новый день мог обернуться крахом всех его надежд. Старые люди имеют обычай умирать внезапно. А его грядущее богатство зависело от старика. Он оглядел обстановку своего кабинета и нахмурился. Здесь, безусловно, было довольно уютно, но слишком дешево для того, чтобы удовлетворить его самолюбие. А ведь он помнил и другие времена! Нет, прозябать и дальше в этом непрезентабельном месте, в этом доме... Он хочет жить в роскошном особняке, не думать о деньгах. Почему бы нет?

А Элис Фарвел может помочь ему в этом. Умерев.

* * *

— Я готов выслушать все, что вы только можете мне сказать, — заявил Винсент, откладывая меню, которое ему подал официант.

Было заметно, что он взволнован.

— Подождем Фреда, — предложил Энди. — Я считаю, что по ходу моего рассказа к нему возникнут кое-какие вопросы.

— Черт побери, мистер Торвил, Энди, вы заставляете меня нервничать!

— Я и сам нервничаю, — совершенно искренне сказал Энди. — Если захочет, клиентка может испортить мою репутацию. Однако надеюсь, что она не захочет.

— Что ж, — пробормотал Винсент. — Я могу дать вам слово, что Элис никогда не узнает, что вы мне рассказали *это*.

— Э-э-э... Видите ли, вся суть сегодняшнего мероприятия как раз в том и состоит, что она должна узнать. Впрочем, давайте все же подождем Фреда.

— А вот и он!

— Чувствую, нас ожидает какая-то бомба, — предположил Фред, подходя.

— Думаю, да. Думаю, вас обоих оглушит взрывной волной.

— Так говорите скорее.

— Не знаю, как начать. Ответьте мне сначала вот на какой вопрос: когда ваша жена возвратилась из России, — он повернулся к Фреду. — Когда вы привезли миссис Хэммерсмит из Сочи, вы не заметили в ней ничего странного?

— Странного? — переспросил Фред. — Да, я, пожалуй, заметил. Она ничего не говорила о тех делах, которые поручила мне перед отъездом. И еще: мне показалось, она стала вести себя более рассудительно.

— Кроме того, она начала одеваться иначе, — добавил Винсент. — И у нее появился акцент.

— То есть вы почувствовали, как она изменилась?

— Не тяните, Энди! — предложил Винсент. — Просто скажите сразу: почему Элис вернулась в Вустер-сити не такой, какой уехала.

Энди пощипал себя за нос, потом поднял на Винсента и Фреда бестрепетные глаза и сказал:

— Потому что в Вустер-сити вернулась не она.

— Приехали, — сказал Фред.

— Минутку, — остановил его властным движением руки Винсент.

Перед его мысленным взором промелькнули все события, предшествовавшие разоблачению Дейла Хоккеса. Что-то такое шевельнулось в его душе. Он вспомнил слабый запах духов вернувшейся из России жены, который пленил его непонятно почему, вспомнил глаза Элис, когда он поцеловал ее...

Он непроизвольно поднялся со своего места, одним движением отбросив стул, потом смутился и сел на место.

— Почему я, черт побери, сам не догадался? — воскликнул он. — И кто же... кто эта женщина?

— Сестра вашей жены. Вашей бывшей жены, — поправился Энди. — Ее тоже зовут Элис. Элис Фарвел. Вообще-то сама она называет себя Алисой. Это русский эквивалент английскому имени Элис.

Энди принялся рассказывать подлинную историю семьи Хоккесов.

— Она всех обманула. Да и немудрено. Разве могло кому-нибудь прийти в голову, что существует две одинаковые женщины?

— О, нет, они разные, — пробормотал Винсент. — Я видел, что с моей женой что-то не то. Я спрашивал об этих изменениях у нее... у них... у кого-то из них.

— А ведь она мне говорила, кто она такая! — неожиданно вскинулся Фред, вспоминая ночной вояж из аэропорта. — Она с пеной у рта доказывала, что впервые видит меня, дом, Винсента. Черт!

— Ваша жена, — сказал Энди, — вовсе не планировала возвращаться домой. Запуганная подручными Дейла Хоккеса, она заплатила Георгию Каванишвили за то, чтобы он организовал на побережье Черного моря ее мнимое самоубийство, а потом спрятал, обеспечив новыми документами. Но здесь, в Вустер-сити, никто никогда об этом не узнал.

— Выходит, в Сочи именно Элис разыграла свое самоубийство? — переспросил Винсент. — Тогда почему полиция решила, что руки на себя наложила ее сестра?

— Я сам долго не мог ответить на этот вопрос. И только на месте разобрался, что к чему. Это была та самая божья каверза, из-за которой происходят все на свете путаницы. Представьте себе картину. Ваша жена приезжает в Сочи и снимает номер в «Морской жемчужине». Она прожила там больше недели, прежде чем у ее партнеров было все готово для инсценировка исчезновения. И вот во вторник утром Элис приступила к исполнению своего замысла. Сценарий был расписан Григорием до тонкостей. Элис нужно было не только исчезнуть, но и оставить совершенно конкретные улики, указывающие на самоубийство. В том числе письмо, где объяснялись бы причины такого поступка. Разбитое сердце, коварный мужчина... Кандидатов на эту роль было предостаточно.

И вот, пока она писала в своем номере сие послание, в отель приехала Алиса — будем называть ее так, чтобы не путаться, — и остановилась у конторки дежурного администратора. Человек, находившийся в тот момент за стойкой, не знал клиентов в лицо, потому что он вовсе не был дежурным администратором. На втором этаже возник какой-то скандал, и администратор, оставив вместо себя молодого служащего, отлучился. За это время Алиса была зарегистрирована и получила ключ от номера.

Дальше все шло просто как по-писаному. Алиса входит в лифт, а через несколько минут Элис выходит из лифта. Человек за конторкой, конечно же, не улавливает разницы. Он думает, что клиентка, которую он только что зарегистрировал, переоделась, оставила вещи в номере и спустилась вниз. Элис подходит к конторке и, протянув юноше запечатанный конверт, просит положить его в ее собственное отделение для писем. Юноша спрашивает, кому предназначено письмо, и Элис отвечает — тому, кто о нем спросит. Она имела в виду, конечно, милицию, которая должна будет заниматься ее исчезновением. И юноша, ни секунды не раздумывая, кладет конверт в ячейку Алисы — ведь именно эту женщину он только что сам зарегистрировал. Вы понимаете?

— Черт побери, да! — воскликнул Винсент.

— Остальное еще проще. Фред забирает вещи из номера вашей настоящей жены и выписывает ее. Кстати, как вам это удалось?

— Я сыграл роль ее мужа. Якобы я приехал раньше, чем рассчитывал, и у нас изменились планы. Администратор с радостью пошел мне навстречу, потому что у него были проблемы с гостями, которые жаждали заполучить дополнительный номер к двум забронированным.

— Теперь все ясно.

— Так что же было дальше? — нетерпеливо спросил Винсент.

— Через некоторое время в отеле появляется местная милиция с намерением выяснить, что за женщина, остановившаяся в «Морской жемчужине», бросилась за борт экскурсионного теплохода. К вечеру все становится ясно — исчезла Алиса. Не забудьте — Элис Хэммерсмит просто выписалась, уехала! С мужем, который забрал ее вещи. А чемодан Алисы остался в номере. Потому что, задумав отправиться в другой отель, она взяла с собой только небольшую сумку. Кроме того, именно в ее ячейке для писем лежало прощальное письмо. И это был ее почерк! К слову сказать, у сестер почерки похожи до неправдоподобия. И друзья Алисы сразу же признали ее руку. Хотя на самом деле письмо писала вовсе не она, а Элис.

Алиса в это время, оставив за собой номер, а в номере — чемодан с вещами, налегке отправилась на окраину Сочи, чтобы проверить — следят за ней или ей показалось. Дальше у меня еще один пробел. Я так и не понял, каким образом вы, Фред, отыскали в пригороде Алису, спутав ее с Элис?

— Да все очень просто. Винсент предполагал, что его жена остановится в «Морской жемчужине», потому что она отметила этот отель в рекламном проспекте, который нашли в ее комнате. Но наверняка мы, конечно, ничего не знали. Вместе со мной был человек, владеющий русским. Приехав в Сочи, мы сразу отправились в «Морскую жемчужину», но еще не успели вылезти из такси, как увидели Элис. Она выходила с дорожной сумкой в руке.

— Это была Алиса! — воскликнул Винсент.

— Теперь-то я это знаю, — угрюмо сказал Фред. — Я велел своему помощнику следить за ней, а сам отправился за ее чемоданами. Отвез вещи к себе в отель, дождался звонка помощника, который сообщил, где конкретно остановилась Элис, и тогда уже начал операцию возвращения.

Винсент внезапно начал смеяться.

— Откуда я мог знать, что это не ваша жена! — пробормотал Фред.

— Над этой чертовщиной я ломал голову много дней, — признался Энди. — Я просто не понимал, как могла случиться подобная путаница. Не понимали этого и сами персонажи драмы.

— Значит, сестры, говорите? — пробормотал Винсент.

Фред внимательно посмотрел на Энди и покачал головой. Он, наконец, понял, почему тот решил рискнуть своей безупречной репутацией. Винсент перехватил их молчаливый диалог и медленно усмехнулся:

— Что, было так заметно?

— Да нет, — соврал Энди. — Но я-то детектив.

— Тогда, быть может, вы в курсе: кто из сестер сейчас находится с этим мужчиной, как его? Кажется, Гарри?

Он прекрасно помнил это имя. Элис рассказала ему, зачем ей так срочно понадобился развод. И все же Винсент сомневался.

— Ваша бывшая жена.

— Именно моя жена была здесь до последнего времени и получила развод?

— Точно.

— И она ждет ребенка?

— Она.

— Вы поддерживаете с ними обеими связь до сих пор? — спросил Фред.

— Расследование еще не закончено, — пояснил Энди. — Сестры хотят знать все о своих родственниках. Нам известно, что Джули Хоккес была круглой сиротой. А что касается Виктора Хаттона, тут вопросов поле непаханое. Он трагически погиб в России, но у него осталась семья. И Алиса, и Элис, конечно же, заинтересованы в том, чтобы разыскать свою родню.

— Но у них нет никаких официальных прав. Никаких доказательств родства.

— Они просто хотят знать, понимаете?

Винсент немного помолчал, потом поднял на Энди тревожные глаза:

— Вы ведь скажете мне, где она сейчас?

— Было бы глупо не сказать. В сущности, я ради этого и разгласил информацию. — Он достал из кармана блокнот и принялся быстро писать. Потом, вырвав листок, подвинул его через стол к Винсенту. — Если я скончаюсь от женских побоев, виноваты будете вы.

Глава 17

Алиса толкала перед собой тележку, доверху нагруженную продуктами, когда кто-то налетел на нее сзади. Ойкнув, она обернулась и лицом к лицу столкнулась с Филиппом Тейлором.

— Элис! — радостно воскликнул он. — Ну что за замечательная встреча! — Он весь сиял.

— Привет! Что ты здесь делаешь? — спросила она, улыбаясь в ответ на его улыбку.

— Как всегда. Занят делами. Открываю очередной салон. Приглашу тебя на открытие. Мы должны обязательно встретиться еще раз. Заодно я познакомлю тебя со своей невестой. Ее зовут Сесилия.

— Она здесь вместе с тобой?

— Да, мы приехали вдвоем. Кстати, чем ты занята сегодня вечером? Дело в том, что как раз сегодня будет маленькая вечеринка в «Монтроз-палас», человек так на двести-триста. Ты не хочешь прийти?

— Хочу, только у меня нет спутника.

— А как же Гарри?

— Он... Его сейчас нет в городе.

— Ну, что ж. Ты только приходи, а уж кавалеров у тебя будет миллион.

— Спасибо, Филипп.

— Твое имя внесут в список приглашенных. Мероприятие начинается в семь. Я могу рассчитывать, что ты не передумаешь? Сесилия будет рада познакомиться с тобой. Впрочем... Наверное, она будет чуточку ревновать.

Алиса невольно покраснела.

— Дорогая, я никогда не стеснялся того, что был в тебя безумно влюблен.

— Я помню, — пробормотала Алиса. — Это было так романтично.

— Можешь называть это так, если тебе хочется, — рассмеялся Филипп.

Алиса еще раз отметила, какая у него симпатичная улыбка.

— Все-таки твой муж — счастливчик, — вздохнув, сказал ей Филипп на прощание.

Алиса вспомнила, в каком бедный Гарри был столбняке,

когда в ресторане к его столику подошли две жены и сели по правую и левую руку. Едва они с Элис заговорили, Гарри вздрогнул и уронил вилку. А когда Алиса успокаивающим жестом положила свою ладонь на его руку, Гарри вырвался с коротким криком. Потом он напился до зеленых чертей и всю дорогу интересовался, обе ли его жены беременны.

Филипп поспешно ушел, ничего не купив, и Алиса с раскаяньем подумала, что ему, вероятно, не так-то просто проявлять дружелюбие.

Когда, возвратившись домой, Алиса рассказала сестре о Тейлоре и его приглашении, та спросила:

— Интересно, зачем он хочет свести тебя с Сесилией?

— Ну... Когда я познакомлюсь с его невестой, он как бы восстановит свое реноме. Ты пойдешь со мной?

— Нет, я жду звонка от Гарри.

— Передай ему мои лучшие пожелания, — не без иронии сказала Алиса.

— Бедняжка Гарри никак не может прийти в себя. Ему кажется, что мы посмеялись над ним.

— Согласись, с него стоило немножко сбить самодовольство.

Не прошло и получаса с тех пор, как Алиса уехала на вечеринку, как кто-то позвонил в дверь. Элис выглянула в окно и увидела приятеля Алисы, с которым та уже успела ее познакомить.

— Привет, Лэрри. Заходи.

— Это Элис номер один или Элис номер два? — спросил Лэрри, склоняя голову к плечу.

— Называй мою сестру Алисой, — усмехнулась Элис. — Составишь мне компанию? Я собираюсь заварить чай.

— А куда подевалась Алиса?

— Поехала развлекаться. В «Монтроз-палас» сегодня большой вечер.

— У нее что, новый мужчина? — подозрительно спросил Лэрри, дуя в чашку. — Не удивлюсь, если она пустится во все тяжкие.

— Алиса? Никогда! — убежденно заявила Элис. — Переживания только закаляют ее.

— Слышишь шум мотора? Какая-то машина. Может быть, она раздумала и вернулась?

— Не знаю, — Элис встала и направилась к двери.

Когда прозвенел звонок, она сразу же открыла. Удивленный возглас вырвался у нее помимо воли:

— Винс?! Это ты? Что ты тут делаешь?

— Разреши мне войти, — Винсент Хэммерсмит пытливо посмотрел на посторонившуюся Элис и переступил порог. — Твоя сестра дома?

Лэрри вскочил и, засунув руки в карманы, с неподдельным интересом разглядывал Хэммерсмита.

— Здравствуйте, — сказал тот. — Где Алиса?

— О-о! — простонала Элис, заводя глаза. — Неужели ты сам обо всем догадался?

— Почти что.

— Знаю-знаю. Это Энди. Скотина.

— Я чувствую себя болваном, — признался Винсент, нервно потирая руки. — Возможно, мне следовало бы рассердиться на то, что вы проделали...

— Нечего сердиться из-за того, что уже позади, — нравоучительно сказала Элис.

— Энди кое-что выяснил, — внезапно сменил тему тот. — Я подумал, что сам могу вам с Алисой рассказать... Кроме того, я рассчитываю на настоящее знакомство с... с твоей сестрой.

— Энди узнал что-то важное? — Элис указала Винсенту на кресло, но тот остался стоять посреди комнаты, разглядывая обстановку.

— Ваш дедушка жив, — в конце концов сказал Винсент. — Лео Хаттон. Ему восемьдесят девять лет.

— Черт побери! — Элис упала на диван, расширив глаза. — Расскажи все, что знаешь.

Винсент, наконец, опустился в предложенное кресло, Лэрри сунул ему в руки чашку с чаем. Этот мужчина нравился ему гораздо больше Гарри. В нем чувствовалась твердость характера. Лэрри и раньше считал, что Алисе нужен именно такой мужчина.

— Лео Хаттон живет в Чарлстоне. Он стоит двенадцать миллионов.

— Неплохо! — сказал Лэрри. — А его семья?

— Да-да, что известно про семью? — поддакнула Элис.

— Лео Хаттон был дважды женат. Нас интересует его второй брак. Потому что Виктор Хаттон — сын от второго брака. Мать Виктора и, стало быть, твоя бабушка... Ваша с

Алисой бабушка, — поправился он, — Маргарет, давно умерла.

— Как жаль! — сказала Элис. — Возможно, именно она захотела бы встретиться и поговорить с нами...

— В первом браке, — продолжал Винсент, — у Лео не было детей. Он воспитывал приемного сына своей первой жены Лауры — Криса Картера. Брак этот закончился печально: Лаура и Крис трагически погибли. Но у Криса остался сын. И хотя он Лео формально никакая не родня, тот считает его своим внуком.

— Итак, — мгновенно сделал вывод Лэрри, — если взглянуть на ситуацию глазами постороннего, получится, что у богатого старика один-единственный наследник. Причем не родня по крови. И если вдруг к старику явятся две молодые дамы, утверждающие, что они его родные внучки, Лео Хаттон мгновенно решит, что это самые обыкновенные авантюристки.

— Совершенно справедливо, — кивнул Винсент. — Думаю, Элис, вам не суждено породниться с дедушкой.

Элис вздохнула, но, судя по всему, была не особо сильно расстроена.

— А может быть, поговорить с этим внуком? — выдвинул идею Лэрри.

— С единственным наследником? Кстати, его зовут Филипп. И его фамилия не Картер. Он взял фамилию матери — Тейлор. Нет, не думаю, что Филипп Тейлор обрадуется вашему появлению в Чарлстоне. Что? Что такое? Я сказал что-то ужасное?

Лэрри и Элис уставились друг на друга в немом изумлении. В мозгах у обоих вихрем проносились мысли.

— Так. А теперь быстро говорите, в чем дело, — Винсент наклонился вперед.

— Алиса... — пролепетала Элис. — Она с ним.

— С кем?

— С Тейлором, — ответил вместо нее Лэрри. — Черт побери! Я не могу поверить...

— Может быть, это другой Тейлор? — предположила Элис.

— О чем вы говорите? — резко спросил Винсент. — Объясните толком.

Лэрри повернулся к нему и быстро сказал:

— Месяца три назад Алиса познакомилась с Филиппом Тейлором. Это случилось на вечеринке в доме одного из наших общих друзей. Я тоже там был, я помню, как Тейлор ухлестывал за ней. Несмотря на то, что она была замужем. Он долго не сдавался, этот Филипп.

— Сегодня они случайно встретились в супермаркете, — добавила Элис. — И Филипп загорелся познакомить Алису со своей невестой. Поэтому он пригласил ее на вечеринку в «Монтроз-палас».

— Надо позвонить Торвилу, — принял мгновенное решение Винсент. — Чтобы узнать, тот ли это Тейлор.

Винсент схватился за телефон, а Лэрри и Элис столпились позади него, напряженно ожидая, когда в Вустер-сити Торвил откликнется на звонок.

— Слава богу, он на месте! — прошептал Лэрри, когда Винсент издал радостный возглас. Элис стиснула руки перед собой.

— Это Хэммерсмит. У нас неприятности, Энди. Я выяснил, что некий Филипп Тейлор пытался завести тесное знакомство с Алисой еще три месяца назад. А сегодня вечером он снова возник из небытия и пригласил ее поехать на какую-то вечеринку. Нам всем приходят в голову странные мысли. Вы можете нам дать описание того Тейлора, который претендует на родство с Лео Хаттоном?

— Чтоб меня разорвало! — воскликнул Энди. — Там у вас есть кто-то, кто видел этого типа?

— Лэрри, — Винсент обернулся к Солдану. — Вы видели Тейлора?

— Сто раз. Дайте мне трубку.

— Ему тридцать пять лет, — зачастил Энди. — Он высок, белобрыс и обаятелен. У него серые глаза под светлыми бровями, на левой щеке небольшой шрам. Когда он улыбается, кажется, что это ямочка. У него красивая улыбка, хотя черты лица не слишком правильные...

— Это он! — сказал Лэрри, роняя очки. — Даже сомневаться нечего.

Он снова сунул трубку Винсенту, а сам принялся бегать по комнате.

— Ну, и к какому выводу мы пришли? — спросил он наконец.

— Мы пришли к выводу, что Филипп Тейлор, скорее

всего, знает, что Алиса, по крайней мере одна Алиса — внучка Лео Хаттона. Мы заволновались все сразу, не так ли? Мы одновременно подумали, что Тейлор может причинить вред Алисе — человеку, который в состоянии разрушить его надежды на богатое наследство.

— Мы так подумали? — пробормотала Элис. — Возможно, это ты так подумал.

— Ты испугалась первой, — не согласился Винсент.

— Вы правы, — сказал Лэрри. — Вы абсолютно правы.

Винсент поднялся и деловито спросил:

— Ну? И где он находится, этот самый «Монтроз-палас»?

* * *

— Звонят из какой-то больницы, — подняла брови Галка. — Просят тебя.

Нахмурившись, Денис взял трубку и несколько минут внимательно слушал. Потом сделал пару пометок на листочке бумаги и отключился.

— Это по поручению Косточкина. Он загремел в кардиологию с сердечным приступом. Хочет меня видеть.

— С чего бы это, как ты думаешь?

— Может быть, вспомнил что-то важное?

— Даже если нет, все равно надо поехать, — деловито сказала Галка. — Ты не спросил, что ему можно привезти из продуктов?

— Не сообразил. Ладно, это я как-нибудь решу по дороге. Ты никуда не пойдешь?

— Буду ждать тебя. Постарайся не задерживаться.

Но Денис задержался. Когда он вошел в палату, неестественно белую, без занавесок на окнах, то невольно затаил дыхание. Олег Михайлович лежал на койке осунувшийся, но глаза его тут же жадно вцепились в лицо вошедшего Дениса. Он даже попытался приподняться на подушке.

— Лежите, лежите, — вскинулся Денис. Взял стул, подтащил к кровати и сел, поставив на тумбочку пакет с фруктами и соком. — Как вы себя чувствуете?

— А вы?

Денис непонимающе посмотрел на больного. Тот поманил его согнутым пальцем. Денис наклонился поближе, а Косточкин тихо сказал:

— Ведь это я хотел вас тогда убить, на Берсеневской.

Денис непроизвольно отшатнулся и уставился на него. Косточкин между тем взволнованно продолжал:

— Не ожидали? Вижу, что не ожидали. Это бог вас защитил.

— За что же вы хотели меня убить? — спросил помрачневший Денис. Он никак не мог поверить, что Косточкин пребывает в здравом уме. С другой стороны, откуда тогда он знает про Берсеневскую?

— Одно преступление часто тянет за собой другое, — философски заметил Косточкин. — Пусть и через много лет.

Внезапно на Дениса снизошло озарение.

— Вы убили Виктора Хаттона! — прошептал он. — Американец вовсе не свалился в яму, выкопанную рабочими. Это вы его туда столкнули!

— Верно. Я столкнул, — голос у Косточкина был слабый, но из-за этого казалось, что он говорит вкрадчиво, даже с некоторой хитринкой. — Татьяна хотела уехать с ним из страны. Навсегда уехать. Разве я мог это допустить?

— Но вы же так и не женились на ней!

— Она не захотела. Она отвергала меня до последнего своего вздоха.

— Может быть, догадывалась, что вы виновны в гибели Виктора? — предположил Денис. — И не могла вам этого простить?

— Может быть, и догадывалась.

— Вы вообще-то отдаете себе отчет в том, что натворили?

— Вероятно, да. Раз я позвал вас.

— Что вам нужно — прощение? — довольно грубо спросил Денис.

— Да.

— Господь с вами, я вас прощаю. А вы никак умирать собрались?

— Уже во второй раз, — медленно улыбнулся Косточкин. — Три месяца назад был первый случай. Я тогда тоже доброе дело сделал. Один грех считай что замолил.

— Поздравляю.

— А почему вы не спросите, что за грех? Это вашей Алисы касается.

Денис переломил бровь в немом вопросе. Он испытывал странное чувство по отношению к этому человеку: гнев, раздражение и одновременно жалость.

— В шестьдесят седьмом, когда я столкнул Виктора в строительную яму и убедился, что он больше не дышит, я вытащил из его кармана письмо к отцу, где он сообщал, что скоро вернется и разведется с женой. Потому что в России встретил замечательную женщину, которая родила ему дочку.

Денис прикрыл глаза. Если бы не этот человек, Олег Михайлович Косточкин, и не его болезненная влюбленность в Татьяну Соболеву, маленькая Алиса вполне могла бы оказаться в Америке под крылышком богатого деда. И что не менее важно — родного деда.

— Как же вы замолили этот грех? — через силу спросил он.

— Как только меня скрутило, я понял, что время пришло. И отправил то старое письмо. По назначению. Адресовывалось оно Лео Хаттону.

— Деду Алисы?

— Да. Правда, послал я его безо всяких объяснений.

— Естественно, — пробормотал Денис. — Раскаянье раскаяньем, а шкура-то у каждого человека — всего одна.

«Возможно, с этого письма, которое Косточкин отправил Лео Хаттону, и началась вся эта фантасмагория с покушениями на Алису?»

С этим застрявшим в голове вопросом Денис явился к Галке.

— Лео Хаттона, может быть, уже давно нет в живых, — сказала та. — Но ведь он был богат. У него наверняка остались наследники. И тут, представь себе, они внезапно получают письмо, ясно дающее понять, что им придется делиться с какой-то выскочкой. Ведь вполне может статься, что Лео Хаттон завещал разделить свои миллионы поровну между всеми известными наследниками?

— А если Лео Хаттон жив? — задал встречный вопрос Денис. — И чужая по сути своей, хоть и родная по крови внучка, ему оказалась совершенно ни к чему?

— Хочешь сказать, что именно Лео Хаттон мог отдать приказ убить Алису?

— А что? Тебе такое предположение кажется невероятным? Вспомни того аккуратного иностранца, который наводил об Алисе справки? Возможно, его прислал именно Алисин дед.

— Как бы то ни было, Алиса сможет выяснить все гораздо быстрее нас. Надо дозвониться до нее во что бы то ни стало.

— Да, и как можно скорее. Ведь она думает, что все закончилось, все уже позади!

Денис и Галка испуганно посмотрели друг на друга.

* * *

«Интересно, — подумала Алиса, оглядывая разряженную толпу. — Как Филипп собирается меня отыскать, чтобы познакомить со своей невестой?» Зачем она сюда пришла? Чтобы хоть ненадолго забыть о Хэммерсмите?

Некая молодая особа из дальнего угла залы пристально наблюдала за ней. Она была невысокой, худенькой и остроносой. Почти ничем не примечательной. Единственное, чем она могла похвалиться, так это волосы — копна светло-русых волос падала до самого пояса. Она могла бы выглядеть весьма романтично, если бы не решительное лицо. Впрочем, подходя к Алисе, она надела на себя маску очаровательной любезности. Ей удалось даже показаться смущенной, когда она очутилась с ней лицом к лицу.

— Вы ведь Элис Фарвел? Я Сесилия Моррисон. Невеста Филиппа. Он немного задерживается.

— Как вы меня узнали? — Алиса не могла скрыть своего удивления.

— Я видела вас раньше, — тонко улыбнулась Сесилия. — Я приезжала в этот город специально, чтобы поглядеть на вас.

Алиса мгновенно преисполнилась иронии:

— Надеюсь, вы убедились, что напрасно потратились на билет?

— Совсем не напрасно. Я хотела лучше понять моего избранника. И я это сделала. Скоро мы поженимся.

— Поздравляю! — Алиса сделала надменное лицо. — Будем считать, что наше знакомство прошло благополучно и протокол соблюден.

— Извините, если я нагрубила... Вы должны понять.

Алиса мгновенно смягчилась. Действительно, у Сесилии нет ни одного повода радоваться встрече. Если девушка настолько в курсе, Филипп просто болван, что настаивал на их знакомстве.

— Мы могли бы поговорить с вами откровенно? — продолжала настаивать Сесилия. — Можно пойти куда-нибудь. В зимний сад, например.

— Здесь есть зимний сад?

— Нужно подняться на второй этаж и пройти по балюстраде до деревянной двери. Затем повернуть направо и миновать зеркальный зал.

— Напоминает описание компьютерной бродилки, — усмехнулась Алиса. — Что ж, пойдемте.

Глава 18

— Как мы проберемся внутрь? — спросила Элис. Она была испугана и не собиралась этого скрывать.

— Придется мне мобилизовать свои скромные связи, — откликнулся Лэрри, склоняясь над телефоном.

Винсент отвоевал себе место за рулем, хотя совершенно не знал города. На уговоры Лэрри и Элис уступить это место им он не поддался. Человек действия, на месте пассажира он наверняка чувствовал бы себя беспомощным.

— Сейчас свернешь налево, — командовала Элис, просунув голову в щель между сиденьями.

— Я дозвонился, — сказал Лэрри радостно. — Нас пропустят.

Перед троицей распахнулись огромные двери в зал, где лучшие люди города демократично развлекались в компании менее именитых гостей.

— В чем Алиса уехала? — спросил Винсент.

— В длинном черном платье.

— О! Я вижу начальника отдела нашего «Айсберга», — оживился Лэрри. — Он мог заметить Алису.

— У меня дурное предчувствие, — Винсент в упор посмотрел на Элис. — А у тебя? Говорят, близнецы знают, когда кто-то из них в опасности.

— Меня еще дома тошнило от страха, — призналась Элис.

— Возможно, у тебя токсикоз.

— Старина Джо видел, как Алиса поднялась на балюстраду, — сообщил подскочивший Лэрри. — Вроде бы с ней была какая-то длинноволосая русалка.

— В таком случае пойдемте и мы на балюстраду, — скомандовал Винсент. — Если там не слишком много дверей, то нас ждет быстрый успех.

— Момент! — внезапно воскликнул Лэрри.

— Что случилось?

— Кажется, я видел Тейлора. Он мелькнул вон там, возле выхода на балкон.

— Пойдем туда! — сказала Элис и первой бросилась в указанном направлении.

Винсент поднял глаза, быстро окинул взглядом второй этаж, но после некоторого колебания все же последовал за стремительно удалявшейся парочкой.

— Я захватила для нас вина, — сказала Сесилия, когда Алиса, наконец, обернулась к ней и увидела, что та держит в каждой руке по бокалу. — Уверена, что такого вы еще никогда не пили.

— Вы так думаете? Что ж, попробуем.

— Давайте присядем, — Сесилия показала на стулья, расставленные по залу.

— В сущности, я не представляю, что мы можем обсуждать тет-а-тет, — призналась Алиса, отпивая из бокала. Вино показалось ей невкусным.

— Вы в курсе, что Филипп скоро будет очень богат? — спросила Сесилия, наклонившись вперед.

— Наши отношения никогда не заходили так далеко, чтобы обсуждать его благосостояние, — пробормотала Алиса, делая еще один большой глоток. — А почему вас это интересует?

— Я решила вас просветить, — улыбнулась Сесилия. Ее улыбка, скажем прямо, Алисе не понравилась. — Вы представляете для Филиппа определенную проблему. Финансовую.

— Я?! — Алиса даже засмеялась, настолько нелепым показалось ей это заявление. — Да вы белены объелись. —

И поскольку Сесилия все продолжала молча смотреть на нее, добавила: — У нас с Филиппом нет ничего общего.

— Вы просто не в курсе.

— На что это вы намекаете? — спросила Алиса, у которой в буквальном смысле слова голова пошла кругом. — Хотите сказать, что когда-нибудь я, пьяная в сосиску, вышла замуж за Филиппа Тейлора и теперь меня обвиняют в двоемужестве? И у нас запутанная финансовая история? Или что?

— Нет, милочка, совсем нс то.

— Какая я вам милочка? — возмутилась Алиса. Она почувствовала, что у нее заплетается язык, и решила поставить бокал с вином на пол. Именно в этот момент она увидела на дне густой осадок.

— Что за чертовщину вы мне споили?

— Обыкновенная отрава, — пожала плечами Сесилия. Она пристально наблюдала за Алисой и в тот момент, когда та снова приняла вертикальное положение и откинулась на спинку стула, быстро наклонилась и, протянув руку, схватила ее бокал.

Алисе с трудом удавалось держать глаза открытыми.

— При чем здесь я? — пробормотала она, изо всех сил стараясь не отрубиться.

— Сейчас скажу. Вы с Филиппом наследники одного и того же человека, — Сесилия принялась расхаживать перед Алисой, словно лектор перед аудиторией. — И мой жених, бедолага, боится, что ваши шансы неравны, и дед решит дело о наследстве в вашу пользу.

— Дед? — просипела Алиса едва слышно. Глаза ее закрылись, и она медленно сползла со стула на пол.

— Когда-то давно Лео Хаттон получил письмо из России. От вашей матушки, надо понимать. Она уверяла, что перед смертью его сын успел сделать ей ребенка. Лео не поверил. Но, видимо, какие-то сомнения у него оставались. Потому что это письмо он оставил у себя, а не выбросил в мусорную корзину, как должен был бы поступить здравомыслящий человек. И вдруг не так давно Лео получил по почте еще один конверт. Он едва богу душу не отдал. Потому что письмо было написано его погибшим много лет назад любимым сыном. Неизвестно, где хранилось это письмо столько времени и кто его послал Лео. Только в нем Виктор подтверждал, что у него скоро родится ребенок.

Старый маразматик рвал на себе волосы от раскаяния. Как же — в свое время он отверг родную внучку! Сразу же снарядил в Россию гонца. Тот узнал, что внучка — ты иными словами — вышла замуж за американца. Когда старый дурак получил твой адрес, то совершенно рехнулся от радости. Но тут ему сообщили, что ты уехала в путешествие. Он ждал твоего возвращения с нетерпением. Однако и Филипп не сидел сложа руки. Ты же понимаешь, сколько он теряет с твоим появлением? Филипп, конечно, расстроился, когда узнал про письмо Виктора. А ты бы не расстроилась?

Алиса пробормотала что-то нечленораздельное и попыталась приподняться на локтях. Глаза ее говорили, что она все еще в сознании и понимает суть происходящего.

— Знаешь, зачем я тебе все это рассказала? — спросила Сесилия. — Хотела, чтобы ты знала: Филипп ухаживал за тобой вовсе не потому, что влюбился. А из-за наследства. Он подумал, если женится на тебе, все денежки так и так перетекут в его карман. А ты, дурочка, взяла и его отвергла. Тогда-то он и решил от тебя избавиться. Только вот с киллером возникли кое-какие проблемы.

Глаза Алисы закрылись. Сесилия наклонилась и схватила Алису за ноги. Ей потребовалось не больше минуты, чтобы оттащить ее за декоративную зеленую стену и бросить рядом с лейкой и нитяными рукавицами.

— Здесь тебя никто не найдет.

Взяв оба бокала, Сесилия отправилась в крошечную ванную комнату, дверь в которую находилась в самом дальнем углу зимнего сада. Тщательно ополоснув их, она открыла узкое окошко и выглянула наружу. Окошко выходило в каменный тупик. Возле стены, прямо под ним, стоял большой мусорный бак. Сесилия взяла первый бокал в руку и, высунув ее наружу, просто разжала пальцы. За первым бокалом последовал второй. Вытерев руки бумажным полотенцем, Сесилия отправилась в обратный путь. По дороге она лишь мельком взглянула в ту сторону, где спрятала бесчувственную Алису.

Сейчас ей нужно было проверить, на месте ли полковник Блакэли. Полковник сильно перебрал и ни за что не вспомнит, во сколько она ушла от него и когда вернулась.

Так что у нее будет что сказать полиции. Впоследствии. Когда тело найдут. Сесилия была уверена, что Элис Фарвел совсем скоро будет не чем иным, как телом.

Полковник обнаружился в небольшой комнате для отдыха, он возлежал на диване, водрузив на лицо иллюстрированный журнал. Сесилия села в соседнее с полковником кресло и, лихорадочно покопавшись в сумочке, достала упаковку аспирина. На столе стоял поднос с начатой бутылкой вина и несколькими бокалами, в которых таяли кубики льда. Схватив один из стаканов, Сесилия выбросила лед, а остатки воды поставила перед собой, положив рядом начатую упаковку таблеток. У того, кто зайдет сюда, должно создаться впечатление, что она приняла аспирин. Она скажет, что у нее безумно разболелась голова и она посчитала, что необходимо немного передохнуть. Того же мнения придерживался и полковник Блакэли, с которым она не расставалась последний час. Только вышла на секундочку в туалет. Это на случай, если кто-нибудь видел, как она перемещалась по залу.

В ту же секунду дверь в комнату распахнулась, и Филипп Тейлор широким шагом вошел внутрь. Вместе с ним в комнату ворвался шум праздника.

— Вот ты где! — воскликнул он, укоризненно качая головой. — Я тебя повсюду ищу.

— У меня заболела голова, — Сесилия глазами указала на аспирин на столе.

— Бедняжка, — Филипп сел на ручку кресла и сжал пальцами ее плечо. — Здесь есть спиртное? Не везет мне сегодня! — признался он, наливая в пустой бокал немного вина. — На входе мне сказали, что Элис уже приехала, а я ну никак не могу отыскать ее в этой толпе. Нужно было назначить встречу у конкретного стола или возле входа. А то получается какая-то глупость: я пригласил ее, чтобы познакомить с тобой, и весь вечер пробегал, отыскивая вас обеих.

— Жаль, я не знаю в лицо твою бывшую любовь, — усмехнулась Сесилия. — Может быть, я ее даже видела? Было бы забавно.

— Ну... Лучше я познакомлю вас сам. Хочу, чтобы ты воочию убедилась, что я ничего больше не испытываю к Элис. Женщины ведь прекрасно подмечают такие вещи, не правда ли, милая?

В дверь, которую Филипп оставил открытой, заглянула женщина с желчным лицом и, обозрев обстановку, воинственно вошла.

— Жена полковника, — шепнула Сесилия. — Сейчас она ему даст!

Миссис Блакэли и в самом деле была настроена решительно. Громко поздоровавшись, она прошествовала к дивану и сдернула журнал с лица своего благоверного. Тот мгновенно проснулся и принял вертикальное положение, часто моргая. Видно было, что свет раздражает его, а жена пугает.

— Мы едем домой, — твердо сказала миссис Блакэли.

— Но я совершенно трезв! — сдавленным шепотом возразил полковник.

— Отлично. Будем считать, что это я напилась до бесчувствия и это мне необходимо принять душ и хоть немного прийти в себя перед завтрашним обедом, на который приглашены тридцать человек. Пойдем!

Она попыталась стащить его с дивана, но в этот момент в дверях вновь появились гости. Сесилия, которая в этот момент хотела сделать глоток воды, испуганно вздрогнула и выронила бокал. С громким звоном он упал на пол и разлетелся на сотню осколков.

В дверях стояла Элис и смотрела прямо на нее.

— Господи, что с тобой? Как ты побледнела! — воскликнул Филипп и, обернувшись, поднялся с места. — Элис! Вот и ты, наконец! Надо же было мне так сплоховать, я никак не мог разыскать тебя. — Сесилия, познакомься, это Элис Фарвел. Кажется, ты не одна?

За спиной Элис показались Хэммерсмит и Солдан.

— Я вовсе не Элис Фарвел, — сказала Элис. — Я ее сестра.

— Сестра? — не понял Филипп. — Какая еще сестра?

— У меня имеются серьезные подозрения, что вы, — Винсент ткнул пальцем в Тейлора, — собирались навредить Элис. Может быть, вы уже расправились с ней? Убили ее?

Выступивший вперед Лэрри схватил Хэммерсмита за локоть и сильно сжал:

— Никаких обвинений, вы что, не знаете, во что это может вам обойтись? Здесь же свидетели!

Полковник и его жена рядком сидели на диване и самым внимательным образом слушали все, что говорилось обеими сторонами. Когда Винсент сказал «убили», миссис Блакэли округлила рот буковкой «о».

— У него в кармане оружие! — внезапно заявил полковник, тяжелыми глазами глядя на Филиппа Тейлора. — В правом. Он все время держит там руку, как будто порывается достать пистолет. Я сто раз видел, как это делается.

— Пистолет! — ахнула его жена. И уже оформившимся визгливым голосом заорала: — Отнимите у него оружие! А вдруг он начнет стрелять? Я не желаю, чтобы меня ухлопали только потому, что я оказалась на этой дурацкой вечеринке! Карл! — повернулась она к мужу. — Отними у него пистолет. Ты обязан это сделать.

— Вы с ума сошли! — презрительным тоном сказала Сесилия, обращая на миссис Блакэли холодные глаза. — Какой пистолет? Давайте не будем закатывать истерик. Филипп, думаю, нам лучше убраться отсюда.

Она взяла своего жениха под руку и попыталась сдвинуть с места.

— Вы никуда не пойдете, пока не скажете, где она, — совершенно будничным тоном сказал Винсент, загородивший проход.

— А ведь и в самом деле, — удивленно сказала Элис, указывая на Филиппа. — В его кармане есть что-то, что его страшно беспокоит.

— Не хотите показать нам? — спросил Лэрри, внося свою лепту в схватку с Тейлором.

— Нет, — усмехнулся Филипп. — Попробуйте, возьмите сами.

— А мы так и сделаем, — внезапно заявил полковник и, подскочив к Тейлору, обхватил его руками.

Тот принялся отбиваться и едва не съездил по физиономии находящемуся поблизости Лэрри. Он схватил Филиппа за руку, Сесилия кинулась вперед и попыталась укусить Лэрри. Миссис Блакэли завизжала и, подскочив к образовавшейся свалке, стала бить бархатной сумочкой по головам сцепившихся противников.

— Джулия, — просипел полковник, вываливаясь из общей кучи. — У тебя там камни? Вот, — полковник поставил на стол флакон, который он отнял у Филиппа. — Хлороформ. Видите, тут так и написано.

— Черт тебя побери! — зарычал Винсент и, схватив Тейлора за лацканы, со всего маху стукнул о стену. — Что ты с ней сделал? Где она?

— Я не знаю, — просипел тот, пытаясь вырваться. — Пустите же! Я ничего ей не сделал.

— Он только что пришел! — закричала Сесилия. — Филипп, ну скажи же им! Его вообще здесь не было до последней минуты, понимаете?

— Кто-нибудь может это подтвердить? — спросил рассудительный Лэрри.

— Естественно, — прошипел Филипп. — Шофер, служащие. Да, еще мой приятель, с которым мы вели переговоры, а потом вместе отправились сюда. Из-за него я, в сущности, и задержался.

— Зачем же вы притащили с собой хлороформ? — подозрительно спросила Элис.

— У меня невралгия, — коротко ответил Филипп. — Страшная боль, если вы не знаете, что это такое. А вы, — он сверкнул глазами на Блакэли, — еще пожалеете о своем разнузданном поведении.

— А если бы у вас в кармане был пистолет? — сурово оборвала его миссис Блакэли. — Разве мог Карл рисковать моей жизнью?

— Да, действительно? — подтвердил встрепанный полковник, и парочка с большим достоинством выплыла из комнаты.

— Удивляюсь, как это никто еще не вызвал полицию, — сказала Сесилия, дергая Филиппа за рукав. — Я бы с большиим удовольствием сдала вас всех первому попавшемуся патрульному. Хулиганы!

— Ну, и что мы теперь будем делать? — спросил Лэрри, когда за Тейлором и Сесилией захлопнулась дверь. — Бегать по всему помещению?

— Мы собирались осмотреть второй этаж, — напомнил Винсент.

В зале в это время начались танцы. Было тесно и раздражающе шумно. Зато наверху, за первой же дверью, царила неестественная тишина.

— Здесь зимний сад, — сообщил Лэрри, первым вошедший в следующее помещение. — И нет никого живого.

— Типун тебе на язык, — пробормотал Винсент. И тут же воскликнул: — Стойте-ка!

Лэрри и Элис послушно замерли, озираясь по сторонам.

— Смотрите, вон те два стула. Вам они не кажутся примечательными? Другие все разбросаны по залу, а эти стоят друг против друга.

— Какой-то круглый след на полу, — сказал Лэрри, наклоняясь и двумя руками придерживая очки. — Как будто от стакана.

— Мне нехорошо, — слабым голосом сказала Элис. — Этот сад кажется мне каким-то зловещим.

— Надо все здесь обследовать, — заявил Винсент. — Очень внимательно.

Элис отреагировала первой. Неуверенной походкой она отправилась в безошибочном направлении, и уже минуту спустя до мужчин донесся ее испуганный крик:

— Я вижу ту... туф... туфлю! О, боже мой!

Винсент и Лэрри бросились туда и увидели за пальмами безжизненную Алису. Ее лицо было бледным, а руки холодными, словно лед. Винсент поднял ее на руки и вынес на свет.

— Вызывайте врачей, немедленно! — скомандовал он. — А я пока займусь Тейлором.

* * *

— Алло? Артур? Это ты?

— Да, Элис. Это я.

Элис взволнованно прошлась по комнате, прижимая телефонную трубку к плечу.

— Откуда ты звонишь? Из Флориды?

— Да, Артур.

— Винс рядом? Перед отъездом он мне рассказал про твою сестру, детка. У них там все хорошо?

— Да не так, чтобы очень, — пролепетала Элис и поглядела на Лэрри, который сидел в кресле и сардонически улыбался. — Понимаете, моя сестра сейчас в больнице...

— А что с ней такое?

— Ее хотели убить, — ответила Элис.

— Как? Опять? За что? Ей удалось спастись?

— Она выкарабкается.

— А что же Винс?

— Он пытался ее защитить и...

— И — что? — почти завопил Артур.

— Его забрали в полицию.

— Винс — в полиции? Это правда?

— Да; Артур, правда. Он сцепился с убийцей, когда еще не было доказательств...

— А кто, кто убийца?

— Приемный внук нашего дедушки, — секунду подумав, сообщила Элис. Лэрри каркнул откуда-то из кресла, что, по-видимому, означало смех. Артур немного помолчал, потом осторожно спросил:

— Надеюсь, Винс не прикончил этого типа?

— Нет, но после встречи с Винсом тип тоже в больнице.

— А ты сама откуда звонишь? Не из травматологического отделения?

— Со мной все хорошо. Вот только нервы...

— Ты в психушке?!

— Я дома, дома.

— Просто не верится. Тебе не трудно продиктовать мне адрес?

— Конечно, нет. Только... Черт, я, кажется, не знаю адреса.

Лэрри поднялся на ноги и взял из ее вялых рук телефон.

— Здравствуйте, мистер Хэммерсмит. Меня зовут Лэрри Солдан. Записывайте адрес.

— Вы санитар? — подозрительно спросили из трубки.

— Я друг Алисы.

— Вы уверены, что с вами все в порядке?

— Конечно. За время всех этих событий мне всего лишь сломали ребро, укусили за лодыжку и пару раз ударили по голове стулом.

* * *

— Никогда не думала, что таким страхолюдинам мужчины делают предложения, — прошептала Алиса, облизывая сухие губы. — Если я скажу «да», мы не сможем даже поцеловаться по-настоящему.

— На радостях я готов поцеловать даже Лэрри, — сказал Винсент.

— Только попробуй, — раздался голос Лэрри, который в этот момент как раз входил в палату. — И что, черт возьми, означает это твое «даже»?

— Лэрри, ты не мог бы подождать снаружи? — спросил Винсент, оборачиваясь. — У нас с Алисой серьезный разговор.

— Если меня собираются обцеловывать, то я хотя бы должен знать — за что.

— Я только что признался этой женщине в любви, болван ты эдакий.

Винсент с нежностью посмотрел на Алису, которую держал за руку.

— Ладно, пока вы здесь шепчетесь, я поднимусь наверх и проведаю Тейлора, — согласился Лэрри.

— Тейлора? — воскликнула Алиса, дернувшись. — Филиппа Тейлора? А что с ним-то случилось?

— Ах, ты не знаешь... — сладким голосом протянул Лэрри. — Винс побил его. Из-за тебя.

— Но ведь Филипп ничего не сделал! Это все Сесилия! Видимо, она хотела выйти замуж и стать богатой. А ты набросился на беднягу Филиппа. Это несправедливо...

— Я совершенно убежден, что в жизни просто так ничего не бывает. Если уж тебя побили, то точно было за что.

— Н-да? — подал голос Лэрри. — Ну, спасибо. Меня это будет утешать до тех пор, пока не пройдут мои синяки.

— Лэрри, скажи, как от тебя можно избавиться? — спросил Винсент. — Хочешь десять баксов?

— У тебя замашки, как у бакалейщика, — обиженно сказал Лэрри. — Десять баксов? За то, чтобы поговорить с любимой женщиной без свидетелей? Фи.

Выходя из палаты, он весело подмигнул улыбающейся Алисе.

— Дорогая, — прошептал Винсент, когда они, наконец, остались одни. — Ты мне так ничего и не ответила.

Алиса почувствовала в его голосе скрытое напряжение.

— Винс, все это так странно, так... сумбурно.

Винсент нахмурился.

— Элис сказала мне, что ты сбежала из Вустер-сити, потому что сочла наши возможные отношения пошлыми. Это правда? Ты думаешь именно так?

— Нет. Просто... Ты был женат на Элис...

— Я не был на ней женат, — жестко возразил Винсент. — То есть формально это, безусловно, был брак. Но ты ведь все знаешь про нашу семейную жизнь. Мы совершенно чужие. Между нами никогда ничего не было. Если ты не веришь мне, то спроси у своей сестры.

— Да я уже спрашивала.

— Алиса, не мучай меня. Я, черт возьми, просто не уйду отсюда, пока не услышу от тебя всей правды. Я люблю тебя, Алиса. Ты выйдешь за меня замуж?

В этот момент дверь в палату снова распахнулась, и запыхавшийся Лэрри ворвался внутрь, потрясая развернутой газетой.

— Вы знаете новость? — закричал он с порога. — Нет, вы только почитайте! Полиция штата раскрыла дело неуловимого наемного убийцы Мэтта Дайлона. Это тот самый тип, которого ухлопали на концерте в Вустер-сити! У палаты Тейлора я встретил адвоката и полицейских. Насколько я понял, Тейлор был одним из клиентов этого самого Мэтта.

— Винс! — позвала Алиса тихонько.

Тот повернулся и посмотрел на нее.

— Да, — сказала Алиса.

— Что? — слегка ошарашенный Винсент уставился на нее.

— Я выйду за тебя замуж.

Издав радостный крик, Винсент подскочил и, бросившись к Лэрри, схватил его за руки.

— Лэрри! Это же просто здорово!

— Я не стану с тобой целоваться! — выкрикнул тот, отбиваясь. — Я, конечно, тоже рад, что дело прояснилось, но не до такой же степени!

Дверь палаты снова распахнулась, и на пороге появилась запыхавшаяся Элис:

— Алиса! Я только что говорила с врачом, он сказал, тебя скоро отпустят домой. И еще. Звонил наш дедушка. Лео Хаттон. Я разговаривала с ним. Он был очень, очень мил. Когда я ему сообщила, что у него не одна, а две внучки, он даже прослезился. Настаивает, чтобы мы при первой же возможности приехали, потому что сам он слишком стар для дальних поездок.

— Вот так сюрприз! — воскликнул Винсент.

— Алиса, что ты молчишь?

— Она потрясена обилием свалившихся на нее родственников, — сообщил Лэрри. — Ты только вдумайся: теперь у нее есть сестра, дед, жених и сводный кузен-убийца.

На пороге показалась рассерженная медсестра, которую привлек шум в палате.

— Попрошу всех выйти! — строго велела она, сверкая глазами. — Больной нужен покой.

— Мы уже уходим, — примирительно сказала Элис. — Выздоравливай, сестричка!

— Я буду тут, рядом, — крикнул Винсент Алисе, выходя.

— Пока, дорогая! — кивнул Лэрри, поправляя указательным пальцем очки. Проходя мимо медсестры, терпеливо ждавшей возле двери, он не сдержался и сказал: — Знаете, что вы сделали? Вы только что лишили меня десяти баксов!

СОДЕРЖАНИЕ

Литературно-художественное издание

Куликова Галина Михайловна
ДЫРКА ОТ БУБЛИКА

Ответственный редактор *О. Рубис*
Редактор *Т. Семенова*
Художественный редактор *В. Щербаков*
Художник *А. Сальников*
Компьютерная обработка оформления *И. Дякина*
Технический редактор *Н. Носова*
Компьютерная верстка *Д. Глазков*
Корректор *О. Ямщикова*

ООО «Издательство «Эксмо».
107078, Москва, Орликов пер., д. 6.
Интернет/Home page — www.eksmo.ru
Электронная почта (E-mail) — info@ eksmo.ru

По вопросам размещения рекламы в книгах издательства «Эксмо»
обращаться в рекламное агентство «Эксмо». Тел. 234-38-00

Книга — почтой: Книжный клуб «Эксмо»
101000, Москва, а/я 333. E-mail: bookclub@ eksmo.ru

Оптовая торговля:
109472, Москва, ул. Академика Скрябина, д. 21, этаж 2
Тел./факс: (095) 378-84-74, 378-82-61, 745-89-16
Многоканальный тел. 411-50-74. E-mail: reception@eksmo-sale.ru

Мелкооптовая торговля:
117192, Москва, Мичуринский пр-т, д. 12/1.
Тел./факс: (095) 932-74-71

ООО «Медиа группа «ЛОГОС».
103051, Москва, Цветной бульвар, 30, стр. 2
Единая справочная служба: (095) 974-21-31. E-mail: mgl@logosgroup.ru

ООО «КИФ «ДАКС». 140005 М. О. г. Люберцы, ул. Красноармейская, д. 3а.
т. 503-81-63, 796-06-24. E-mail: kif_daks@mtu-net.ru

Книжные магазины издательства «Эксмо»:
Москва, ул. Маршала Бирюзова, 17 (рядом с м. «Октябрьское Поле»). Тел. 194-97-86.
Москва, Пролетарский пр-т, 20 (м. «Кантемировская»). Тел. 325-47-29.
Москва, Комсомольский пр-т, 28 (в здании МДМ, м. «Фрунзенская»). Тел. 782-88-26.
Москва, ул. Сходненская, д. 52 (м. «Сходненская»). Тел. 492-97-85
Москва, ул. Митинская, д. 48 (м. «Тушинская»). Тел. 751-70-54.

Северо-Западная Компания представляет
весь ассортимент книг издательства «Эксмо».
Санкт-Петербург, пр-т Обуховской Обороны, д. 84Е
Тел. отдела рекламы (812) 265-44-80/81/82/83.

Сеть магазинов «Книжный Клуб СНАРК» представляет
самый широкий ассортимент книг издательства «Эксмо».
Информация о магазинах и книгах
в Санкт-Петербурге по тел. 050.

Вы получите настоящее удовольствие, покупая книги в магазинах ООО «Топ-книга»
Тел./факс в Новосибирске: (3832) 36-10-26. E-mail: office@top-kniga.ru

Всегда в ассортименте новинки издательства «Эксмо»:
ТД «Библио-Глобус», ТД «Москва», ТД «Молодая гвардия»,
«Московский дом книги», «Дом книги в Медведково», «Дом книги на ВДНХ».
Книги издательства «Эксмо» в Европе: www.atlant-shop.com

Подписано в печать с готовых диапозитивов 25.02.2003.
Формат 84x108 ^{1}/$_{32}$. Гарнитура «Таймс». Печать офсетная. Бум. газ.
Усл. печ. л. 20,16. Уч.-изд. л. 20,0.
Тираж 27 000 экз. Заказ 4302052.

Отпечатано на ФГУИПП «Нижполиграф».
603006, г. Нижний Новгород, ул. Варварская, 32.